ANAYA

ESPAÑOL LENGUA EXTRANJERA

vocabulario

Marta Baralo
Marta Genís
M.ª Eugenia Santana

Avanzado B2

Diseño del proyecto: Milagros Bodas, Sonia de Pedro

Juan Ignacio Luca de Tena, 15 - 28027 Madrid

Depósito legal: M-32811-2012
ISBN: 978-84-678-1369-2
Printed in Spain

Coordinación y edición: Milagros Bodas, Sonia de Pedro
Diseño de interiores y maquetación: Ángel Guerrero
Ilustración: Pablo Espada
Diseño de cubierta: Fernando Chiralt
Corrección: Ana Orenga

Las normas ortográficas seguidas en este libro son las establecidas por la Real Academia Española en su última edición de la *Ortografía*.

RESENTACIÓN

Anaya ELE en es una colección temática diseñada para aunar teoría y práctica en distintos ámbitos de la enseñanza de Español como Lengua Extranjera. Su objetivo es ofrecer un material útil donde la teoría se combine de forma coherente con la práctica y permita al alumno una ejercitación formal y contextualizada a través de actividades amenas y variadas, teniendo en cuenta siempre el **uso** de los contenidos que se practiquen.
Esta colección se inició con un libro dedicado a los **verbos,** un **referente** destinado a estudiantes de todos los niveles.

Anaya ELE en es una serie dedicada a la **gramática,** al **vocabulario,** la **fonética** y la **escritura,** estructurada en tres niveles siguiendo los parámetros del *Plan Curricular del Instituto Cervantes* (2007).

Este vocabulario se inicia con la representación gráfica de un tema y continúa con una serie de ejercicios variados.

ESTRUCTURA DE LA UNIDAD

Cada unidad consta de:

- **¡Fíjese!** Viñeta que ilustra una selección de palabras del tema que se estudia.

- **Palabras en contexto.** Actividad que trabaja, a partir de un texto, palabras del campo semántico de la unidad.
- **Ejercicios.** Serie de actividades variadas con *input* auditivo.

Partes del libro

- Introducción.
- Unidades.
- Test de autoevaluación.
- Soluciones.
- Glosario alfabético. Listado de los términos estudiados, seguidos de línea de puntos, con el fin de que el alumno escriba la traducción a su idioma correspondiente.
- Glosario temático. Siguiendo la estructura del *Plan Curricular del Instituto Cervantes,* se ofrece un índice de materias que recoge los términos clasificados por temas, indicando, además, la unidad donde se trabajan.
- 2 CD Audio.

En todos los manuales se incluyen las **soluciones** de los ejercicios; de esta forma se constituye en una herramienta eficaz para ser utilizada en el aula o como **autoaprendizaje**.

Anaya ELE en pone al alcance del estudiante de español como lengua extranjera un material de trabajo que le sirve de **complemento a cualquier método.**

ÍNDICE

INTRODUCCIÓN

«El conocimiento del vocabulario hace posible el uso del lenguaje, el uso del lenguaje hace posible el enriquecimiento del vocabulario, el conocimiento del mundo hace posible el enriquecimiento del vocabulario y del uso del lenguaje, y así sucesivamente.»
Paul Nation, 1993

«El léxico es la base del lenguaje.»
Michael Lewis, 1993

«Más vale una palabra a tiempo que cien a destiempo.»
Cervantes

Para hablar, escribir, escuchar, leer o traducir, el usuario de una lengua (el estudiante de español) tiene que llevar a cabo una secuencia de acciones realizadas con destreza. Debe ser capaz de planear y organizar un mensaje, y de formular un enunciado lingüístico hablando o escribiendo. Como oyente o lector debe saber percibir el enunciado, identificar el mensaje lingüístico, comprender el mensaje e interpretarlo según la situación comunicativa en la que se encuentre.

Para conseguir realizar con éxito todas estas actividades de comunicación, necesita conocer palabras en la lengua en que se expresa, y lo que más suele faltar en una lengua extranjera es justamente la palabra precisa en el momento preciso. Si no sabemos una palabra, si no encontramos la palabra que necesitamos o si la «tenemos en la punta de la lengua», no conseguimos ser eficaces en la comunicación.

Conocer una palabra o una unidad léxica formada por más de una palabra es un proceso complejo y gradual en el que se aprende no solo la forma y el significado, sino también una intrincada red de relaciones formales y semánticas entre ese ítem y otras palabras. El conocimiento de una palabra es una representación mental de gran complejidad, que integra diferentes aspectos y componentes cognitivos, algunos más automáticos e inconscientes y otros más conscientes, reflexivos y basados en la propia experiencia.

¿QUÉ SIGNIFICA SABER UNA PALABRA?

Cuando conocemos una palabra sabemos distintos aspectos asociados a ella, además de su forma y de su significado. Podemos esquematizar ese conocimiento, atendiendo a la forma, al significado y al uso de la palabra, tanto en la lengua oral como en la escrita, como emisor y como intérprete. Ese conocimiento se manifiesta, aproximadamente, en las siguientes preguntas:

- ¿Cómo suena?, ¿cómo se pronuncia?, ¿cómo se escribe?
- ¿Qué partes se reconocen en ella?
- ¿Qué significados señala la forma de la palabra?
- ¿Qué palabra puede usarse para expresar el significado?
- ¿Qué está incluido en el concepto?
- ¿A qué otras palabras nos recuerda?, ¿qué otras palabras podría usar en su lugar?
- ¿Qué otras palabras o tipos de palabras aparecen con ella?, ¿qué otras palabras pueden / deben usarse con ella?
- ¿Dónde, cuándo, con qué frecuencia se puede encontrar o usar esa palabra?

El conocimiento léxico se halla relacionado –tejido en una red– con otros componentes de la mente, interrelacionados entre sí en los procesos de reconocimiento de la palabra y de su recuperación de la memoria cuando la necesitamos en un acto comunicativo.

LA COMPETENCIA LÉXICA

A diferencia de lo que ocurre con la gramática de una lengua, el conocimiento léxico se encuentra directamente relacionado con el conocimiento de los hechos y con el conocimiento del mundo, que comprende:

- lugares, instituciones y organizaciones, personas, objetos, acontecimientos, procesos e intervenciones en distintos ámbitos, particularmente del país o países en que se habla el idioma; por ejemplo, sus principales características geográficas, medioambientales, demográficas, económicas y políticas;

– clases de entidades (concretas y abstractas, animadas e inanimadas, etc.) y sus propiedades y relaciones (espacio-temporales, asociativas, analíticas, lógicas, de causa y efecto);

– conocimiento sociocultural de la comunidad, que se puede relacionar, por ejemplo, con la vida diaria; sus condiciones; las relaciones personales, los valores, las creencias y las actitudes, el lenguaje corporal, las convenciones sociales, el comportamiento ritual, la conciencia intercultural.

Relacionado directamente con el aprendizaje léxico, hay otro componente importante que tiene que ver con las destrezas y las habilidades para comunicar del estudiante, con sus estrategias para aprender, con sus actitudes, motivaciones, valores, creencias, estilos cognitivos o con aspectos de su personalidad.

Para la realización de las intenciones comunicativas, los usuarios de la lengua o los alumnos ejercen sus capacidades generales junto con una competencia comunicativa más específicamente relacionada con la lengua, que está constituida en esencia por palabras que se combinan en oraciones, que constituyen un texto o discurso.

Este libro, organizado por temas de comunicación en los ámbitos personal, profesional y social, ofrece actividades y estrategias variadas dedicadas a desarrollar distintos aspectos del conocimento léxico, siguiendo los principios del *Marco Común Europeo de Referencia:*

- Exposición a palabras y expresiones nuevas destacadas en textos orales y escritos.
- Inclusión de vocabulario en contexto de uso para escuchar, leer y escribir.
- Oportunidad de reutilizar el vocabulario nuevo en ejercicios y actividades variadas que ponen el foco en los aspectos fónicos, ortográficos, gramaticales, semánticos y pragmáticos de la lengua.
- Presentación de palabras acompañadas de apoyo visual y grabaciones orales de carácter didáctico, para facilitar la construcción de la imagen auditiva de las palabras y frases nuevas.
- Inclusión de un glosario alfabético y otro temático para recordar el vocabulario en proceso de adquisición.

- Realización de actividades y mapas conceptuales para trabajar las distintas redes semánticas: hipónimos, hiperónimos, sinónimos, antónimos, holónimos, merónimos.
- Inclusión de colocaciones, frases hechas y refranes, fórmulas rutinarias y locuciones vinculadas a la competencia sociocultural y pragmática.

Las autoras de este libro hemos intentado facilitar la tarea de los que aprenden español, tomando decisiones sobre qué elementos léxicos podrá reconocer y utilizar el estudiante en cada nivel de dominio de la lengua..

LOS DESTINATARIOS

Anaya ELE en Vocabulario está pensado para el estudiante de español como lengua extranjera que quiera mejorar su competencia comunicativa hasta llegar a un determinado nivel de dominio. Nos dirigimos a una persona que puede **aprender con autonomía,** gestionando su tiempo, su ritmo de trabajo y su dedicación. También puede seleccionar aquellos temas de mayor interés para ampliar su riqueza léxica, así como controlar su progreso gracias a las soluciones que acompañan a los ejercicios y a las pruebas de autoaprendizaje finales.

El manual también puede ser **útil para profesores de español,** bien como fuente de recursos para la elaboración de su programación didáctica, bien como herramienta de aprendizaje en una clase convencional o como material complementario. El profesor puede tener la certeza de que su alumno podrá complementar y afianzar el léxico de las unidades didácticas de su programa, con ejemplos claros de uso de las palabras y expresiones nuevas en un contexto de lengua estándar, claro, graduado y elaborado a partir de la experiencia docente de las autoras.

LOS NIVELES

Para aprender mejor el léxico es importante que esté organizado por niveles de dificultad. Este vocabulario sigue los parámetros establecidos por el **Plan curricular del Instituto Cervantes (2007)** y ha tenido en cuenta su inventario al establecer los tres niveles, siguiendo las sugerencias marcadas por los expertos: partimos de los temas más concretos y más cercanos al individuo para continuar con sus relaciones familiares y sociales, su vida cotidiana, su entorno de trabajo, y vamos ampliando los temas y tratándolos con mayor precisión y riqueza léxica hasta tocar campos más abstractos y complejos del ámbito de la política, las artes, las ciencias, la economía, entre otros.

Las decisiones para elegir el léxico de cada nivel y para ordenarlos por temas, con textos fáciles y claros para que el estudiante entienda y practique las palabras y expresiones nuevas, no han sido fáciles, pero siempre hemos hecho prevalecer el criterio didáctico y práctico, basado en la frecuencia y en la rentabilidad comunicativa.

Asimismo, hemos considerado las dificultades graduales a las que se enfrenta un estudiante extranjero a la hora de aprender el vocabulario que ha de integrar en las actividades comunicativas en español. La competencia léxica es un proceso de gran complejidad en el que se construyen redes formales y semánticas entre palabras y unidades complejas, que facilitan su reconocimiento y su recuperación para su aplicación en situaciones comunicativas de la vida diaria.

Los ejercicios que se proponen tienen como objetivo facilitar el uso del léxico en contextos reales de comunicación para conseguir la integración de los términos y expresiones nuevas como vocabulario activo del estudiante. El aprendizaje del vocabulario y su uso se consiguen con el desarrollo de las destrezas de comprensión lectora y expresión oral y escrita.

En cuanto a las **variantes léxicas,** dada la gran diversidad de palabras que pueden emplearse para un mismo objeto en las diferentes regiones en las que se habla español, tanto en Hispanoamérica como en España, hemos optado por proponer casi siempre solo el vocabulario de la variedad centro-norte peninsular española. No obstante, en algunos casos, hemos incluido algunas variantes del español en Hispanoamérica. Los usuarios de este libro en otras áreas de la lengua española tendrán que hacer las adaptaciones necesarias a su variedad.

Nuestro deseo es que, gracias al trabajo con las unidades léxicas de este manual, la comunicación en español sea más precisa, más clara, más correcta, más eficaz y más placentera.

Las autoras

Vocabulario

1 El sexto sentido

SENSACIONES Y PERCEPCIONES

¡FÍJESE!

LOS SERES VIVOS conocen el mundo exterior mediante las diferentes formas de ***percepción.*** *Los humanos disponemos de* ***cinco sentidos: vista, olfato, gusto, oído*** *y* ***tacto.***

Las ***sensaciones*** *se detectan en las células y como tales se integran en el sistema nervioso. La vista es probablemente el sentido más desarrollado de los seres humanos, seguido inmediatamente por la audición.*

SENTIDO DE LA VISTA (LA VISIÓN)

El ojo es el **órgano** de la visión. La **sensibilidad** del ojo humano es extraordinaria, se adapta a la oscuridad y a la luz intensa. La **percepción visual** varía mucho en los diferentes animales, como las abejas, las serpientes, los pájaros, según sus necesidades vitales.

SENTIDO DEL OÍDO (LA AUDICIÓN)

El oído es el órgano de la audición. El oído humano puede **percibir** frecuencias de sonido grave y de sonido agudo. Los murciélagos y los delfines pueden detectar sonidos mucho más agudos que los seres humanos.

SENTIDO DEL GUSTO (EL SABOR)

Los receptores para el gusto son las **papilas gustativas,** que se encuentran principalmente en la **lengua,** pero también están localizadas en el **paladar** y cerca de la **faringe.** Las papilas gustativas pueden detectar cuatro gustos básicos: **salado, dulce, amargo** y **agrio.**

SENTIDO DEL OLFATO (EL OLOR)

La **nariz** es el órgano responsable del sentido del **olfato.** Los olores consisten en **vapores** de diversas sustancias. Los perros tienen un sentido del olfato más **sensible** y rico que el del hombre.

SENTIDO DEL TACTO

El sentido del tacto está distribuido por todo el cuerpo. A través de la piel, los nervios transmiten sensaciones al cerebro. Se pueden identificar cuatro clases de sensaciones: **frío, calor, contacto** y **dolor.**

1: 01)

■ Escuche. Después relacione cada enunciado con su sentido correspondiente.

1. Contemplas un paisaje. ....
2. Te lavas las manos. ....
3. Estás en un concierto. ....
4. Te deleitas con un postre. ....
5. Te pones un perfume. ....

EJERCICIOS

PALABRAS EN CONTEXTO

EL SEXTO SENTIDO

Para sentirse bien, el ser humano tiene otros sentidos muy importantes: un sentido del movimiento, de la presión, de la temperatura, del equilibrio y del **dolor,** que se basan en la percepción de los **órganos sensoriales.** Pero ¿y el **sexto sentido?** ¿Qué entendemos por ello?

El **sexto sentido** está relacionado con la **intuición,** con esa forma de «prever» lo que va a suceder, se dice también **tener una corazonada.** La intuición se percibe independientemente de nuestros cinco sentidos, de ahí el nombre de sexto sentido. A veces, la sensación es mental y otras más **corporal,** pues el cuerpo reacciona ante ciertos hechos o informaciones. Se puede decir que actúa como una alarma interior que nos avisa de que algo es positivo o negativo para nosotros.

1 Marque si las siguientes afirmaciones son verdaderas (V) o falsas (F).

	V	F
a) Todos los seres vivos perciben de la misma manera lo que ven.	☐	☐
b) El sentido del equilibrio es muy importante en la vida del ser humano.	☐	☐
c) La intuición se detecta a través del tacto.	☐	☐
d) Los olores son captados por el sentido de la vista.	☐	☐
e) La percepción auditiva del oído derecho y del oído izquierdo permite saber de dónde procede un sonido.	☐	☐
f) La sensación de dolor proviene de los diferentes sentidos.	☐	☐
g) La lengua es un órgano que nos permite distinguir un sonido grave de un sonido agudo.	☐	☐

Lea las definiciones de *percepción* y *sensación*, y complete los enunciados con la palabra adecuada.

Percepción (Del lat. *perceptio, -onis*).

1. f. Acción y efecto de percibir.

2. f. Sensación interior que resulta de una impresión material hecha en nuestros sentidos.

3. f. Conocimiento, idea.

Sensación (Del lat. *sensatĭo, -ōnis*).

1. f. Impresión que las cosas producen por medio de los sentidos.

2. f. Efecto de sorpresa, generalmente agradable, producido por algo en un grupo de personas. *Su nuevo peinado causó sensación.*

3. f. Corazonada o presentimiento de que algo va a suceder. *Tengo la sensación de que nos va a tocar la lotería.*

a) Tenía la .... de estar haciendo el ridículo en esa fiesta.

b) Los políticos tienen una .... muy partidista de la crisis.

c) Carla ha sido abuela y tiene una profunda .... de felicidad.

d) Se quedó con una .... de impotencia al ver el dolor de los heridos en la televisión.

e) Hay personas que tienen .... extrasensoriales de fenómenos muy extraños.

ESTRATEGIAS PARA APRENDER VOCABULARIO

Si no conoce o no está seguro del significado de una palabra o una expresión, es muy útil consultar un diccionario. Le recomendamos buscar en la RAE:

Diccionario de la lengua española, en **www.rae.es/drae**

Diccionario panhispánico de dudas, en **www.rae.es/dpd**

3 **Imagine que tiene que hacer cinco regalos a cinco amigos. Relacione los regalos con la caja correspondiente a cada sentido.**

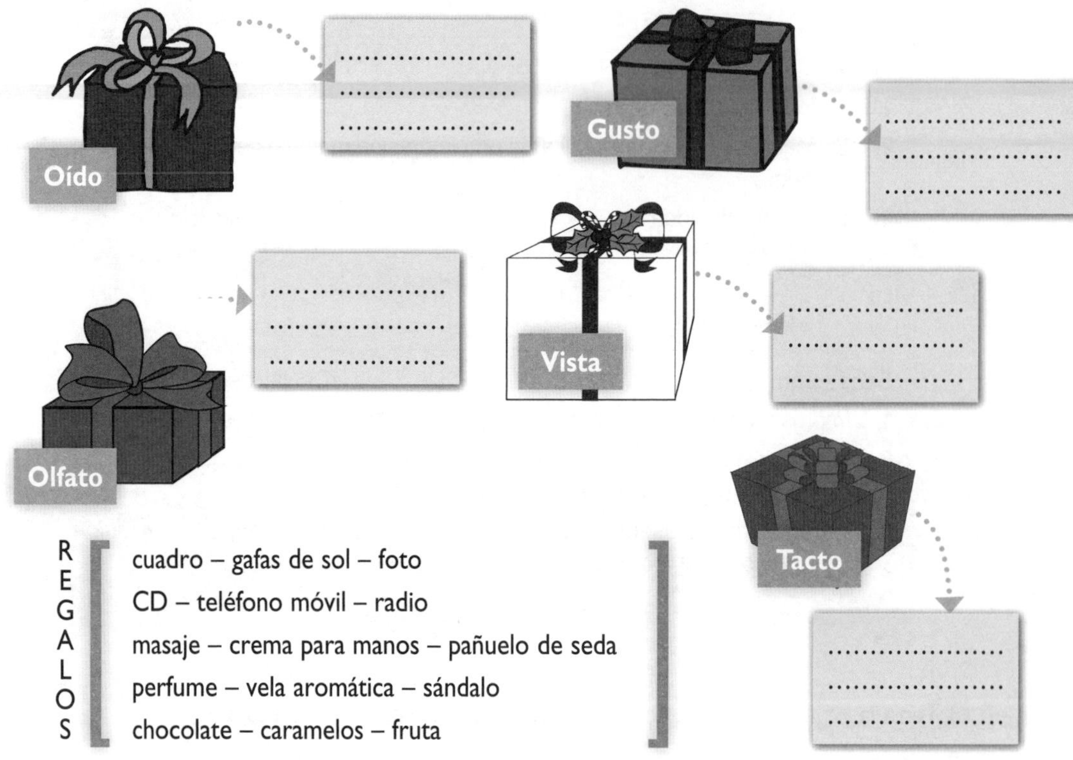

4 **Complete el siguiente texto con las palabras del recuadro.**

vista – oído – tocar – percepción – oír – ver – hablar – tacto – sentir – audición

Hay personas cuyas vidas constituyen un gran ejemplo. Helen Keller (Estados Unidos, 1880-1968) es, sin duda, una de ellas. Fue una activista política, escritora y oradora, **ciega** y **sorda.** Cuando tenía solo dos años sufrió una enfermedad que la dejó incapacitada para comunicarse.

A pesar de no poder (1) .... ni (2) .... ni (3) ...., muchos años después dio discursos acerca de su vida y escribió libros sobre sus experiencias personales. Su institutriz, Anne Sullivan, le enseñó a hablar, a leer y a comunicarse con los demás. Le decía a Helen que (4) .... las cosas, y luego deletreaba el nombre del objeto en la mano de Helen. Así, Helen aprendió a leer. Todo su aprendizaje se basaba en la (5) .... mediante el (6) ....

Para enseñarle a hablar, Sullivan ponía la mano de Helen en su garganta para que pudiera (7) .... las vibraciones creadas al pronunciar los sonidos, para que más tarde Helen tratara de reproducir esas mismas vibraciones.

Helen nació con la vista y la (8) .... completas. Hoy en día su enfermedad sigue siendo un misterio. Los doctores en su tiempo la llamaron «fiebre del cerebro». Cuando se recuperó, comprobaron que había perdido totalmente la (9) .... y el (10) ....

Pero su familia y ella misma fueron superando sus limitaciones a fuerza de voluntad y constancia, y gracias también a tutores y amigos que la ayudaron, sobre todo, la incansable Anne Sullivan.

■ **Ahora escuche y compruebe.**

(1: 02)

5 Complete.

a) Una persona que no puede ver es una persona: ....

b) Una persona que no puede oír es una persona: ....

c) Una persona que no puede hablar es: ....

¡Observe!

Los nombres de los sentidos se usan con frecuencia en la lengua en sentido **metafórico** o en **figurado.** Lea con atención los siguientes diálogos.

–Me gustan mucho tus regalos. ¡Qué ***buen gusto*** *tienes!*
–Hum, ¡qué buen gusto tiene este guiso!

***

–Mi jefa es muy amable. Tiene ***buen tacto*** *para decir las cosas sin ofender.*
–Sí, su trabajo exige ***mucho tacto*** */* ***tener tacto*** *con los clientes, pues tienes que agradar a todos, aunque no estés de acuerdo con ellos.*

EL SENTIDO METAFÓRICO

1

¿Dónde están las llaves?

Encima de la mesa de la entrada.

No, no están, no las veo.

¿Estás ciego? Si las estoy viendo yo desde aquí.

¡OBSERVE! No está ciego de verdad. Lo dice en sentido **metafórico o figurado.**

2

Pásame la sal, por favor.

¿Eh?

Que me pases la sal. **¿Te has vuelto sordo** o qué?

3

Eso es una broma **de mal gusto.** Se ha llevado un susto de muerte.

4

Mira, por ahí viene Pedro, mi profesor de español. ¿Qué te parece? (...) Eh, Marta, ¿por qué **te quedas muda**?

(1: 03)

6 **Escuche estas cuatro situaciones antes de leer y escriba si las palabras marcadas se usan en sentido metafórico o en sentido literal.**

Situación 1

–¿Dónde ha ido Carmen?

–Ha ido al otorrino, pues hace días que nota que no oye bien. Está un poco **sorda.**

....

Situación 2

–Le he pedido un aumento de sueldo a mi jefe.

–¿Y qué?

–Ha hecho **oídos sordos.**

....

Situación 3

–**¡Qué mal gusto** el de Tomás! Va diciendo por ahí lo que gana..., ahora que le han ascendido en el trabajo.

....

Situación 4

–Tengo una compañera excepcional. Es ciega, pero su integración en el trabajo es total.

–¿No es complicado compartir con ella responsabilidades?

–¡Qué va! Solo requiere **un poco de tacto.**

....

PARTES Y ÓRGANOS DEL CUERPO

¡Hola, Luisa! ¿Qué tal? Yo, regular, no te creas. La semana pasada estuve en el médico porque **me encontraba mal.** Y me mandó un **análisis de sangre,** ¿sabes?, para ver qué tal tenía los índices. Y bien, al parecer no tengo el **hígado inflamado** y mis **riñones** funcionan perfectamente... Claro, que como también tenía molestias de **estómago,** me mandó hacer unas pruebas para el **aparato digestivo.** Yo ya pensaba que iba a tener algo malo... pero no, falsa alarma, estómago e **intestinos** también bien. Y con este tiempo tan frío... me duelen los **huesos** y las **articulaciones,** pero me han hecho una **radiografía...,** y como se ve todo el **esqueleto,** la **columna,** las **costillas...** han podido comprobar que no tengo **lesiones.** Es que una ya no está joven, María Luisa, ¡ay! ¡Quién tuviera 20 años menos...! Y es que el cuerpo es una máquina... Y todo está tan bien conectado que si falla una pieza... En fin, hija, ¿Y tú? ¿Qué tal estás?

7 ¿A qué parte del cuerpo se refieren estas descripciones?

a) Soporte principal del esqueleto: ....

b) Permite la movilidad de los huesos: ....

c) Se pueden ver en una radiografía: ....

d) Revisten los huesos y se fortalecen con el deporte: ....

e) Forman parte del aparato digestivo: ....

f) Es el conjunto de todos los huesos del cuerpo: ....

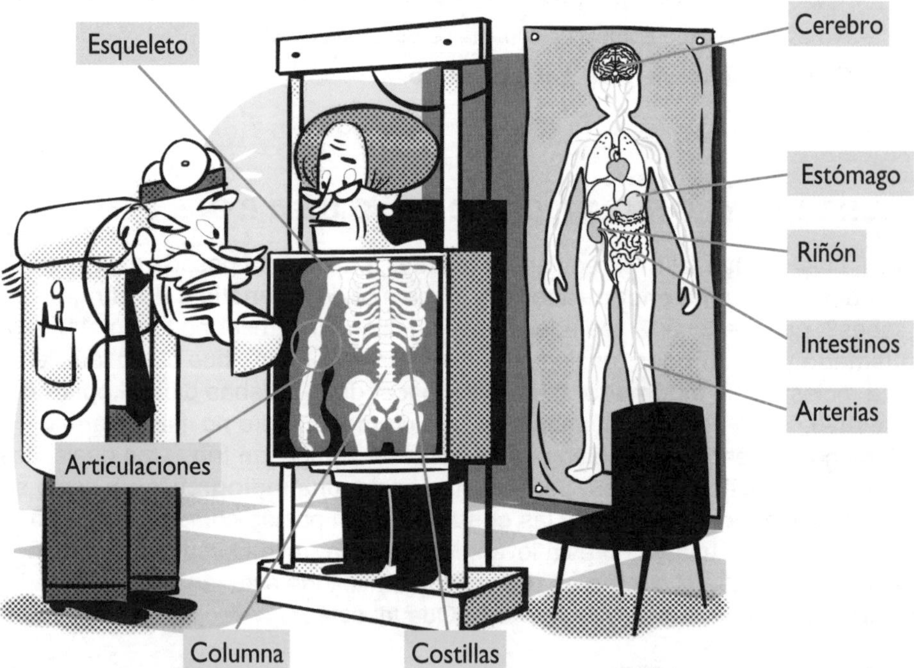

¡OBSERVE!

Las expresiones que aluden al cuerpo humano también suelen usarse en **sentido figurado** o **metafórico.**

*Las **luchas intestinas** son frecuentes entre los miembros de una familia por dinero.*
*Este edificio es altísimo, pero tiene un **esqueleto muy firme.***
***El cerebro de la operación** tiene mucha experiencia en investigación policial.*

8 Asocie estos verbos con partes del cuerpo.

saltar → ....
....

pensar → ....
....

estirar → ....
....

reír → ....
....

comer → ....
....

latir → ....
....

GESTOS

POSTURAS Y ACCIONES DEL CUERPO

¡OBSERVE!

Hay tres estructuras muy útiles en español para expresar **estados** y **sensaciones**, **características físicas** y **posiciones**:

- ***Tengo*** + sustantivo
  - *una cicatriz*
  - *muchas arrugas*
  - *un calor horrible*
  - *un frío terrible*
  - *un hambre espantosa*
  - *un dolor muy fuerte*
- ***Estar*** + adjetivo
  - *agotado*
  - *hambriento*
  - *sudoroso*
  - *dolorido*
  - *lloroso*
- ***Ponerse de*** + sustantivo
  - *pie*
  - *rodillas*
  - *frente*
  - *costado*
  - *espalda*

9 Escriba expresiones que signifiquen:

a) Sensación de cansancio.

....

....

....

b) Sensación de malestar.

....

....

....

c) Características físicas.

....

....

....

d) Posiciones del cuerpo.

....

....

....

10 Relacione ambas columnas.

1. María ha pegado una patada
2. Juan se rasca
3. Mi abuelo se queda dormido sobre
4. Mis padres se tumban
5. El bebé bosteza
6. Me alzo para
7. Se agacha

a) la cabeza.
b) para recoger algo del suelo.
c) limpiar el techo.
d) la mesa.
e) a un bote.
f) un rato después de comer.
g) de sueño.

11 Subraye la opción correcta.

1. El bebé **bosteza** / **escupe** / **cruza** la comida porque ya no tiene hambre.
2. El gato **araña** / **golpea** / **tira** la tela de los sillones.
3. Después del maratón acabamos **alzando** / **de rodillllas** / **sudorosos** por el esfuerzo.
4. Me ha quedado una enorme **articulación** / **cicatriz** / **rodilla** de la operación de cadera.
5. Cuando Juan tiene sueño o siente cansancio, suele **agachar** / **estirar** / **tumbar** los brazos.
6. Si tengo muchas ganas de comer, estoy **tirado** / **hambriento** / **agotado.**

(1: 04)

■ **Ahora, escuche y compruebe.**

12 Conteste verdadero (V) o falso (F).

a) Si me agacho, doblo los brazos. ☐
b) Al estirarme, estiro también la columna. ☐
c) Pego una patada con la cabeza. ☐
d) Para rascarme utilizo los pies. ☐
e) A los 90 años se suelen tener arrugas en la cara. ☐
f) Si me pongo de rodillas, apoyo los codos en el suelo. ☐
g) Acariciamos con la cara o con las manos a los bebés. ☐

13 **Encuentre en la sopa de letras 10 acciones que se realicen con partes de la cabeza.**

T	K	Q	E	P	I	U	M	E	E	V	W	O	O	M	B	Q	C
H	F	B	M	M	I	N	N	Y	V	B	E	V	N	R	T	X	E
E	Ñ	U	P	E	Q	Y	R	D	B	G	D	U	G	B	R	T	N
C	R	A	L	B	A	H	R	A	S	E	B	S	R	R	I	E	R
F	I	I	R	W	E	A	C	R	R	T	F	T	O	E	D	S	A
T	E	L	H	Z	H	E	X	Y	U	O	G	D	X	Q	V	C	Z
U	R	O	J	C	C	S	Z	U	J	U	L	E	A	T	S	U	E
O	N	D	U	S	O	W	A	I	M	J	H	L	B	Y	D	P	T
L	O	C	V	D	T	Q	S	K	I	K	O	R	V	V	H	I	S
P	S	V	F	G	N	A	D	L	L	L	I	K	B	Z	J	R	O
E	L	R	B	R	M	X	F	M	V	E	R	V	O	R	T	N	B

2 Las apariencias engañan

VALORES Y COMPORTAMIENTOS PERSONALES

¡FÍJESE!

Gloria acaba de mudarse de casa y, como ***tiene buenos modales,*** *quería ir a saludar a los vecinos, pero antes ha bajado a hablar con el portero, quien le ha dicho lo siguiente:*

Su vecino de al lado, el del 1.° izquierda, es don Pepe, un viejecito **muy atento** y que se puede contar con él para lo que sea.

En el 2.° derecha vive Juan, un chico joven que **está como una cabra** y organiza fiestas hasta muy tarde por la noche. Ese chico **no tiene dos dedos de frente.** Justo al lado vive Moira, una chica **con mucho carácter,** que **se enfada** con Juan por el lío que arma con sus fiestas; ella es muy **responsable** y **puntual,** y no le gusta llegar tarde al trabajo.

La vecina del 3.° izquierda se llama Flor. Doña Flor es muy **curiosa, una cotilla,** lo sabe todo de los demás vecinos. **Habla mal** de todo el mundo.

En el 3.° derecha viven los Pérez, una pareja de mediana edad. Ella se llama Juana y es muy **callada** con un marido **arrogante,** de **carácter brusco** y **egoísta,** bastante **mal educado.** Se llama Raúl.

(1: 05)

■ **Ahora escuche y responda a estas preguntas.**

1. ¿Cree que el portero sabe realmente todo acerca de los vecinos?
2. ¿A cuál de estas personas le gustaría tener de vecino? ¿Por qué?

PALABRAS EN CONTEXTO

(1: 06)

1 Escuche esta conversación entre Gloria y su madre. Después léala y conteste verdadero (V) o falso (F).

–Hola, mamá. Ya estoy instalada en la casa.

–¿Has ido a visitar a los vecinos como te dije? Ya sabes que si quieres **tener confianza** con ellos, tienes que tener una **buena actitud.**

–Sí, mamá, ya los conozco a todos.

–¿Y qué tal?

–Primero fui a ver al portero, que me contó algunas cosas acerca de ellos.

–¿Al portero? Tienes que tener cuidado y **ser prudente** porque, a veces, los porteros…

–Ya, ya lo sé. Luego fui a visitar a los vecinos.

–¿Y qué? ¿Eran como te dijo el portero?

–Pues unos sí y otros no.

–¿Cómo es eso?

–Verás. Mi vecino de al lado, don Pepe, es como dijo, muy **educado** y **solidario.** Me dijo que, si le necesitaba para algo, le llamara sin dudarlo.

–¡Qué **atento!** ¿Y los demás?

–El chico del 2.º, Juan, es verdad que **se comporta mal,** pero también parece **generoso** y **sincero.** A veces, las apariencias engañan. Me invitó a café… y se mostró muy **amable** y **cordial.**

–¡Hum! Bueno, habrá que verlo… ¿Y la chica del 2.º? ¿Cómo se llamaba…?

–¿Moira? Parece la típica chica con **complejo de superioridad** y **ambiciosa,** siempre busca progresar, mejorar… Y no para hasta conseguirlo. Hay que reconocer que no es una mujer **cobarde,** se atreve con todo.

–¿Y los otros?

–Doña Flor es un poco **infeliz** porque está sola y no puede **dar cariño** a nadie. Y los Pérez son un matrimonio muy normal; ella no **tiene un pelo de tonta,** y se ve que **siente respeto** por su marido. Él es más bien **tímido...** y un poco **susceptible.** En el fondo a mí me parece un hombre muy **apasionado...,** aunque se siente algo **agobiado** cuando las cosas no suceden como él las piensa.

–¿Y qué te hace pensar todo eso del Sr. Pérez?

–Creo que es susceptible porque es de esas personas que se ofenden fácilmente, **quisquillosas,** y apasionado porque creo que puede sentir una fuerte inclinación por algo... o por alguien.

–¡Ay, hija! Desde que estudias Psicología... me das un poco de miedo... ¡Cualquiera te dice nada ahora!

	V	F
a) Ser sincero es decir mentiras.	☐	☐
b) Hablar mal de alguien es lo mismo que criticar.	☐	☐
c) Una persona cotilla está pendiente de lo que hacen los demás.	☐	☐
d) Ser susceptible es tener un carácter alegre.	☐	☐
e) Cuando se admira a una persona, se siente un gran respeto por ella.	☐	☐
f) Cuando una persona se siente indignada por cualquier cosa, decimos que es quisquillosa.	☐	☐

2 **Lea el siguiente texto.**

DIVULGACIÓN

La grafología

LA GRAFOLOGÍA es una técnica de la psicología que permite descubrir el carácter de una persona, analizando y estudiando su forma de escribir.

Para identificar rasgos de la personalidad debemos observar los rasgos morfológicos de la escritura que corresponden a las características psicológicas del individuo en cuestión.

En primer lugar, hemos de fijarnos en el **TAMAÑO** DE LA ESCRITURA:

- Una escritura *muy grande* revela una personalidad arrogante, que se cree mejor que los demás, y egoísta, que piensa solo en sí misma.
- La escritura *grande* corresponde a personas vitalistas, generosas y solidarias; dan cariño y amistad a los demás y les gusta ayudar.
- La escritura *pequeña* denota una personalidad introvertida, tímida, a veces con complejo de inferioridad y una actitud cobarde, con miedo a todo.
- La *desigualdad en el tamaño* de las letras corresponde a personas muy apasionadas, de una gran intensidad afectiva, o bien incapaces de controlar sus emociones.

En segundo lugar, analizaremos la **INCLINACIÓN** DE LA ESCRITURA:

- La escritura *inclinada* a la derecha indica una personalidad tierna, afectuosa, sociable y sensible, que se preocupa mucho de los sentimientos de los demás.
- La escritura *recta* es signo de una personalidad equilibrada, prudente, de carácter tranquilo, que sabe controlar su temperamento y en quien se puede tener confianza.
- La escritura *invertida,* o inclinada a la izquierda denota una personalidad tímida, con temor a la gente.

En tercer lugar, se tendrá en cuenta la **FORMA** DE LAS LETRAS, así:

- La escritura *curva* revela una personalidad dulce, sensible y, sobre todo, sincera, es decir, que siempre dice la verdad.
- La escritura *angulosa* suele pertenecer a personas de carácter brusco e imprudente, que hacen las cosas sin pensar en las consecuencias.
- La escritura *redonda* corresponde a personas tranquilas y constantes, que tienen poca curiosidad por lo que las rodea.

Por último, si consideramos la **VELOCIDAD** DE LA ESCRITURA, vemos que:

- La escritura *pausada* refleja un carácter responsable, que se toma muy en serio su trabajo, y con gran sentido de la puntualidad, a quien no le gusta llegar tarde a ningún sitio.
- La escritura *rápida* descubre una personalidad curiosa, creativa, de pensamiento rápido y capaz de generar nuevas ideas.

■ **Indique qué rasgos psicológicos corresponden a cada tipo de escritura.**

Escritura pequeña	
Letra redonda	
Escritura recta	
Escritura inclinada	
Letra angulosa	
Escritura pausada	
Desigualdad en el tamaño de las letras	
Escritura muy grande	

3 Lea el *Observe* y escriba el antónimo de los adjetivos propuestos.

OBSERVE

En una gran mayoría de los casos, el antónimo de una palabra se forma añadiendo el prefijo **in-**.

JUSTO ....

SENSIBLE ....

TRANQUILO ....

CONSTANTE ....

SOLIDARIO ....

PRUDENTE ....

■ **Uno de los antónimos no sigue exactamente tal regla del *Observe*. Señálelo y diga por qué.**

4 Clasifique las palabras según el verbo que las acompaña.

Personalidad	Sensible	Amistad	Buenos modales
Tranquilo	Ambicioso	Justo	Egoísta
Cariño	Sorprendido	Curiosidad	(Des)animado
Disgustado	Bien educado	Indignado	Constante
Una actitud positiva	Educación	Apoyo	(Des)ilusionado
Carácter	Comprensión	Temperamento	

SER	TENER	MOSTRAR	ESTAR
....	....	....	....
....	....	....	....
....	....	....	....
....	....	....	....
....	....	....	....

OBSERVE

Algunos antónimos se forman añadiendo el prefijo **des-**: *desanimado, desilusionado, descontento, desordenado, desafortunado.*

07)

5 La expresión «estar como una cabra» significa que una persona es alocada. Escuche estas expresiones y deduzca por el tono si se refieren a cualidades negativas o positivas. Después, relacione ambas columnas.

1. Juan no tiene dos dedos de frente.
2. Pepe es todo un caballero.
3. Amelia es de la Virgen del puño.
4. Luis es un jabato.
5. Este niño es un ángel.
6. Tomás es un patán.

a) Es muy valiente.
b) Es bueno y tranquilo.
c) Es muy tacaña.
d) Es muy poco inteligente.
e) Tiene malos modales.
f) Tiene buenos modales.

ESTADOS DE ÁNIMO

(1: 08)

6 **Escuche mientras observa los dibujos. Después defina brevemente cómo es él y cómo es ella.**

Mi novio, Rodrigo, es una persona muy difícil. Tan pronto está tan **animado** y **contento como unas castañuelas,** como **agobiado** y **disgustado.** Le **vuelve loco** la música y **adora** los perros, pero **detesta** la música muy alta y le **dan pánico** los perros pequeños. **Se pone furioso, histérico,** cuando le digo que no debería **asustar**le algo tan pequeño, que no **se agobie** ni **se angustie,** que hay que **disfrutar** de la vida... Pero entonces se siente **dolido** e **indignado,** y no me habla durante un rato. Luego se siente **avergonzado** y **apenado** por haberse **enfadado** conmigo. Y cuando le sonrío, se siente **aliviado.**

En cambio, yo siempre estoy **feliz.** Me **da alegría** que mis amigos vengan a verme, **disfruto** de su compañía y me siento **con ánimos.** Estar con ellos me **hace ilusión,** y me **emociona** y me **llena de orgullo** que me quieran.

Mi novio me **tiene envidia** porque nunca **me agobio** y **se sorprende** de que yo no **me canse** ni **me estrese,** ni **me lamente** nunca de nada. Y es que yo le digo que la vida es demasiado corta para llenarla de **angustia, tristeza, odio** y **temor.** Entonces es cuando mi novio me dice que **doy asco,** pero lo dice con **admiración...** A mí me **da igual** lo que diga. Amo la vida y me **fascina** la gente, no quiero **resignarme** a vivir **sin ilusión.**

Ahora lea, marque los enunciados falsos y corríjalos.

a) *Volverse loco* es un hecho que solo se manifiesta ante las alegrías. ☐

b) *Sentir pánico* es sentir alivio ante cualquier situación desagradable. ☐

c) *Sentirse dolido* es sinónimo de sentirse ofendido. ☐

d) *Avergonzarse de* algo implica un sentimiento de culpa. ☐

e) Cuando decimos *me da igual,* sentimos indiferencia por algo. ☐

f) *Tristeza* y *alegría* son sinónimos. ☐

PALABRAS EN CONTEXTO

7 Lea con atención este texto.

LAS EMOCIONES se suelen clasificar en estas categorías básicas: temor, sorpresa, tristeza, disgusto, ira, esperanza, alegría y aceptación.

Cada una de ellas ayuda a adaptarse a las exigencias y demandas del entorno de distintas maneras. Las diferentes emociones se pueden combinar para producir un rango de experiencias más amplio. Así, por ejemplo, la esperanza y la alegría combinadas se convierten en **optimismo;** la alegría y la aceptación producen **cariño;** el **desengaño** es la consecuencia directa de la sorpresa y la tristeza. Todas ellas varían en intensidad de un individuo a otro, la ira es menos intensa que la furia, y el enfado menos intenso que la ira.

No obstante, dependiendo del perfil psicológico de cada individuo, las emociones pueden presentar distintos grados de intensidad, alterando de diversas formas sus manifestaciones.

Estas son algunas de las emociones más frecuentes:

Temor o miedo:
Preocupación anticipada de un peligro, que produce ansiedad e inseguridad. Tiene lugar ante la llegada inesperada de una situación que altera la normalidad en el entorno. Esta emoción intensa acaba con el deseo de vivir, de gozar...

Sorpresa:
Asombro, desconcierto.

Disgusto:
Malestar, inquietud, causados por un acontecimiento o una contrariedad.

Ira:
Rabia, enfado por la frustración de no obtener lo que se desea.

Alegría:
Emoción agradable que libera tensión. Produce una sensación de bienestar y seguridad.

Tristeza:
Pena, soledad, pesimismo.

Ahora, marque verdadero (V) o falso (F).

	V	F
a) Las emociones básicas sirven para acomodarse a las distintas situaciones de la vida.	☐	☐
b) Las emociones y el carácter personal interactúan determinando las actitudes.	☐	☐
c) El temor o miedo es, en realidad, un mensaje de advertencia que nos envía nuestra mente.	☐	☐
d) Cumplir tus deseos provoca rabia.	☐	☐
e) Cuando hay alguna contrariedad, nos defendemos. En general, nos alegramos con las contrariedades.	☐	☐

8 Clasifique los sentimientos en positivos y negativos.

[orgullo, resignación, enfado, alegría, felicidad, tristeza, asco, emoción, odio, admiración, ilusión, estrés, fascinación, temor, satisfacción, alivio, angustia, agobio]

POSITIVOS

....
....
....
....
....
....

NEGATIVOS

....
....
....
....
....
....

9 Complete las oraciones con el verbo adecuado.

LLENAR · DAR · SENTIR · SENTIRSE · PONERSE · TENER

a) Me .... de alegría haberte encontrado hoy.

b) Luisa .... mucha admiración por la Madre Teresa.

c) Manuel .... furioso cuando se enteró de la mala noticia.

d) A mi madre le .... asco las serpientes.

e) Daniel .... avergonzado por haber contestado mal.

f) Desde que estuvo en el hospital .... admiración por las enfermeras.

(1: 09)

Ahora escuche y compruebe.

10 Conecte la palabra con su significado.

1. ANGUSTIA
2. ALIVIO
3. VERGÜENZA
4. INDIGNACIÓN
5. ORGULLO
6. RESIGNACIÓN
7. TEMOR
8. ADMIRACIÓN
9. ASCO
10. ILUSIÓN

a) Gran enfado.

b) Sentimiento de turbación causado por sentir culpa, humillación o ridículo.

c) Opinión demasiado buena de sí mismo.

d) Sentimiento de inquietud ante un peligro.

e) Impresión desagradable, rechazo.

f) Disminución de la pena o el dolor.

g) Entusiasmo, alegría.

h) Consideración por alguien debido a sus cualidades.

i) Conformismo, capacidad de aceptación de problemas.

j) Estado emocional de preocupación muy fuerte, unido al miedo y el nerviosismo que se sienten en situaciones difíciles.

(1: 10)

11 Escuche lo que dicen estos alumnos y escriba el estado de ánimo que expresa cada uno de ellos.

[Contento / Fascinado / Sorprendido / Agobiado / Disgustado / Dolido / Indignado / Resignado / Desanimado]

a) ¡Qué nervios! ¡¡¡No me da tiempo a estudiar todo!!! ....

b) ¡¡¡He sacado un diez en Francés!!! ....

c) He suspendido. Tenía que haber estudiado más. ....

d) No creo que apruebe Gimnasia, soy demasiado torpe y fofo. ....

e) ¡No hay derecho! La profesora me puso un 4,9. ¡Voy a protestar! ....

f) ¡Me encanta la Química! ¡Me entusiasma! ¡Parece magia! ....

g) ¿Qué voy a hacerle si mis padres quieren que repita el curso? ....

h) ¿Que he aprobado Matemáticas? ¡Si no había estudiado nada! ....

(1: 11)

12 Escuche este poema de Mario Benedetti. De los siguiente títulos, marque cuál cree que puede ser el del poema.

AMOR ETERNO — SENTIMIENTOS DEL POETA — ESTADOS DE ÁNIMO — A VECES — NATURALEZA VIVA

Unas veces me siento
como pobre colina,
y otras como montaña
de cumbres repetidas,
unas veces me siento
como un acantilado,
y en otras como un cielo
azul pero lejano,
a veces uno es
manantial entre rocas,
y otras veces un árbol

con las últimas hojas,
pero hoy me siento apenas
como laguna insomne,
con un embarcadero
ya sin embarcaciones,
una laguna verde
inmóvil y paciente
conforme con sus algas,
sus musgos y sus peces,
sereno en mi confianza
confiando en que una tarde,
te acerques y te mires,
te mires al mirarme.

■ **Fíjese en los símiles del poema y escriba el sentimiento que cree que inspiran.**

Resignación | Alegría | Desánimo | Admiración | Temor | Miedo | Tristeza | Orgullo

1. *pobre colina*
2. *montaña de cumbres repetidas*
3. *acantilado*
4. *un cielo azul pero lejano*
5. *manantial entre rocas*
6. *árbol con las últimas hojas*
7. *apenas como laguna insomne, con un embarcadero ya sin embarcaciones*
8. *laguna verde inmóvil y paciente*

3 Y demás parientes…

RELACIONES FAMILIARES

¡FÍJESE!

Ana y Hugo han tenido ***mellizos.*** *De repente, se han convertido en una* ***familia numerosa,*** *pues ya tenían una niñita de 6 años, María.*

En esta familia son muy normales los partos múltiples: un **pariente lejano** de Hugo, su **bisabuelo** Juan (padre de su abuela Carmen), era **trillizo** de Esteban y Mario, tres hermanos idénticos a los que la gente confundía una y otra vez, incapaz de distinguirlos.

Pero es que su **tatarabuelo** también era **gemelo** con otra hermana. Cuentan que **se parecían** tanto que solo se diferenciaban por el pelo, por la forma de vestir, por supuesto, pero también por el carácter.

Así que la **familia** de Ana y Hugo **crece** (y de qué manera) con pocos nacimientos. Además, son tantos que cualquier cosa es motivo de riña, pero enseguida vuelve la calma. Cuando se juntan todos es muy divertido.

A mí me encanta estar con ellos, yo **soy como de la familia.**

Mi nombre es Marta y soy muy amiga de Ana. Nos conocemos desde pequeñas; soy **adoptada, perdí a mis padres** de pequeña y me **quedé huérfana** de niña. Yo también tengo un **hijo,** Manuel, que es íntimo amigo de María. Se llevan muy bien, en realidad, **se llevan como hermanos.**

■ Escuche y elija la opción correcta.

(1: 12) **1.** La familia crece → la familia es alta / aumenta.

2. El tatarabuelo es → el padre de mi madre / el padre de mi bisabuelo.

3. Los trillizos son → tres hermanos de diferentes edades / de la misma edad.

PALABRAS EN CONTEXTO

(1: 13)

1 **Escuche y lea el siguiente diálogo.**

JUAN: ¡Hola, pareja! ¿Dónde vais?
PEDRO: Hola, Juan. Vamos al notario.
JUAN: ¿Al notario? (...) ¡No me digas que ha fallecido alguien de la familia, Pedro!
MÓNICA: No, no, qué va. Vamos a **hacer testamento.**
JUAN: ¿Vosotros? ¡Pero si sois muy jóvenes...! ¿Es que estás enfermo, Pedro?
PEDRO: ¡Qué manía! ¡Que no! Estoy sanísimo...
MÓNICA: Vamos a **hacerlo** ahora para que luego no haya problemas.
JUAN: Pero si vuestros hijos son muy pequeños... No hay necesidad todavía...
PEDRO: Hay que ser precavido para evitar que haya problemas después... ¿Tú tienes testamento hecho?
JUAN: Pues no... No soy tan joven como tú..., pero todavía puedo esperar.
MÓNICA: ¿Y si te pasara algo inesperado?
JUAN: Deja, deja, no llames a la mala suerte...
PEDRO: ¿Ves? Por eso no haces testamento, porque eres un supersticioso.
JUAN: ¿Supersticioso yo? ¡Qué va!
MÓNICA: ¿Entonces? ¿Por qué no lo haces? Se trata de dejar las cosas arregladas en caso de que te pase algo...
JUAN: En eso tenéis razón. Cuando falleció mi tío, **se armó un lío** espantoso porque no había testamento... Y ¿ese papel que lleváis dice cómo se hace?
MÓNICA: Explica el orden legal de sucesión, para **enterarnos** bien de todo porque es muy complicado.
JUAN: ¡Oye! Me habéis convencido.
MÓNICA: Me alegro.
PEDRO: Bueno, adiós. Ya nos veremos mañana y te contamos cómo nos ha ido.
JUAN: Adiós, pareja.

2 **Explique brevemente qué es hacer testamento, y por qué Mónica y Juan deciden hacerlo.**

....

....

....

GRADOS DE DESCENDENCIA

3 **Lea con atención el siguiente documento y fíjese en el cuadro resumen.**

ORDEN LEGAL DE SUCESIÓN EN TESTAMENTOS

La ley establece el orden por el que deben heredar los familiares en caso de fallecimiento. Los grados de parentesco se usan, entre otras cosas, para determinar quiénes son los herederos y qué parte de la herencia les corresponde.

El grado de parentesco se refiere a los vínculos entre miembros de una familia. Se organiza en líneas y se mide en grados.

1. Hay tres tipos de líneas de parentesco:
   - CONSANGUINIDAD

     Vínculos existentes entre los descendientes y los ascendientes de un progenitor común (tatarabuelos, bisabuelos, abuelos, padres, hijos, nietos, **tataranietos, bisnietos...).**
   - AFINIDAD

     Vínculos que se contraen a través del **cónyuge (suegros, yernos y nueras, cuñados...).**
   - ADOPCIÓN

     Vínculo entre el adoptado y la **familia adoptiva** y sus parientes consanguíneos.
2. Las líneas de parentesco pueden ser:
   - DIRECTA: entre personas que descienden unas de otras en línea directa.
     - Descendiente: hijos, nietos, bisnietos, tataranietos...
     - Ascendiente: padres, abuelos, bisabuelos, tatarabuelos...
   - COLATERAL: entre personas con un progenitor común.
3. Las líneas directas de parentesco constituyen un **grado:**
   - EN LÍNEA ASCENDENTE, el hijo dista un grado del padre, dos del abuelo, tres del bisabuelo y cuatro del tatarabuelo.
   - EN LA LÍNEA DESCENDENTE, el abuelo dista un grado del padre, dos del nieto, tres del biznieto y cuatro del tataranieto.
4. **Familiares cercanos** son los miembros de la propia familia POR CONSANGUINIDAD: padres, hermanos, hijos, nietos; O POR AFINIDAD: suegros, cuñados, yernos y nueras.

   Los familiares por afinidad no adquieren parentesco legal y no heredan.
5. **Familiares lejanos** son aquellos parientes de tercer y cuarto grado: sobrinos, tíos, bisabuelos, biznietos, primos hermanos, tatarabuelos, tataranietos.

6. ¿Quiénes **heredan?** ¿Quiénes son los **herederos?**

- En primer lugar, los descendientes: los hijos. Un **hijo adoptivo** hereda igual que un hijo de sangre.
- Si no hay hijos, heredan los ascendientes: el padre y la madre. Si no viven los padres, heredarán los ascendientes más próximos en grado: los abuelos.
- El cónyuge hereda a falta de descendientes y ascendientes, y antes que los familiares colaterales.

PARENTESCO

CONSANGUINIDAD		AFINIDAD
INTERESADO		**CÓNYUGE**
HIJO / HIJA	**PRIMER GRADO**	YERNO / NUERA
PADRE / MADRE		SUEGRO / SUEGRA
NIETO / NIETA		
HERMANO / HERMANA	**SEGUNDO GRADO**	CUÑADO / CUÑADA
ABUELO / ABUELA		
*BIZNIETO / BIZNIETA		
SOBRINO / SOBRINA	**TERCER GRADO**	
TÍO / TÍA		
BISABUELO / BISABUELA		
TATARANIETO / TATARANIETA		
PRIMO HERMANO / PRIMA HERMANA	**CUARTO GRADO**	
TATARABUELO / TATARABUELA		

OBSERVE

*biznieto / bisnieto.

4 Ahora, marque verdadero (V) o falso (F) en las siguientes afirmaciones.

	V	F
a) El hijo de mi hermano es mi sobrino.	☐	☐
b) Mis nietos son familiares lejanos.	☐	☐
c) Mi cuñada es la hermana de mi hermano.	☐	☐
d) Mi bisabuelo es el abuelo de mi madre.	☐	☐
e) Los hijos adoptivos no heredan.	☐	☐
f) El cónyuge es heredero en primer grado.	☐	☐
g) La mujer de mi padre es la nuera de mi abuelo paterno.	☐	☐

5 Relacione cada término con su definición.

[bisnieto, cónyuge, cuñado, suegro, nuera, tataranieto]

A ....

(Del lat. *coniux, -ĕgis).*

1. com. Consorte (marido y mujer, respectivamente).

B ....

(De *tras* y el ant. *trasnieto).*

1. m. y f. Tercer nieto, el cual tiene el cuarto grado de consanguinidad en la línea recta descendente.

C ....

(Del lat. *socer, -ĕri).*

1. m. Padre del marido respecto de la mujer; o de la mujer respecto del marido.

D ....

(Del lat. *cognitus).*

1. f. Hermano del cónyuge.

2. f. Cónyuge del hermano.

E ....

(De *bis- y nieto).*

1. m. y f. Respecto de una persona, hijo o hija de su nieto o de su nieta.

F ....

(Del lat. *nurus,* con cruce de *suegra* en las vocales).

1. f. Respecto de una persona, mujer de su hijo.

Ahora complete estas oraciones con los términos anteriores.

a) Mi .... quiere a mis hijos tanto o más de lo que quería a su hija cuando era pequeña.

b) Mi padre con 90 años ha tenido la suerte de conocer a su ....

c) Mi yerno es informático y mi .... es profesora, como su marido.

d) Mi hermano se casó muy joven, se separó y luego se volvió a casar. Ahora resulta que tengo dos ....

e) –¿Cuál es el nombre del ....?

–Elena Barea, así se llama mi mujer.

6 Complete el siguiente cuadro con los términos que faltan.

GRADOS	PARENTESCO
1.º	*Padre...*
2.º	*Abuelo...*
3.º	*Bisabuelo...*
4.º	*Primo...*

7 Complete el texto con los términos apropiados.

[mellizos / trillizos / familia numerosa / hijos adoptivos / en familia / aumentar (la familia) / crecer / familia trabajadora / reñir / salir adelante]

La familia Villena es una familia que vive en Segovia. La familia Villena está compuesta por los padres y nueve hijos. Esto no sería noticia si no fuera porque los Villena tienen una pareja de ...., otra de ...., más tarde llegaron tres de una vez: ...., más dos .... Tan singular familia nos recibe en su casa de Segovia, donde los entrevistamos.

REPORTERA: ¿Cómo vive una .... de 11 miembros como la vuestra en estos tiempos? ¿Sois ricos? ¿Sois una familia adinerada?

MARÍA: No, no, qué va. Nosotros no venimos de una familia rica sino de una familia humilde.

RAÚL: Yo diría que somos de una ...., que lucha diariamente por ....

REPORTERA: Una cosa curiosa. Después de tener siete hijos, ¿cómo se os ocurrió .... con dos hijos adoptivos más?

MARÍA: Bueno, pues resultó que al principio no venían los niños y quisimos adoptar..., pero como eran dos hermanos, los adoptamos a los dos. Siro y Daniel han .... en esta familia, son dos hijos más.

REPORTERA: ¿Y luego...? Vinieron los demás.

RAÚL: Pues sí. Primero llegaron Juan y María, luego Pedro y Mario, que **son como dos gotas de agua,** y, por fin, Ruth, Graciela y Carlos...

REPORTERA: Que, además, **son clavados,** idénticos... ¿Se pelean entre ellos?

MARÍA: Claro, con tantos críos, al final se arma un lío tremendo en casa, hay veces que con tanto jaleo, la familia .... mucho. Jajaja.

RAÚL: A veces, cuando vienen visitas, como ahora, se ponen revoltosos. Pero, en general, cuando estamos .... se portan bien.

REPORTERA: Bueno, pues les deseo mucha suerte. Ha sido un placer conocerlos.

RAÚL: Muchas gracias. Igualmente.

(1: 14)

■ **Ahora escuche y compruebe. ¿Qué quiere decir la expresión "son como dos gotas de agua"?**

8 **Complete el mapa conceptual con los términos y expresiones adecuados a cada palabra.**

[numerosa, ser como de la, estar en, humilde, adoptivo /-a, huérfano, llevarse como, lejano, cercano, adoptado /-a]

FAMILIA
....
....
....

PARIENTE
....
....
....

HIJO /-A
....
....
....

■ **¿Qué términos o expresiones conoce que acompañen a estos verbos?**

SER: ....

HACER: ....

9 **Encuentre en la sopa de letras 10 términos que indican relaciones de parentesco.**

H	P	A	R	I	E	N	T	E	L	E	J	A	N	O
I	Q	W	E	R	T	Y	U	I	O	P	P	A	S	A
J	D	F	G	H	N	J	K	L	Ñ	Z	X	C	V	L
A	B	N	O	L	E	U	B	A	S	I	B	M	Q	E
A	W	E	R	T	Y	U	E	R	U	U	Q	I	P	U
D	V	X	E	E	T	Y	E	R	N	O	E	N	U	B
O	B	D	F	G	C	T	E	Q	A	W	M	G	E	A
P	E	E	G	U	Y	N	O	C	R	T	Y	U	R	R
T	A	S	Ñ	S	X	C	M	T	R	Q	P	O	I	A
I	Z	A	X	C	V	B	I	N	M	S	Q	E	R	T
V	D	E	L	L	K	J	R	J	H	G	F	D	S	A
A	X	S	D	F	G	H	P	Q	Z	X	C	V	B	T

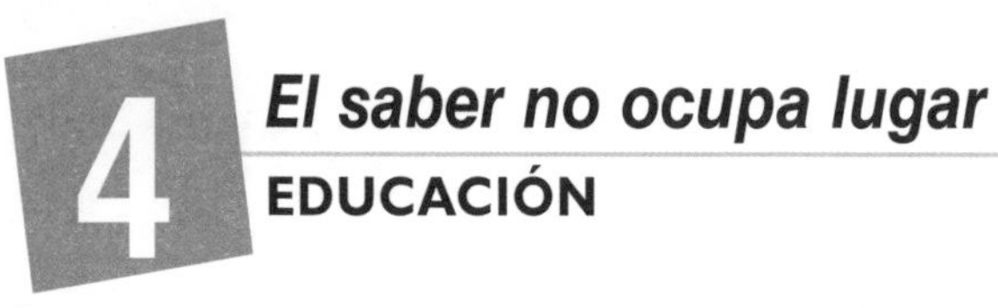

4 El saber no ocupa lugar

EDUCACIÓN

¡FÍJESE!

Sonia acaba de tener una niña. Se llama Marta y es una preciosidad. Sonia es muy previsora y ya está pensando en su educación. Un día llama a su amiga de toda la vida para hablar del tema.

Pili, estoy hecha un lío. No sé si llevar a Martita a un **colegio religioso** o **laico...** Bueno..., y tampoco sé si optar por la **enseñanza pública** o **privada.** Desde luego, tiene que ser un colegio **bilingüe** porque quiero que la niña sepa hablar en más de una lengua. Con lo lista que es seguro que aprende tres o cuatro: inglés, francés, alemán y español, claro... ¡Ah! Y gallego, que mi madre es de A Coruña... Eso son ¡cinco!... Es que mi Martita va a ser muy inteligente...

Sí, ya, igual que mi Aurelia.

Bueno, y cuando acabe la **secundaria y el bachillerato** irá a la universidad. Seguro que **obtiene una beca...,** porque va a tener **un buen expediente...** Ya la veo de **licenciada,** no, de **doctora,** no, mejor de **¡catedrática!** o incluso de **¡¡¡rectora!!!**

Sí, sí, igualita que mi Aurelia.

¿Igual que quién?

Igual que Aurelia, mi hámster, aunque, como es tan espabilada lo mismo acaba primaria antes que Martita.

(1: 15)

■ **Ahora escuche la conversación. ¿Percibe en algún momento un toque de ironía? ¿Por parte de quién?**

EJERCICIOS

PALABRAS EN CONTEXTO

1 Marta es maestra y ha encontrado información sobre un curso. Léala con atención.

FORMACIÓN

MAESTRÍA EN FORMACIÓN DEL PROFESORADO DE EDUCACIÓN PRIMARIA Y SECUNDARIA

TÍTULO QUE OTORGA: Magister de la Universidad de Buenos Aires en Formación del Profesorado de Educación Primaria y Secundaria.

Sede de las actividades académicas del posgrado: Facultad de Educación. Universidad de Tucumán.

HORARIO: Jueves y viernes de 18.00 a 22.00; y sábados de 9.00 a 13.00 y de 14.00 a 18.00 h, totalizando 16 h semanales de dictado, completando las horas correspondientes a cada seminario en 4 semanas. También se organizarán **cursos intensivos** en verano.

MODALIDAD DE LA ENSEÑANZA: mixta (50% enseñanza presencial y 50% enseñanza a distancia).

DURACIÓN: 768 h de clase, distribuida su programación en dos **años lectivos.**

CRÉDITOS: 48 (1 crédito equivale a 16 h de clase)

ESTRUCTURA CURRICULAR

- 1 **Curso elemental** constituido por
  - 2 **materias obligatorias,** con dos asignaturas anuales cada una.
  - 3 **asignaturas optativas.**
- 1 **Curso de perfeccionamiento que consta de:**
  - 2 **asignaturas optativas** por área.
  - 1 taller de escritura de tesis.
  - 1 seminario de investigación en educación.

Los postulantes presentarán la documentación solicitada y mantendrán entrevistas de admisión.

La maestría abrirá su inscripción cada dos años con un mínimo de 25 inscritos y 60 como máximo.

Es necesario **elaborar, presentar, aprobar** y **defender** una **tesis de maestría** que constituya un aporte original para completar los estudios y **obtener** los 48 **créditos.**

Se pueden solicitar becas a través de la secretaría virtual de nuestra página web.

: 16)

2 Ahora escuche el texto sin mirar y complete.

a) La modalidad de enseñanza es ...., ya que consta de enseñanza .... y enseñanza a ....

b) El curso elemental está constituido por dos .... y tres ....

c) Para obtener los 48 créditos, es necesario elaborar, ..., aprobar y .... una tesis de maestría.

3 Marta decide llamar a su madre por teléfono para contarle sus planes. Complete la conversación con las siguientes palabras.

doctorarse / abandonar / expediente / doctorado / virtual / conceder / tesis / suspender / beca / leer / doctor

MARTA: ¡Hola, mamá!

SONIA: Hola, cariño, ¿cómo estás?

MARTA: Bien, ¿y tú?

SONIA: Bien, hija.

MARTA: Oye, mamá.... ¿Qué dirías si me voy a Argentina?

SONIA: ¿¿¿A Argentina??? ¿De vacaciones? ¡Me apunto!

MARTA: No, de vacaciones no. A estudiar.

SONIA: ¿¿¿Vas a hacer el (1) ....???

MARTA: No, de momento solo un máster.

SONIA: Ah. ¿Y por qué no haces el doctorado? Ya que te dedicas a la enseñanza, podrías continuar tus estudios y (2) ....

MARTA: Pero mamá, yo creo que podría empezar por un máster y luego hacer un doctorado. Ahora ya soy licenciada en Magisterio.

SONIA: ¡Ah, bueno! Me parece bien. ¿Y por qué en Argentina? ¿Es que no puedes hacer un curso (3) .... a través de Internet?

MARTA: Mira, lo que ocurre es que ayer pasé por la Asociación de Profesores y me encontré al que fue delegado de curso en 1.° de carrera, ¿te acuerdas?

SONIA: Ya, ya me acuerdo. Uno que tenía muy mal (4) .... ¿No se llamaba Andrés?

MARTA: Sí, Andrés; no era muy buen estudiante, pero...

SONIA: Sí, ya, y también muy atractivo. ¿Ese no te gustaba a ti?

MARTA: ¡Ay, mamá!... Déjate de historias. El caso es que me dijo que había estado a punto de (5) .... los estudios, pero luego se fue a Argentina y había hecho este máster... Le gustó mucho.

SONIA: ¿Y qué hacía en Madrid?

MARTA: Iba a (6) .... la (7) .... Además, ahora vive en Madrid.

SONIA: ¿La tesis doctoral?

MARTA: Sí, porque luego hizo el doctorado aquí....

SONIA: ¿Lo ves? Si Andrés, que era un chico muy guapo, pero un zote que estuvo a punto de (8) .... la secundaria, resulta que va a ser (9) ...., ¿por qué tú no?

MARTA: ¡Para empezar, no era ningún zote, era muy inteligente...! Y cada uno busca su propio camino... ¡Mamá, no me presiones! Si algún día quiero hacer el doctorado, lo haré... A ver: ¿Por qué no lo hiciste tú?

SONIA: ¡Pues porque naciste tú!

MARTA: ¡No me vengas con esas, mamá...! ¡No es verdad!

SONIA: Bueno, vale... Era una broma... Pues no lo hice porque no me veía yo en la enseñanza, que es un rollo... Yo no sé cómo puedes soportar a los monstruos de tus alumnos...

MARTA: ¡Pero si mis alumnos son pequeñitos...! Son de educación infantil... ¡Son una monada!

SONIA: Ya, pero luego crecen. ¡Y hacen primaria y luego secundaria!...¡Y ya para entonces sí que son unos auténticos monstruos!

MARTA: Bueno, vale. ¿Te parece bien que me vaya a Argentina a hacer el máster? ¿Sí o no?

SONIA: ¿Qué quieres que te diga? Siempre has hecho lo que has querido... Me parece bien. Oye, ¿es muy caro ese máster?

MARTA: No te preocupes, hay (10) ...., yo ya la he pedido y es casi seguro que me la den.

SONIA: Sí, seguro que te la van a (11) .... Y, oye, una cosita, hija: Ese chico, Andrés, ¿no volverá a Argentina por casualidad?

MARTA: ¡¡¡Mamá!!! ¡Ya está bien!

■ **Ahora escuche y compruebe.**

: 17)

Relacione las siguientes palabras con sus definiciones.

1. Jefe de estudios
2. Tutor
3. Catedrático
4. Rector
5. Conferenciante
6. Director de tesis

a) Profesor o profesora titular de una cátedra.

b) Persona que hace una disertación pública sobre un asunto científico o académico.

c) Profesor encargado de estructurar, coordinar y organizar las actividades académicas.

d) Persona que dirige una universidad.

e) Profesor doctor que supervisa a un doctorando.

f) Profesor que aconseja y dirige a los alumnos a su cargo.

5 Complete cada diagrama con las palabras correspondientes.

[secundaria / a distancia / universitaria / maestro / jefe de estudios / de adultos / superior / presencial / pública / privada / tutor / catedrático / religiosa / rector / laica]

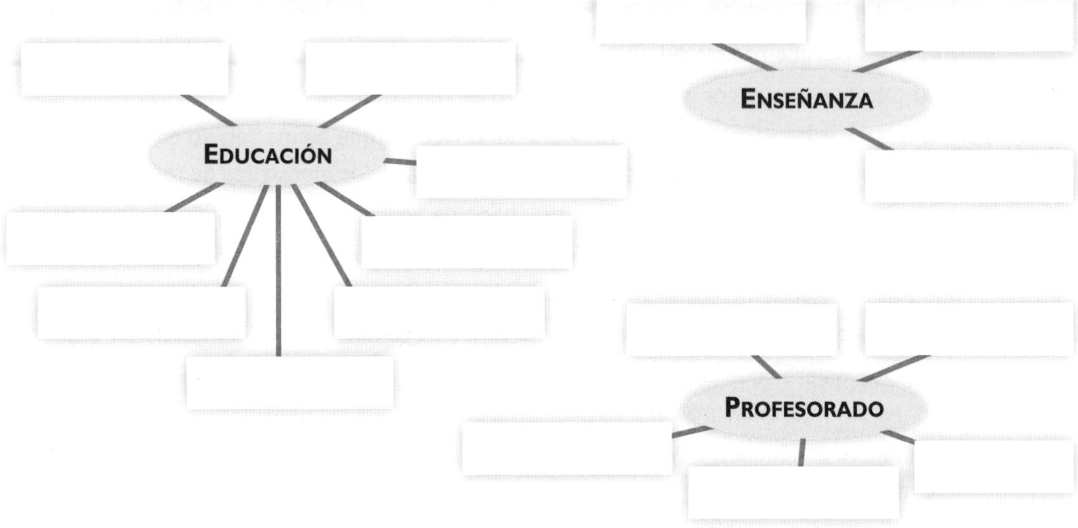

ESTAMOS DE EXÁMENES

6 Complete con las palabras del cuadro las siguientes definiciones.

[prueba / datos / olvidarse / lista / conocimientos / nombrar / deducir / presencia / tema]

1. Quedarse en blanco	.... de todo lo estudiado.
2. Presentarse a un examen	Comprobar los .... que tiene una persona sobre un tema de estudio mediante una .... oral o escrita.
3. Pasar lista	.... a las personas apuntadas en una .... para confirmar su .... en la clase.
4. Sacar conclusiones	.... lógicamente mediante razonamiento.
5. Consultar un libro / una enciclopedia	Buscar .... en un libro o enciclopedia sobre un ....

: 18)

7 Escuche esta conversación. ¿Por qué Elena dice *¡Vaya faena!* cuando Fernando le explica qué le pasa? ¿Fernando confía en resolver su problema?

ELENA: Hola, Fer. ¿Dónde vas con tanta prisa?

FERNANDO: Pues que me quedó una **asignatura pendiente.** Suspendí el **examen final** y he pedido **una revisión de examen.**

ELENA: Ah... ¿Y qué pasa si no apruebas?

FERNANDO: Que no podré **pasar de curso.**

ELENA: ¡Vaya faena! A ver si tienes suerte… ¿Y qué asignatura es?

FERNANDO: Literatura Española. Pero no es cuestión de suerte… Yo creo que el profesor se ha equivocado al **poner las notas.**

ELENA: ¿Ah, sí? ¿Crees que el examen te salió bien?

FERNANDO: Pero si es la primera vez que suspendo... Hasta **hice una presentación** extra para subir nota…, pero, con todo, el examen final me salió mal. Suspendí, saqué un 4,5... porque **me quedé** totalmente **en blanco.**

ELENA: Entonces, no sé para qué vas a reclamar.

FERNANDO: Pues porque en el **examen parcial saqué un sobresaliente,** un 9. Tiene que hacerme la **nota media…**

ELENA: Pero si la nota media sería un 4,5...

FERNANDO: Pero… ¿Y el **trabajo** que presenté?

ELENA: Bueno, con la presentación, a lo mejor sí que te aprueba.

FERNANDO: ¡Por supuesto!

8 Lea el diálogo anterior y complete las siguientes afirmaciones con las palabras en negrita adecuadas.

a) Como Fernando no ha llegado al suficiente en el examen ...., la asignatura de Literatura Española le ha quedado ....

b) Fernando le ha pedido al profesor de Literatura una .... de examen porque piensa que se ha equivocado al poner la ....

c) Fernando llevaba muy bien preparado el examen, pero ese día se quedó ....

d) De todos modos, Fernando confía en que el profesor le haga la nota .... del examen de Literatura con la nota de un examen .... y con una .... que hizo.

9 Relacione estas definiciones con el término correspondiente.

1. Rebelde e indisciplinado en los estudios.
2. Aplicado y trabajador.
3. Trazar una línea bajo una palabra o grupo de palabras.
4. Pensar con detenimiento sobre un tema.
5. Representación gráfica de un resumen que contiene de forma sintetizada las ideas principales y las ideas secundarias.
6. Representación gráfica en filas y columnas.
7. Grabar en la memoria.
8. Resumen de las ideas principales de un texto.
9. Conclusión razonada a partir de algo conocido.
10. Conocimiento directo e inmediato sin intervención del razonamiento.
11. Puntuación que mide el aprovechamiento de un estudiante en una materia.
12. Calificación académica correspondiente a un 7/10.
13. Calificación académica correspondiente a un 9/10.
14. Reflexión de uno mismo sobre cuánto y cómo se ha estudiado.

a) esquema
b) autoevaluación
c) nota
d) conflictivo
e) reflexionar
f) notable
g) deducción
h) estudioso
i) tabla
j) sobresaliente
k) subrayar
l) memorizar
m) intuición
n) síntesis

10 Complete los huecos con términos del ejercicio anterior.

Consejos para sacar buenas notas

Si quieres pasar de ser un alumno (1) .... a un alumno brillante y (2) ...., solo tienes que seguir las reglas siguientes.

Primero hay que leer el tema y (3) .... con lápiz las palabras o frases más importantes para poder (4) .... y realizar un (5) .... Este sistema es bueno para (6) .... y fijar las ideas principales para el examen.

El filósofo René Descartes decía que para el estudio correcto de las cosas hay que intuir y deducir. La (7) .... es un modo de llegar al conocimiento sin necesidad del razonamiento lógico. La (8) .... es el proceso de sacar conclusiones a partir de cosas ya conocidas.

Por último, si te presentas a un examen y te has preparado bien, no temas sacar mala (9) ...., pero no te conformes con sacar un 5. Piensa que es mejor un (10) .... o un sobresaliente. Haz una (11) .... y no olvides que no hay notas justas o injustas. Tu nota media es la que cuenta. Y si esta es buena, es que has hecho las cosas bien.

■ **Ahora escuche los consejos y compruebe sus respuestas.**

: 19)

11 Diga de qué técnica de estudio se trata.

[tabla llaves esquema números]

Técnicas de estudio: tipos de (1) ....

Utilizar una u otra técnica de síntesis gráfica de las ideas principales de una materia de estudio dependerá de lo que se estudie.

En el esquema de (2) .... se trata de **hacer una síntesis** de las ideas principales, de manera que todo quede claro y ordenado encerrado en una llave. Por ejemplo:

Idea general (tema)	Idea principal	Ideas complementarias	Detalles Detalles Detalles
	Idea principal	Ideas complementarias	Detalles Detalles Detalles
	Idea principal	Ideas complementarias	Detalles Detalles Detalles

El esquema de (3) .... consiste **ordenar las ideas** del tema según su importancia, como en el siguiente ejemplo.

1. Idea general
    1.1. Idea principal
        1.1.1. Idea secundaria
        1.1.2. Idea secundaria
    1.2. Idea principal
        1.2.1. Idea secundaria
            1.2.1.1. Idea detalle
            1.2.1.2. Idea detalle

La (4) .... es un modo de **organizar la información en columnas y filas,** como podemos ver en el ejemplo:

Cantar						
Presente Indicativo	**Presente Subjuntivo**	**Pretérito**	**Imperfecto**	**Futuro**	**Condicional**	**Pretérito Imperfecto Subjuntivo**
canto	cante	canté	cantaba	cantaré	cantaría	cantara
cantas	cantes	cantaste	cantabas	cantarás	cantarías	cantaras
canta	cante	cantó	cantaba	cantará	cantaría	cantara
cantamos	cantemos	cantamos	cantábamos	cantaremos	cantaríamos	cantaramos
cantan	canten	cantaron	cantaban	cantarán	cantarían	cantaran
cantan	canten	cantaron	cantaban	cantarán	cantarían	cantaran
Imperativo				**Infinitivo**	**Participio**	**Gerundio**
canta				cantar	cantado	cantando

12 **Forme un nombre derivado a partir de los siguientes verbos, como se muestra en el ejemplo.**

a) MEMORIZAR	*memorización*
b) REFLEXIONAR	
c) DEDUCIR	
d) EDUCAR	
e) PEDIR	
f) FORMAR	
g) PREPARAR	
h) EVALUAR	
i) RECIBIR	
j) APLICAR	

13 **Lea el siguiente diálogo y elija el significado correcto de las frases hechas.**

SANTIAGO: ¿Has visto a Fernando?

ELENA: Sí. He estado hablando con él.

SANTIAGO: ¿Y cómo estaba?

ELENA: No le llegaba la camisa al cuerpo *(estar contento, satisfecho / estar nervioso, inquieto).* No paraba de moverse y de hablar de lo injusto de su suspenso.

SANTIAGO: Es que **las va a pasar canutas** *(encontrarse en una situación difícil / sentirse muy tranquilo)* cuando hable con el profe... Si es que no **se le va el santo al cielo** *(discutir / olvidar lo que uno quería decir o hacer)* y se queda mudo...

ELENA: Pues él cree que **va a ser coser y cantar** *(ser complicado / ser fácil)*... Yo, personalmente, creo que es **pedir peras al olmo** *(pretender algo imposible / ser posible),* el profe no va a aprobarle...

SANTIAGO: Es una pena porque Fernando, después de **darse un buen tute** *(jugar a las cartas / realizar un gran esfuerzo)* estudiando, **se sabía todo al dedillo** *(muy bien / de memoria).*

ELENA: Ya, bueno... Lo que le pasa a Fernando es que siempre **está en Babia** *(estar distraído / estar bebiendo)*... y no atiende a las explicaciones del profesor.

SANTIAGO: De todos modos, el profe **tiene la sartén por el mango** *(estar en una situación de poder / saber guisar)*..., así que no creo que pueda hacer nada.

■ Ahora, escriba algunas oraciones con las frases hechas.

____

____

____

____

____

14 Escuche y complete con la palabra adecuada donde oiga el pitido.

: 20)

1. Profe, perdone, pero es que se me fue el .... al cielo y no me acordaba de que hoy teníamos examen.
2. Al final, haremos el horario que ponga el jefe de estudios, pues es quien tiene la sartén por el ....
3. Cuando pases de secundaria a bachillerato, las va a pasar ...., porque hay que estudiar mucho más.
4. Cuando el profe me pilló copiando, no me llegó la .... al cuerpo.
5. Preparar la presentación en inglés para Elvira va a ser .... y cantar porque es bilingüe.

6. No me extraña nada que seáis el curso que saca peores notas, es que estáis siempre en ....
7. No entiendo cómo has podido suspender, si te lo sabías todo al ....
8. Me he tenido que dar un buen .... el fin de semana para preparar los tres exámenes del lunes.
9. Esperar a que el hueso de Mates te suba la nota va a ser pedirle peras al ....

15 Relacione cada término con dos sinónimos.

Términos	Sinónimos
a) Buen estudiante	pedagógico
b) Educativo	esquema
c) Discutir	prueba
d) Sinopsis	instrucción
e) Examen	estudioso
f) Educación	argumentar
	cuadro
	enseñanza
	didáctico
	debatir
	aplicado

16 Complete la siguiente autoevaluación.

Yo, estudiante

1. RECIBO CLASES DE: ....
2. DOY CLASES DE: ....
3. ¿QUÉ TÉCNICAS DE ESTUDIO SUELE USTED UTILIZAR?

   ....
4. ¿PREFIERE LOS CONTROLES PARCIALES O PREFIERE JUGÁRSELO TODO EN LA EVALUACIÓN FINAL? ....
5. *SACO / SACABA* MALAS NOTAS EN:

   ....
6. *SACO / SACABA* BUENAS NOTAS EN:

   ....
7. ¿QUÉ NOTA SACÓ EN EL ÚLTIMO EXAMEN DE ESPAÑOL? (Expréselo en palabras) ....
8. ¿*SUELE / SOLÍA* PASAR DE CURSO CON TODO APROBADO O CON ALGUNA ASIGNATURA PENDIENTE? ....
9. PREFIERO LA EDUCACIÓN...
   - ☐ pública
   - ☐ privada
   - ☐ presencial
   - ☐ a distancia
   - ☐ virtual
10. INDIQUE QUÉ TIPO DE ESTUDIANTE ES USTED:
    - ☐ suele estar en Babia
    - ☐ brillante
    - ☐ poco trabajador
    - ☐ aplicado

¡Me han contratado a tiempo parcial!

ACTIVIDAD LABORAL

¡FÍJESE!

EJERCICIOS

PALABRAS EN CONTEXTO

NOTICIAS

El término *mileurista* fue acuñado en agosto de 2005 por Carolina Alguacil en una carta al diario *El País* titulada «Yo soy "mileurista"», para describir la situación laboral de muchos jóvenes.

(1: 21)

1 Lea y escuche el siguiente fragmento del mencionado artículo.

El *mileurista* es aquel joven, de 25 a 34 años, **licenciado,** bien preparado, que habla idiomas, tiene **posgrados,** másteres y cursillos. Normalmente iniciado en la hostelería, ha pasado grandes temporadas en trabajos no **remunerados,** llamados eufemísticamente trabajar **de becario,** estar **en prácticas,** *trainings,* etcétera. Ahora echa la vista atrás y quiere sentirse satisfecho, porque al cabo de dos **renovaciones de contrato** le han **hecho fijo,** en un trabajo que de alguna forma puede considerarse formal, «lo que yo buscaba». Lleva entonces tres o cuatro años en el **circuito laboral,** con suerte, la mitad **cotizados.** Y puede considerarse ya un especialista, un ejecutivo; lo malo es que no gana más de mil euros, sin **pagas** extras, y mejor no te quejes.

El País. 21/08/2005 (texto adaptado)

■ **Ahora, relacione términos y definiciones.**

Términos	Definiciones
a) Interino	1. Pagado, retribuido.
b) Desempleado	2. Ofrecer a alguien un contrato indefinido.
c) Remunerado	3. Pagar las cuotas a la Seguridad Social.
d) Becario	4. Estar en paro.
e) Renovación de contrato	5. Puesto, empleo, ocupación.
f) Hacer fijo a alguien	6. Volver a emplear a una persona.
g) Circuito laboral	7. Contratado temporal.
h) Cotizar	8. Mundo laboral.
i) Trabajo	9. Persona que trabaja con el objetivo de formarse.

■ **Si *mileurista* es la persona que recibe un salario de mil euros, ¿qué significa *pensionista*?**

2 Lea este diálogo y preste atención a las palabras marcadas en negrita.

HOMBRE: **Llevo** dos años en **paro** y ya no tengo derecho **a percibir el desempleo.** Y eso que he llegado a tener 20 empleados **a mi cargo.**

MUJER: Yo he participado en muchos **procesos de selección,** pero no consigo empleo. Mi **perfil** no es muy **competitivo** porque no tengo grandes conocimientos de informática.

CHICA: Yo nunca he estado en nómina en ninguna empresa. Si supero la fase de selección, este sería mi primer **empleo remunerado** como trabajadora **por cuenta ajena.** Siempre he sido autónoma.

■ **Ahora, reconstruya el diálogo pero sustituyendo los términos marcados por estos sinónimos.**

[en nómina / entrevistas de trabajo / demanda / cobrar el paro / a mi servicio / por mi cuenta / trabajo pagado / cualificación profesional]

HOMBRE: Hace dos años que no trabajo y ya no tengo derecho a .... Y eso que he llegado a tener 20 empleados ....

MUJER: Yo he participado en muchas ...., pero no consigo empleo. Mi .... no es muy .... porque no tengo grandes conocimientos de informática.

CHICA: Yo nunca he estado en nómina en ninguna empresa. Si supero la ...., este sería mi primer .... como trabajadora .... para una empresa. Siempre he trabajado ....

(1: 22)

3 Escuche los antónimos propuestos para cada expresión y escriba el adecuado.

1. DÍA LABORABLE
....

4. TRABAJAR POR CUENTA PROPIA
....

2. CONTRATAR ....

5. DESPIDO ....

3. CONTRATO A TIEMPO COMPLETO
....

6. EMPLEADO
....

4 Empareje cada expresión con su sinónimo.

1. Ejercer una profesión	Adelanto
2. Trabajar en malas condiciones	Ocupar un cargo
3. Conseguir un trabajo	Contrato por obra
4. Perder el empleo	Trabajar a disgusto
5. Recibir un sueldo	Cobrar la nómina
6. Trabajo cualificado	Recompensa económica
7. Llevar a cabo una tarea	Convenio laboral
8. Trabajador por cuenta propia	Desempeñar un cargo
9. Indemnización	Estar desempleado
10. Anticipo de sueldo	Trabajador independiente
11. Acuerdo laboral	Firmar un contrato
12. Contrato temporal	Trabajo intelectual

5 Complete los huecos de los siguientes consejos para conseguir un trabajo.

superar · cualidades · entrevista · requisitos · habilidades · recomendación · currículum vítae · beneficios · referencias · salario · prueba · anuncio

1. No se presente a un .... de trabajo si no cumple con los .... y .... que piden.
2. Explique bien cuáles son sus .... y conocimientos.
3. No se olvide de llevar su .... junto con alguna carta de .... o ....
4. Espere a que el director de Recursos Humanos termine la .... antes de preguntar sobre el .... y los .... que la empresa le ofrece.
5. Si .... la entrevista, es posible que los seis primeros meses tenga un contrato de ....

Elija la respuesta adecuada para cada pregunta.

a) ¿Le gusta trabajar en equipo?

b) ¿Qué hace para combatir el estrés del trabajo?

c) ¿Estaría dispuesto a ocupar la plaza de subdirector?

d) ¿Qué opina del convenio colectivo?

e) ¿Ha recibido su carta de despido?

1. Tengo una gran capacidad de trabajo y asumo mis funciones con mucha tranquilidad.
2. Necesito hablar con el representante del sindicato.
3. Un ascenso es siempre un reconocimiento a tu trabajo.
4. Deberíamos negociar una jornada laboral más flexible.
5. Sí, he coordinado el trabajo de diez personas durante dos años.

7 Rellene la siguiente tabla.

SUSTANTIVO	VERBO	ADJETIVO
Contrato		
		Empleado
Despido		
Cotización		Cotizado
	Jubilarse	
Remuneración		Remunerado
	Retribuir	

Ayude a componer anuncios de trabajo según el modelo.

Ej.: **Buscar / candidato / conocimientos / informática.**

Se busca candidato con conocimientos de informática.

1. Multinacional / solicitar / personas / tener / disponibilidad para viajar.
2. Empresa / buscar / becarios / querer / trabajar / media jornada.
3. Grandes almacenes / seleccionar / vendedores / gustar / trato directo con el público.
4. Seleccionar / personal / conocimientos / idiomas.

9 Complete los enunciados con las palabras de las pancartas.

1. «No quiero ser .... toda la vida. Necesito un sueldo digno».
2. «Quiero ser ...., pero no tener un sueldo precario».
3. «Más .... y menos .... libres».
4. «Tengo 50 años, no quiero una .... anticipada».
5. «........................... por paternidad significa igualdad».
6. «Prestación por desempleo para los trabajadores ....».
7. «Por un .... colectivo justo y solidario».
8. «Más inversión para prevenir los ....».

10 **Ordene las letras que se han descolocado en las siguientes ofertas de empleo. La primera y la última letra de cada palabra se han mantenido.**

A

OFERTAS DE EMPLEO

Empresa de ámbito nacional senelcioca (.......................) para su delegación en Madrid:

AUXILIAR ADMINISTRATIVO/(A)

Perfil **inóedo** (.....................):

- **Frocmióan** (...........................) en administración y contabilidad.
- **Coieconnmiots** (..............................) demostrables de ofimática e Internet.
- **Eepcrxiiena** (...........................) en gestión administrativa, gestión documental y atención al público de al menos dos años.
- **Vallaobre** (.........................) experiencia en puesto similar.

Se ofrece:

- **laocórcornpin** (.........................) inmediata.
- **Rnmrecaueóin** (.........................) en función de experiencia y desarrollo profesional.
- **Caonrtto** (.........................) eventual con conversión a indefinido.

B

OFERTAS DE EMPLEO

Empresa del sector farmacéutico precisa incorporar dos COMERCIALES que se encarguen de la captación de farmacias, así como de la fidelización y seguimiento de las mismas

Reiisqtous (............................):

- Experiencia **damosbertle** (............................) en la venta en farmacias de productos de cosmética y nutrición.
- Disponibilidad de incorporación **iidamntea** (.......................).
- Persona dinámica con elevada capacidad de negociación.

- Nivel alto de inglés.
- Coche propio.

Se ofrece:

- Horario **fxblilee** (....................).
- **Dteais** (.................).
- Móvil de la **emeprsa** (...................) y **oedrnodar** (.......................) portátil.
- **Cneosimios** (.............................): 4% sobre la venta.
- Contrato **iididnfneo** (.....................).
- **Srailao** (.....................) a **cveonnir** (......................) en función de la experiencia.
- Dos pagas **eartxs** (...............) (en diciembre y julio).

C

OFERTAS DE EMPLEO

Trabajo en PITCARCÁS (..........................) en empresa de Recursos Humanos (RR.HH.)

Si trabajar con personas te atrae, y si anticipar y satisfacer sus necesidades te parece un reto apasionante, GENTE es la compañía en la que debes hacer tus prácticas y desarrollar tu carrera **piansforoel** (..............................).

Sobre el pusteo (...................):

Si eres estudiante de Psicología, Derecho o Relaciones Laborales, en último curso de carrera o pendiente de asignaturas para titularte, esta es una excelente **oaupnridtod** (......................) para participar en proyectos de **seicóelcn** (..........................) y **cnaoraittcón** (...............................).

Te ofrecemos unas **pácratics** (..........................) exigentes, donde desarrollarás tu ambición trabajando junto a los mejores, y asumiendo **raedidlbnoepssais** (..............................) desde el primer día.

Esta formación incluye:

- El aprendizaje en tareas de recepcionado de C. V. y atención al cliente.
- Selección curricular, atención telefónica y filtrado de candidaturas.
- Funciones de contratación: altas y bajas en la **Seauigdrd Saoicl** (...), registro de contratos y demás **fnicneous** (.............................) propias de los RR.HH.

6 *Mens sana in corpore sano*

ALIMENTACIÓN NUTRITIVA

¡FÍJESE!

PALABRAS EN CONTEXTO

1 Lea el siguiente texto.

CONSEJOS SALUDABLES PARA COMPRAR PRODUCTOS ALIMENTICIOS

- Haga una lista bien pensada cuando vaya a comprar los alimentos.
- Compre cuando no tenga mucho apetito.
- Procure hacer la compra después de comer.
- Busque, siempre que pueda, **alimentos frescos.**
- En los congelados, no compre **productos precocinados** o ya cocinados.
- Tenga cuidado, evite los **alimentos ricos en calorías.**
- Prefiera siempre los **productos ricos en fibra y en vitaminas.**
- Procure no pasar por la sección de chocolates, **dulces** y patatas fritas.
- Elija una buena cantidad de frutas, verduras, hortalizas y legumbres.
- Tenga siempre en mente que es necesario consumir alimentos que nos aporten **nutrientes** y fibra: **frutos secos, pan integral.**
- Deje fuera del carro aquellos que contienen **calorías vacías,** como la **bollería industrial** y los dulces.
- No compre demasiado, porque los alimentos pueden **pudrirse, ponerse malos.**
- Vigile que los productos estén en buenas condiciones y que no estén **caducados.**
- No olvide comprar alimentos **bajos en calorías** para las meriendas y **aperitivos.**
- Recuerde, cuando compre, que una buena dieta es la base de una buena salud.

(1: 23)

2 Ahora, relacione ambas columnas. Después, escuche y compruebe.

1. Los alimentos ricos en fibras y en vitaminas...
2. Para comer natural y sano...
3. Se llaman frutos rojos por su color...
4. Hay que mirar bien la fecha de caducidad...
5. Cuando tienes mucho apetito, te dan ganas de...
6. No conviene ir a hacer la compra de los alimentos...
7. Los alimentos orgánicos se llaman también...
8. Hay alimentos que ayudan a hacer la digestión...
9. Después de una comida abundante conviene...
10. Comer excesivamente...

a) puede resultar indigesto y provocar un corte de digestión.
b) devorar todo lo que tienes delante, sin control.
c) reposar un poco para hacer bien la digestión.
d) hay que evitar los productos con conservantes.
e) ecológicos o biológicos y se cultivan sin agregar productos químicos.
f) porque los alimentos pueden pudrirse o estar caducados.
g) sin preparar la lista de lo que hace falta.
h) pero otros son muy indigestos, sientan mal.
i) las fresas, las grosellas, las frambuesas.
j) son aconsejables en todas las dietas.

ESTRATEGIAS PARA APRENDER VOCABULARIO

En las lenguas, las palabras se combinan unas con otras según su significado, pero también por el uso habitual. Esto hace que algunas combinaciones resulten naturales y otras no. Por ello, es útil aprenderlas combinadas. Veamos con qué palabras se combina ALIMENTO.

- **Para expresar cantidad:**

– Con nombres:

escasez / falta / necesidad / abundancia / reparto de alimentos

– Con verbos:

los alimentos **escasean / abundan / faltan / se necesitan / se reparten...**

- **Para expresar sabores:**

alimento **sabroso / rico / apetecible / exquisito / insípido / soso...**

3 Use algunas combinaciones léxicas del cuadro anterior para completar el texto.

EL PAÍS REGISTRA GRAN ABUNDANCIA DE ALIMENTOS DE ORIGEN AGROPECUARIO

DURANTE este período, el país ha disfrutado de una gran (1) .... de la canasta agropecuaria de producción nacional, según informó la Secretaría de Agricultura. El organismo indicó que al concluir el año, los mercados, supermercados y otros establecimientos comerciales se han abastecido de los principales productos frescos y a precios asequibles. Explicó que los alimentos (2) .... durante el invierno en algunas ciudades debido a las inundaciones provocadas por las intensas lluvias.

Para solucionar este problema, (3) .... alimentos básicos en las escuelas y en diversas instituciones. La (4) .... creó malestar en la población, pero rápidamente se respondió a esa (5) ....

4 Empareje cada palabra con su definición.

1 CALORÍA

5 DEVORAR

2 CONGELADOS

6 DIGESTIÓN

3 CONSERVANTES

7 NUTRITIVO

4 ORGÁNICO

8 APETITO

a) Proceso fisiológico por el que los alimentos se convierten en sustancias que un organismo puede asimilar.

b) Ganas de comer.

c) Que proporciona las sustancias necesarias para crecer o para vivir.

d) Unidad que se utiliza para medir la cantidad de energía que aportan los diferentes tipos de alimentos.

e) Productos alimenticios que se conservan a muy baja temperatura.

f) En relación a los alimentos significa ecológico, cultivado sin ningún producto químico, de forma natural.

g) Comer con ansia y con rapidez.

h) Sustancia que se añade a los alimentos para que duren más en buen estado.

5 **Lea esta entrevista a una experta en nutrición y complete con las palabras del ejercicio anterior.**

ENTREVISTA

María Padilla es experta en nutrición. En la campaña Vida Saludable, que se está realizando en los colegios, ha respondido a las preguntas que un grupo de alumnos ha elaborado:

> ¿Qué recomienda para aquellas personas que siempre tienen mucho (1) .... y no quisieran comer tanto?

< Creo que lo mejor es **sentarse a comer** con tranquilidad, disfrutando de la comida, tomando el tiempo para **masticar** bien, esto garantiza una mejor digestión. Lo peor que se puede hacer es (2) .... el alimento, deprisa y corriendo.

> ¿Y qué opina de los productos que ya vienen preparados, esos que llevamos a casa para preparar la cena en unos minutos?

< Creo que hay que evitarlos en la medida de lo posible, tienen demasiadas (3) .... Suelen ser alimentos (4) ...., y para que duren más, todavía les agregan (5) ....

> Todos buscamos sentirnos bien y no engordar. ¿Qué podemos hacer?

< Lo más sano es procurar una buena (6) .... Para ello, recomiendo consumir alimentos (7) ...., sin conservantes, cultivados sin productos químicos. Son un poco más caros, pero también nos alimentan mejor porque son más (8) ....

¡Fíjese!

Sentarse a comer = sentarse a la mesa = comer / cenar.

PLATOS Y RECETAS

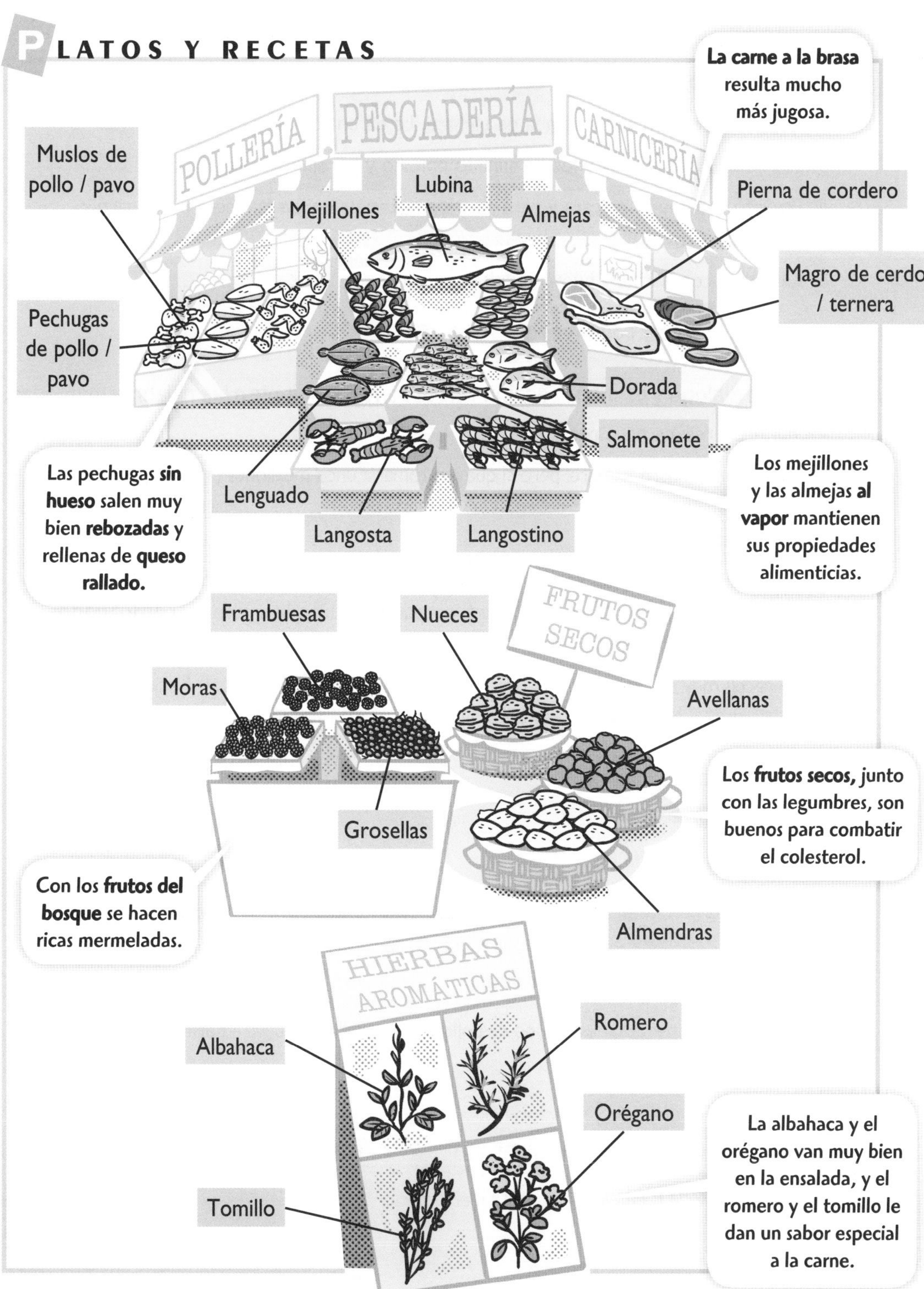

(1: 24)

6 ¿De qué alimentos de la imagen anterior cree que están hablando?

1. ¿Qué te parece si esta parte del cordero la preparamos a la brasa? ....
2. Añade un poquito a la ensalada de tomate. Le da un toque. ....
3. Los he hecho al vapor, y los he aliñado con ajo y perejil. ....
4. Estos frutos tienen cáscara y para abrirlos necesitas un cascanueces o un martillo. ....
5. Rebozada con harina y huevo queda más jugosa. ....

■ **Ahora escuche y compruebe.**

7 Lea este diálogo y escriba la acción verbal correspondiente a las palabras marcadas.

–¿Qué prefieres: carne o pescado?

–¡Uf! No tengo mucha hambre, pero sí que me tomaría unos mejillones (1) **al vapor** ...., con un poquito de limón (2) **exprimido** .... Hace mucho que no tomamos marisco.

–Vale. Compro 1 kilo para tomar de entrante o como aperitivo, pero vamos a llevar también algo de pescado. ¿Qué te parece si preparamos unos lenguados (3) **empanados** ....? Tienen una pinta buenísima.

–Sí, parecen muy frescos. Compra también unos muslos de pollo para (4) **hacer en el horno** .... Yo, mientras, voy a por albahaca para (5) **hacer la ensalada** ....

8 Lea esta receta.

Muslitos de pollo guisados

Se corta el pollo **en trozos** gruesos. En un poco de aceite de oliva **se dora la cebolla;** cuando esté lista, se añade el pollo cortado para **rehogarlo** junto con la cebolla, y se agrega un vaso de **vino blanco seco.**

Se recomienda pasar los **tacos de pollo** por **pan rallado,** huevo o **harina integral,** pero eso aumentaría las calorías.

Se exprime un limón y se echa encima del guiso; después se añade una **manzana troceada,** y se **sazona** todo con sal y pimienta y una **pizca de orégano.**

Dejar hervir **a fuego lento** durante media hora.

(1: 25)

■ Ahora escuche y conteste verdadero (V) o falso (F). Después, convierta los enunciados falsos en verdaderos.

a) Para empanar un alimento hay que untarlo con huevo. ☐

b) Rehogar cebolla es lo mismo que dorar cebolla. ☐

c) Si queremos extraer el jugo de un limón o de una naranja, los exprimimos. ☐

d) Rebozar un alimento es pasarlo por pan rallado. ☐

e) El orégano y el tomillo aromatizan la carne asada o guisada. ☐

9 Lea esta información.

GASTRONOMÍA

PRIMERAS REFLEXIONES PARA COCINEROS NOVATOS

SI ESTÁS APRENDIENDO a cocinar y a **servir una comida,** conviene que tengas en cuenta algunas cuestiones prácticas.

Debes tener en la cocina los **recipientes** necesarios para elaborar los platos, cocinarlos y servirlos. Para servir las ensaladas te vendrá bien tener un buen número de **fuentes** y **cuencos.** Una **sopera** te puede servir también de **ensaladera.** Para batir los huevos o preparar un bizcocho es imprescindible un **bol** y una cuchara de madera para mezclar todos los ingredientes.

Para cocinar, dependerá de cómo lo hagas, pero si quieres freír lo que has **empanado** o **rebozado,** debes tener una **sartén;** para cocinar verduras, legumbres y carnes necesitarás una olla **a presión,** que permite cocinar en menos tiempo, más rápido. En las **cazuelas de barro** puedes hacer guisos y estofados **a fuego lento.**

Más complicado es cocinar al vapor o al baño María, pero con cualquier recipiente puedes hacerlo, siempre que quepa dentro de otro que contenga el agua hirviendo.

Y otros utensilios imprescindibles son los **abrelatas,** los **abrebotellas** y los **sacacorchos.** Son una garantía de que podrás comer y beber lo que quieras.

■ **Ahora, conteste a las siguientes preguntas.**

1. ¿Con qué se abre una lata de sardinas?
2. ¿En qué conviene cocinar un guiso de setas?
3. ¿Con qué puedes cocinar más rápido las legumbres?
4. ¿Qué recipiente se usa para batir los huevos?
5. ¿Con qué puedes abrir una botella de vino?
6. ¿Y un botellín de cerveza?
7. ¿Cómo se cocina al baño María?
8. ¿Cómo se reboza la carne o la verdura?

a) Al calor del vapor de agua.
b) Con un abrebotellas.
c) El bol.
d) Con un abrelatas.
e) Con un sacacorchos.
f) En una cazuela de barro.
g) Con harina y huevo, y luego se fríe.
h) Con un olla a presión.

OBSERVE

Las palabras abre**latas**, abre**botellas** y saca**corchos** son palabras compuestas de un prefijo verbal y un sufijo sustantivo.

10 Combinaciones de palabras más frecuentes en la cocina. Una los verbos con los nombres de la otra columna.

	VERBOS
1.	Servir
2.	Cocinar
3.	Exprimir
4.	Cortar
5.	Calentar
6.	Cocer
7.	Rebozar
8.	Trocear

	NOMBRES
a)	al baño María.
b)	el pescado.
c)	en tacos gruesos.
d)	una comida.
e)	un plato.
f)	un limón.
g)	las manzanas.
h)	al vapor.

11 Coloque estas expresiones y estos términos junto al verbo correspondiente.

[en dados / la fruta / hasta la última gota / los platos / el pan / a fuego lento / la mesa / una naranja / al baño María / en pequeños trozos]

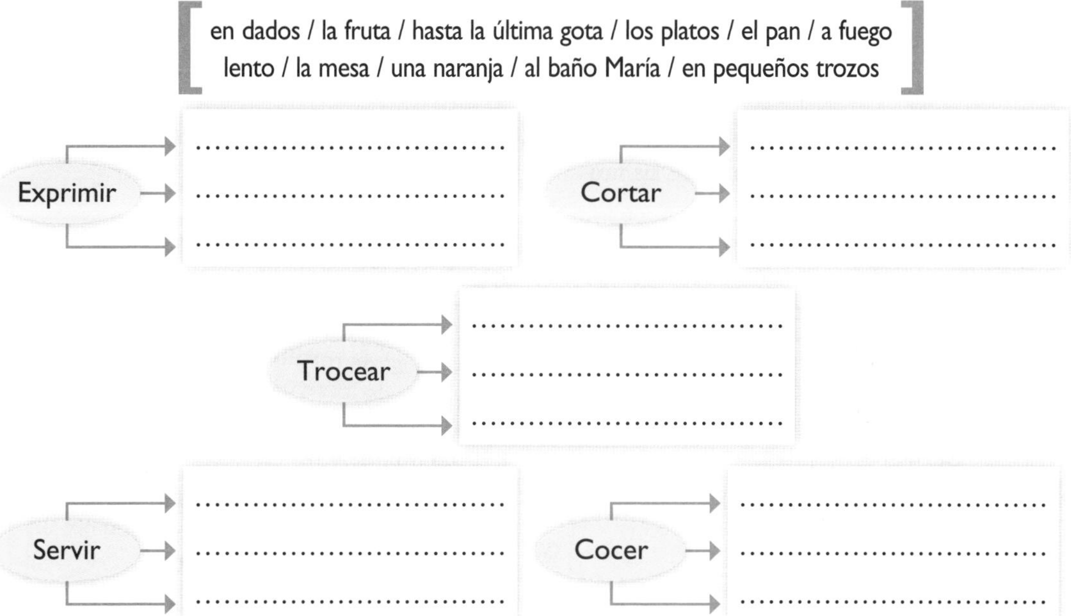

EN EL RESTAURANTE

(1: 26)

12 Información para comer fuera de casa. Lea y escuche atentamente. ¿Entiende lo que significa «apagar la sed»?

EN LAS CIUDADES, se puede elegir entre una variedad de restaurantes, algunos muy importantes, **de fama internacional,** de **cuatro** o **cinco tenedores.** Estos suelen ser muy caros y la gente normalmente hace uso de ellos para **dar un banquete** por alguna gran celebración.

Hoy en día la oferta de restaurantes es enorme y muy variada. Cada uno puede encontrar un restaurante que se ajuste a sus necesidades: los hay muy económicos, caros, exquisitos, de comida rápida, de lujo, baratos... Sobre estos últimos, nos centramos en esta ocasión. Hay dos opciones básicas, una más internacional y otra más típica española.

La comida rápida está relacionada con las **hamburgueserías** y con los **autoservicios.** Nacieron en EE UU en el s. XIX, en las estaciones de tren, con el propósito de ofrecer a los viajeros un servicio de comidas rápido, barato y cómodo. Ahora se pueden encontrar en todas las ciudades y resultan muy prácticos. Estos lugares suelen tener un **bufé libre,** que permite servirse lo que uno quiera por una determinada cantidad de dinero.

En España, existe una tradición diferente, de salida con amigos o con la familia, para ir de bares a **tapear.** A veces, se toma cualquier cosa de pie, en la **barra;** es decir, sin sentarse a la mesa en el **salón del restaurante.** Se suele tomar **cerveza de barril,** muy buena para **apagar la sed.**

En los restaurantes más sencillos se puede elegir entre **comer de menú** o **comer a la carta,** pero siempre sale más barato comer de menú.

Menú del día

Primeros
Fabada
Ensalada
Segundos
Bacalao al pil pil
Pechuga de pollo empanada
Postres
Arroz con leche
Macedonia de frutas
Café
Bebida incluida
Cerveza, refresco, vino o agua

A la carta

Pinchos: de tortilla, de bacalao, de queso, de ibéricos...
Raciones: magro de cerdo guisado, calamares a la romana, alitas de pollo fritas, patatas bravas, croquetas de jamón, ensaladilla rusa.
Carnes: solomillo a la pimienta, pierna de cordero, entrecot.
Postres: sorbete al cava, flan con nata, tarta de manzana, fruta del tiempo.

13 Lea el texto anterior y marque verdadero (V) o falso (F).

	V	F
a) En España se tapea a la hora del aperitivo, y con esto se suele sustituir a la comida.	☐	☐
b) Nos solemos sentar a la mesa cuando tomamos el aperitivo.	☐	☐
c) Sale más económico comer a la carta.	☐	☐
d) Apagar la sed significa que bebes agua para no tener sed.	☐	☐
e) Un restaurante de cuatro o cinco tenedores es un restaurante caro.	☐	☐
f) Para dar un banquete recurrimos al tapeo.	☐	☐

14 Lucas y Laura están decidiendo dónde comer; tienen mucho apetito y poco dinero. ¿Cuál sería su mejor elección?

RESTAURANTE: de cuatro tenedores, de tapeo y pinchos, de fama internacional, para banquetes, de barrio o popular.

MENÚ: comer a la carta, comer de menú, pedir varios pinchos y raciones.

BEBIDAS: una jarra de agua (del grifo), agua mineral con gas, vino tinto seco, refrescos.

POSTRES: macedonia de frutas, sorbete de limón al cava, fruta del tiempo.

OBSERVE

El nombre «alimento» y el verbo «alimentar» se usan mucho en español en sentido figurado y en diferentes ámbitos. Aquí tiene algunos ejemplos útiles:

- **En empresas e instituciones:**

  La producción solo sirve para ***alimentar el mercado interno / los riesgos del capital.***

  Seguramente su intención no era ***alimentar la confusión / el conflicto entre los trabajadores.***

- **En el trabajo intelectual y la comunicación:**

  Un buen libro puede ***alimentar el espíritu / la razón / el cerebro / la reflexión.***

  Sus declaraciones desafortunadas no hacen sino ***alimentar la sospecha / la inseguridad / la confrontación.***

  Los buenos datos aportados sobre la venta de libros en español ***alimenta los argumentos*** *para seguir publicando /* ***alimenta el desarrollo*** *de las empresas editoriales.*

15 Lea estos refranes de la sabiduría popular y escriba el contexto en que se usan.

1. Al pan, pan, y al vino, vino.
2. Sin comerlo ni beberlo.
3. De grandes cenas están las sepulturas llenas.
4. El hambre agudiza el ingenio.
5. El hambre es mala consejera.
6. Comer y rascar todo es empezar.

16 Escuche estos diálogos y relaciónelos con los refranes del ejercicio 15.

: 27)

a) –Fue Nacho quien rompió el jarrón y su gemelo quien recibió el castigo.
–Como son iguales…

b) –Hay que ver lo que le gusta comer a tu suegro.
–Come y bebe en cantidad. Cualquier día de estos no lo cuenta.

c) –¿Cómo quieres que te diga que no te soporto más?
–Pues diciéndomelo.

7 ¡Manos a la obra!

LA VIVIENDA

¡FÍJESE!

EXPRESIONES METAFÓRICAS EN CONTEXTO

Echar un cable: Ayuda que se presta a alguien que está en una situación difícil.

*No tenía suficiente dinero para pagar la hipoteca este mes, pero mi hermana me **echó un cable** y me dio lo que faltaba.*

Por enchufe / tener enchufe: Cargo o destino que se obtiene sin méritos, por amistad o por influencia política.

*Emilio consiguió su puesto de trabajo **por enchufe;** su padre es íntimo amigo del director. / Emilio **tiene enchufe** en la empresa.*

Cruzársele a uno los cables: Perder momentáneamente el control sobre los propios actos.

*Sara se marchó de la fiesta de repente, sin despedirse; **se le cruzaron los cables** cuando vio a su exmarido.*

EJERCICIOS

PALABRAS EN CONTEXTO

(1: 28)

1 Antes de leer, escuche este diálogo entre Norma y su madre. ¿*Chapuza* tiene un significado positivo o negativo? ¿Por qué está nerviosa Norma?

MADRE: Hola, Norma, ¿qué tal? ¿Estás contenta con tu casa recién **reformada?**

NORMA: Estoy a punto de echarme a llorar. No puedo más con la **reforma** de esta casa.

MADRE: ¿Pero qué ha pasado?

NORMA: No tengo mucho tiempo de hablar porque está a punto de llegar el **aparejador** para ver todas las **chapuzas** que han hecho.

MADRE: **Te lo dije.** Esto te pasa por contratar el **presupuesto** más barato.

NORMA: Para nada, acepté este presupuesto porque este **constructor** me ofrecía una buena **financiación.** Solo tuve que **pagar una señal** para comprar los **materiales de construcción** y para el resto me ha dado **facilidades.** Voy a pagar la **renovación** en dos años en 24 cómodos **plazos.**

MADRE: Ay, lo barato sale caro.

NORMA: Ya lo creo. El **albañil** ha dejado un **tabique** completamente torcido; los **ladrillos** están descolocados y no ha puesto suficiente **cemento** para unirlos.

MADRE: Bueno, no es para tanto. Pueden tirar el tabique y volverlo a **construir.**

NORMA: Si solo fuera eso... Con la **carpintería** han hecho otro desastre: la **madera** de la **tarima** que trajo el **carpintero** no es del color que yo elegí. Yo la quería en madera de haya y es de cerezo, y es muy oscura y no pega con el color amarillo de las **paredes.**

MADRE: Pues dile al carpintero que te traiga una tarima nueva del color que tú quieres. Tú diste una señal **al contado** para que compraran los materiales necesarios.

NORMA: Sí, sí... le he dejado al carpintero varios mensajes en su buzón de voz y aún no me ha respondido.

MADRE: Hay que ver lo informales que son algunos trabajadores...

NORMA: Lo peor es la **instalación eléctrica.** ¿Te puedes creer que el **electricista** ha puesto los **enchufes** del salón con los **cables** a la vista? Se ve feísimo y los **interruptores** están tan altos que apenas hay sitio para poner mis cuadros.

MADRE: Pues sí que es una chapuza. Bueno, anda, date un baño relajante y tranquilízate para explicárselo todo bien al aparejador.

NORMA: Pero si no puedo usar el cuarto de baño. La **fontanería** es otro desastre: las **cañerías** pierden agua y la **cisterna** del baño gotea sin parar.

MADRE: Ya te dije que era mejor comprar una casa nueva que **renovar** una vieja. Las **obras** no traen más que problemas y, encima, no puedes culpar a la **constructora.** Pues nada, hija, hazte una infusión de tila y cálmate.

NORMA: ¡Pero mamá... si no tengo ni **luz** ni **gas!** No puedo **dar de alta** ni el gas ni la **electricidad** hasta que no esté terminada toda la reforma y pase una **inspección.** Ah, solo tengo ganas de llorar.

MADRE: Mejor cuelgo, que te estoy poniendo más nerviosa.

2 **Escriba en el recuadro los términos correspondientes a cada definición. Para completar el ejercicio, relea el diálogo anterior donde se utilizan estas palabras en contexto.**

1.	Cálculo anticipado del coste de una obra o de los gastos de una organización.
2.	Empresario que se dedica a realizar obras, construir edificios...

3.	Entregar un anticipo de dinero para recibir un producto o servicio.
4.	Persona que construye edificios u obras de albañilería en las que se emplean materiales de construcción, como ladrillos, arena, cal, cemento.
5.	Masa de barro cocido, de forma rectangular, que sirve para construir paredes.
6.	Pared delgada que separa las diferentes piezas de una casa.
7.	Dispositivo formado por dos piezas que se encajan una en otra cuando se quiere establecer una instalación eléctrica.
8.	Cordón formado con varios conductores aislados unos de otros, y protegido generalmente por una envoltura flexible y resistente a la corriente eléctrica.
9.	Corriente eléctrica.
10.	Cambio de interiores para su renovación y mejora.
11.	Trabajo mal hecho.
12.	Tubería por donde circula el agua.
13.	Inscribirse en un servicio para poder disfrutar del mismo.
14.	Instalación de todos los tubos por donde se distribuye el agua de un edificio o vivienda. También, taller del fontanero.

3 Complete las oraciones con la palabra adecuada.

[tarima / cañerías / gas / enchufe / alta / interruptor / cisterna / cables]

1. La calefacción de mi casa funciona con .... natural.
2. Al apretar el .... saltó una chispa.
3. Necesito comprar un adaptador para poder cargar mi celular en un .... norteamericano.
4. Las .... del agua hacen un ruido espantoso cada vez que nos duchamos.
5. Para conectar el reproductor DVD al televisor necesitas los .... adecuados.

6. Me he dado de .... en la tarifa nocturna para ahorrar en la factura de la electricidad.
7. La .... y los marcos de las puertas del salón están hechos con tablas de roble.
8. Como la fontanería de mi cuarto de baño está mal hecha, la .... no para de gotear.

■ **Escuche y compruebe.**

(1: 29)

4 **Seleccione a qué profesional llamaría para realizar las siguientes actividades.**

constructor / albañil / fontanero / electricista / carpintero / aparejador

1. Desatascar una cañería ....
2. Planificar la reforma de su piso ....
3. Barnizar una puerta ....
4. Tirar un tabique ....
5. Instalar una lámpara en el techo ....
6. Construir una casa ....
7. Dibujar los planos de su casa ....
8. Hacer una estantería ....
9. Instalar un lavavajillas ....
10. Instalar un enchufe ....

¿ALQUILAR O COMPRAR?

5 **Lea este artículo y elija el sinónimo del recuadro adecuado para sustituir las palabra en negrita.**

arrendatario / importe / dueño / habitando / de viviendas / arrendamiento / inmueble / deudores / renta / gestiones / protecciones / posesión / desalojo / casero / alternativa / adquirir / beneficios / propietario

ALQUILAR ANTES DE COMPRAR

Dados los tiempos que corren, el alquiler con opción a compra es una **modalidad** (1) .... cada vez más **difundida** (2) .... en el mercado **inmobiliario** (3) .... español. Se trata de una alternativa en la que se le da al **inquilino** (4) .... la posibilidad de comprar una casa después de haber estado **viviendo** (5) .... en ella en régimen de **alquiler** (6) .... durante un período determinado de tiempo (lo habitual es que sean entre tres y cinco años). En el momento de **comprar** (7) .... el inmueble en **propiedad** (8) ...., una parte de lo pagado en concepto de alquiler (9) .... se deduce del **precio** (10) .... total de la vivienda.

La opción puede ser muy beneficiosa, si consideramos que el dinero que el comprador va pagando como alquiler no se pierde. Por otro lado, permite al inquilino disfrutar de su vivienda antes de adquirirla. En lo que respecta al **propietario** (11) ...., esta modalidad le posibilita que su **vivienda** (12) .... le vaya generando **ingresos** (13) .... mientras espera a venderla y ganar seguridad, dado que quien alquila es el futuro **comprador** (14) ....

Asimismo, aquellos que estén interesados en arrendar su vivienda pueden acudir a la Sociedad Pública de Alquiler, que aporta una serie de beneficios y **coberturas** (15) ...., actuando como intermediaria en la gestión, ocupándose de los **trámites** (16) .... y dotando de un marco de seguridad a los propietarios.

Por otra parte, el **desahucio** (17) .... exprés protege al **arrendador** (18) .... de los **morosos** (19) ....

Adaptado de http://inmobiliaria.elpais.com/articulo/Inmobiliaria/Alquilar/comprar

(1: 30)

■ **Ahora, escuche el artículo y compruebe sus respuestas.**

6 Empareje cada palabra con dos sinónimos de los que aparecen a continuación.

a toca teja	arrendar	cargo	crédito
adelanto	arrendatario	casero	cuotas
alquilador	cambiarse	contratar	desahucio
anticipo	cancelar	coste	deudor
en efectivo	garantía	propietario	rentar
estimación	mal pagador	protección	rescindir
expulsión	mensualidades	recibo	restaurar
firmar	préstamo	reformar	trasladarse

Al contado → ____ / ____

Arrendador → ____ / ____

Alquilar	Cobertura
Dar de alta	Moroso
Dar de baja	Mudarse
Desalojo	Plazos
Factura	Presupuesto
Hipoteca	Renovar
Inquilino	Señal

(1: 31)

7 **Escuche los siguientes comentarios hechos en un foro inmobiliario. Después lea las siguientes afirmaciones y marque verdadero (V) o falso (F).**

	V	F
1. Guadalupe y Elena piensan que alquilar es un derroche.	☐	☐
2. Álvaro y Elena ven pros y contras en las dos opciones.	☐	☐
3. Mar basa su opinión en diversos tipos de criterios.	☐	☐

Aquí tiene escritos los comentarios del foro inmobiliario. Léalos y rellene los huecos con las palabras del recuadro.

banco (2 veces) / obras / hipoteca (2 veces) / intereses (2 veces) arrendatario / adquirir / renovaciones / comunidad / propia / alquiler / pagar dinero/ residencia / reparaciones / alquiler / tirar / comprando / vivienda gastos / impuestos / propiedad / alquilas / invertir / arrendar

http://zonaforo

CONECTAR - REGÍSTRATE BLOGS MERCADILLO

Inicio

Comprar o alquilar, ¿qué me conviene más?

Zonaforo Mercadillo Juegos Buscar Miembros FAQ Grupos Mensajes privados Normas Todos

Álvaro

Mi opinión es clara: alquilar, y os daré los motivos. Alquilando no nos endeudamos, por lo que no quedamos atados a ningún .... Tenemos flexibilidad: si tenemos que irnos a trabajar a otra parte o si las cosas van mal y hay que volver a casa de los padres, se deja de .... el .... y listos. Y te evitas tener que pagar los .... de las .... de la casa, los gastos de ...., los .... del Estado...

Guadalupe

Alquilar es tirar el .... Por un esfuerzo extra se puede pasar de ser .... a tener una vivienda en .... Y eso es bueno, ya que después de X años de .... tienes una .... que puedes vender y, en cambio, si ...., nunca tendrás una vivienda ....

Elena

.... también se tira mucho dinero. El dinero de los .... no es nada despreciable. Cuando se compra una vivienda mediante una ...., hay que considerar que una parte del dinero se va a .... en la propiedad y otra parte, que puede ser comparable a la parte invertida, se va a ...., se la va a quedar el .... en concepto de ....

Mar

Hay muchas cosas que considerar, no solo económicas: estando de .... se puede vivir en una zona en la que no te podrías permitir .... una vivienda. .... implica que muy probablemente haya que cambiar de .... más frecuentemente; vivir de alquiler no suele permitir realizar .... y renovaciones que dejen la vivienda a tu gusto...

(1: 31)

■ **Escuche de nuevo los comentarios del foro y compruebe sus respuestas.**

9 Relacione cada palabra con su antónimo.

	ANTÓNIMOS
dar de alta	conservar
pagar al contado	comprar
alquilar	arrendador
arrendatario	buen trabajo
renovar	inquilino
chapuza	pagar a plazos
casero	dar de baja

10 Norma acaba de reformar su casa y necesita comprar electrodomésticos para su nueva cocina. Indíquele qué electrodomésticos necesita según sus necesidades.

1. Preparar un zumo de naranja. ....
2. Freír patatas. ....
3. Preparar un batido de frutas. ....
4. Hacer mayonesa. ....
5. Cocinar un pollo guisado. ....
6. Trocear cebollas. ....

(1: 32)

11 Escuche estos diálogos y relaciónelos con la frase hecha correspondiente.

1. **NORMA:** Cariño, por favor ayúdame con estos cuadros, no puedo hacerlo sola. Mira cómo están quedando....
   EL MARIDO DE NORMA: Llama a tu madre..., sabes que es una gran decoradora. ☐
2. **LUPE:** ¿Pues no quedamos en que Javier preparaba las tortillas?
   MARGA: Bah, ya sabes lo raro que es. Ha llamado diciendo que no contemos con él, que no va a la excursión. ☐
3. **RAMÓN:** ¡Hay que ver con García! Siempre vuelve más tarde de vacaciones que los demás.
   ELISA: De algo tiene que servir ser el yerno del jefe. ☐

[a) Tener enchufe b) Echar un cable c) Cruzársele los cables]

12 Resuelva el siguiente crucigrama.

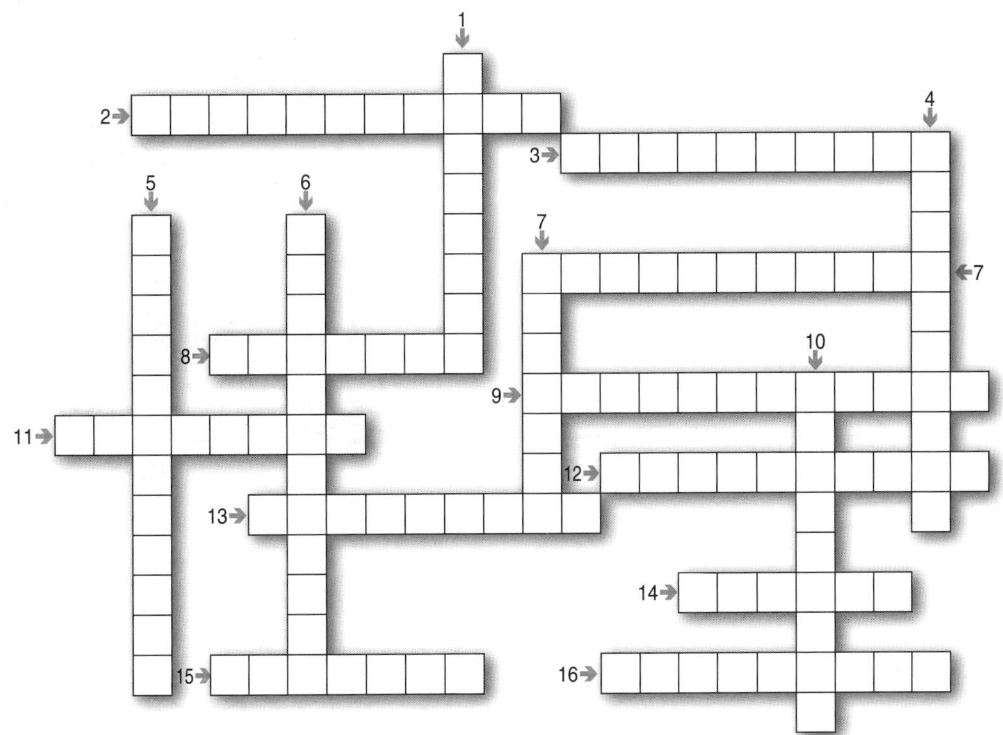

Verticales

1. Electrodoméstico para freír alimentos.
4. Ayudante de arquitecto.
5. Es recomendable pedir varios ... antes de empezar una obra.
6. Prefiero negociar con mi banco porque me da mejores condiciones de ...
7. Esta pared es muy sólida, está hecha de ... armado.
10. Los gastos de ... de este edificio son muy altos porque tiene portero y piscina.

Horizontales

2. La ... exterior de la casa es de madera de roble.
3. Para arreglar una cañería necesitas unos conocimientos mínimos de ...
7. Dueño de una empresa constructora.
8. Trabajo mal hecho.
9. Ayer hubo un corte de ... y estuvimos once horas sin luz.
11. Ya he firmado la ... y me han entregado las llaves de mi vivienda.
12. Haz el zumo de limón en el ...
13. Me encantan las casas con ... a la vista.
14. Factura.
15. Pagar al ... es mejor porque te ahorras pagar intereses.
16. Darse de alta.

8 Bello por dentro, bello por fuera

HIGIENE Y BELLEZA

¡FÍJESE!

Laura y Pablo tienen un fiesta por la noche y quieren dedicar un tiempo para ***ponerse guapos.*** *Han decidido pasar el día en un* ***centro de belleza*** *para arreglarse y también para tonificarse.*

¡Qué bien sienta un **masaje relajante**!

sienes

Darse un hidromasaje

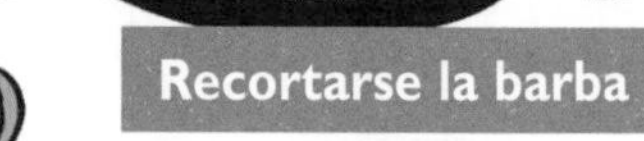

Ponerse una mascarilla

Hacerse la manicura

flequillo

Recogerse el pelo

EJERCICIOS

PALABRAS EN CONTEXTO

1 Lea el siguiente texto.

Higiene y estética

Consejos para mantenerse joven

"El paso del tiempo deja huellas en nuestra **figura** y en nuestro **rostro.** Al mismo tiempo, adquirimos experiencia, sabiduría y seguridad en nosotros mismos, y apreciamos más todo lo que tenemos. Las acciones de ahora afectan a nuestro ánimo y también a nuestro físico: a cómo **lucirán nuestra piel, cabello** y **cuerpo** a medida que pasa el tiempo. He aquí algunos ejemplos:"

1 Mejorar la piel

Cepillar diariamente la piel (exfoliar) y **mantenerla limpia** facilita la regeneración celular, y ayuda a remover células viejas, toxinas y grasas acumuladas en los **poros** de la piel. Además, estimula la circulación y la oxigenación de la dermis. Esto es indispensable para que la piel pueda lucir siempre **fresca** y **joven.**
Los granos, las **manchas,** la **falta de luminosidad** en la piel pueden mejorarse fácilmente con este tratamiento, y ayudándose de **cremas hidratantes** y **nutritivas.** Es importante ser constante para que los **productos de belleza** sean eficaces. La **hidratación** profunda se consigue con las **mascarillas,** que se pueden **aplicar** una vez por semana.

2 Relajarse al final del día

Para calmar la tensión y el estrés que acumulamos durante el día, podemos tener la experiencia de los **balnearios** en nuestra propia casa con **tratamientos** muy efectivos: relaja tu cabeza con un masaje *shiatsu* usando las yemas de los dedos para aplicar presión en algunos puntos. Cepillar y desenredarse el pelo ayuda a masajear el cuero cabelludo y a oxigenar el cabello

3 Hidroterapia y aromaterapia

Para acabar con la tensión del día y relajarte por la noche puedes **darte una buena ducha** con agua tibia, aplicarte crema hidratante por todo el cuerpo y usar **aromas** relajantes. Después, ya en la cama, puedes darte un ligero masaje con **aceite** de lavanda o de menta (diluido en crema) en las muñecas, sienes y detrás de las rodillas. Respira profundamente, relájate y duerme (al menos 6 horas al día).

4 Pensar en "positivo"

Los pensamientos negativos, deprimentes y pesimistas se reflejan tarde o temprano en el **aspecto** de todas las personas, y pueden provocar que el **cutis** pierda brillo y luminosidad. Piensa en lo positivo, en lo que te gusta, en los amigos con los que te diviertes. Habla contigo mismo eligiendo siempre lo mejor y descartando lo peor.

■ **Indique si estos enunciados sobre el texto anterior son verdaderos (V) o falsos (F).**

	V	F
1. Es posible cuidarse en casa sin necesidad de ir al salón de belleza.	☐	☐
2. No conviene darse masajes relajantes todos los días.	☐	☐
3. Hay que ser un experto en estética y en cosmética para poder conservarse bien.	☐	☐
4. Darse una ducha tibia al final de un día muy ocupado ayuda a relajarse y a dormir mejor.	☐	☐
5. Una buena limpieza del cutis con un cepillo suave puede reducir los granos y las manchas de la cara.	☐	☐

2 **Una las dos partes de las oraciones para obtener nuevos consejos de belleza e higiene.**

	PRIMERA PARTE
a)	Para relajarse, sienta fenomenal...
b)	Si tienes contracturas en el cuello y los hombros...
c)	Lo mejor para mantener suave y firme la piel es...
d)	Si llevas melena larga...
e)	En caso de padecer alergia en la piel...
f)	Para tener un pelo sano y brillante...
g)	Se puede fijar un peinado...
h)	Mantendrás los dientes sanos y blancos...
i)	Si te recoges el pelo en una coleta...

	SEGUNDA PARTE
1.	con unos toques de laca, fijador o gomina.
2.	te recomiendo un masaje terapéutico.
3.	tomando alimentos frescos y cepillándote los dientes después de cada comida.
4.	ayuda ponerse crema suavizante o mascarilla después de lavarlo con champú.
5.	un baño caliente.
6.	debemos usar productos de cosmética natural.
7.	usa gomas que no corten el pelo.
8.	darse crema hidratante después del baño o ducha.
9.	no olvides desenredarte bien el pelo todos los días con un cepillo adecuado.

3 **Relacione cada producto con el verbo correspondiente. ¡Atención! Pueden coincidir varios productos en un mismo verbo.**

[perfume – espuma de afeitar – colorete – loción – barra de labios – colonia – maquillaje – rímel – desodorante – sombra de ojos]

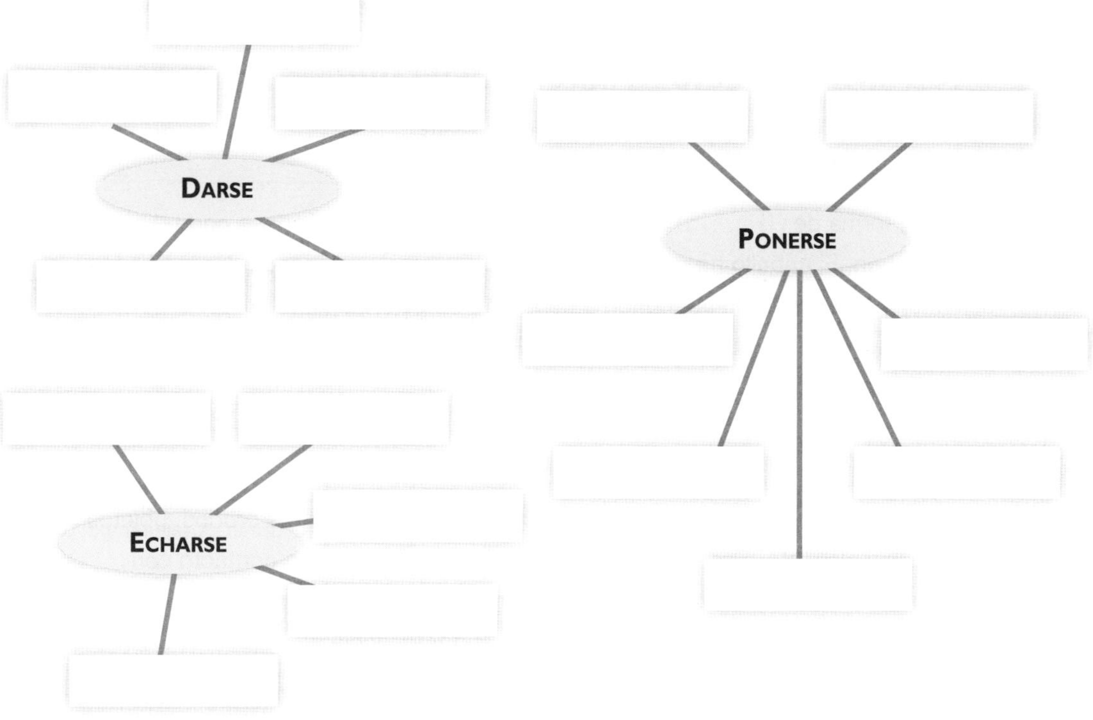

4 **¿Qué elegiría en cada caso?**

1. NO MOJARSE EL PELO: gorro de baño o mascarilla.
2. PERFUMAR EL AGUA DE LA BAÑERA: sales de baño o pastilla de jabón.
3. DARSE UNA DUCHA RÁPIDA: *yacuzzi* o cabina de ducha.
4. TENER EL PELO BRILLANTE: champú anticaspa o suavizante.
5. TENER MUCHO TIEMPO: darse una ducha caliente o darse un baño de espuma.
6. IR A UNA CEREMONIA: dejarse el pelo suelto o recogerse el pelo.
7. SANEAR EL PELO: hacerse un corte de pelo o hacerse un peinado.
8. ROSTRO CON ARRUGAS: crema limpiadora o crema nutritiva.
9. HACERSE LA MANICURA: lima o fijador.

5 Lea el texto y complételo con los términos del recuadro.

lavarse con frecuencia / cepilarse las uñas / mantenerse limpio / usar hilo dental / higiene personal / lavarse los dientes

Higiene y estética

Un aseo correcto es sinónimo de limpieza y de salud

LA IMPORTANCIA DE UNA BUENA HIGIENE PERSONAL

La mejor forma de (1) .... y sano es duchándose cada día con agua y jabón. El cabello ha de (2) .... (al menos dos veces por semana) con un champú adecuado a cada tipo de pelo. El peine o cepillo no debe compartirse y ha de estar siempre limpio. Pero la (3) .... no acaba en la ducha.

MANOS

Piense en todas las cosas que ha tocado hoy: papeles, alimentos crudos, objetos, dinero, animales, etc. Sea lo que sea, seguro que ha entrado en contacto con gérmenes y las manos, sobre todo alrededor de las uñas, son uno de los lugares predilectos para alojarse. Lavarse las manos con frecuencia y (4) .... de forma correcta puede eliminarlos.

BOCA Y OÍDOS

Para mantener a raya la caries y las enfermedades relacionadas con la boca, y para evitar el mal aliento, hay que (5) .... después de cada comida. El dentífrico ha de contener flúor y se ha de (6) .... para llegar allí donde el cepillo no puede hacerlo: entre los dientes. No comparta con nadie el cepillo de dientes; es personal e intransferible y se ha de cambiar con regularidad, aproximadamente cada tres meses.

(1: 33)

■ **Ahora escuche y compruebe.**

6 Complete el cuadro con las palabras que faltan. Una misma palabra puede ir con varias acciones.

las uñas | recortar | hilo dental | sales de baño | lavar | tijeras | cepillo | limar | los dientes | el cuerpo | cuidar | la piel | limpiar | peine | cortaúñas | el pelo

OBJETO	ACCIÓN	PARTE DEL CUERPO
	cortar	las uñas
		la barba
	cepillarse	el pelo
	desenredarse	
lima		
cepillo de dientes		
		entre los dientes
crema hidratante		
	bañarse	

7 Complete el texto con estos verbos pronominales que se refieren a la higiene y al cuidado de nuestro propio cuerpo. Conjúguelos en la forma correcta y con los pronombres de objeto directo necesarios.

[ducharse / darse / cepillarse / ponerse guapa / recortarse / limarse / desenredarse / limpiarse / mantenerse joven / conservarse]

Lucía es un persona que le da mucha importancia a (1) .... Por eso, le gusta (2) .... y dedica bastante tiempo a cuidarse a diario.

Todas las mañanas (3) .... con agua caliente y luego fría, para terminar. A fin de tener una piel sana, (4) .... crema hidratante con un buen masaje. Después de desayunar algo ligero, sano y nutritivo, (5) .... los dientes con hilo dental.

Tiene la melena larga, por lo que (6) .... con cuidado para (7) .... bien.

Le gusta llevar las manos bien cuidadas, por lo que, a menudo, (8) .... las uñas y (9) .... para dejarlas muy suaves y redondeadas.

Gracias a este aseo personal y estos cuidados de belleza, Lucía (10) .... tan bien que aparenta menos edad de la que tiene.

(1: 34)

8 **Escuche las siguientes propuestas de higiene y cosmética, y complete los textos.**

Texto A

Cómo disfrazarse de bruja

Ponte un vestido negro, cinturón y medias negras gruesas.

En la cabeza, peluca de .... larga y sombrero también negro.

Deberás .... la cara y el cuello. Ponte una .... blanca, ... negra en los ojos, mucho .... en las pestañas, ... marrón en las mejillas y .... los labios de rojo oscuro. Te puedes pintar un lunar en el pómulo o dibujar una araña en el cuello. Para terminar, puedes ponerte unas uñas .... largas y pintadas de negro. También puedes ponerte una nariz de bruja. Toma la escoba y... ¡a salir volando!

Texto B

Talleres de tratamiento facial antiacné

BELLAPIEL es un .... facial antiacné realizado con la nueva gama de productos que se basa en el drenaje linfático manual para quitar las .... de la piel y los ....

BELLAPIEL es altamente recomendable para el tratamiento de las pieles grasas y ....: grasas y secas. Los productos se han formulado con el complejo Oxígeno A. Esta nueva línea reequilibra el ecosistema de la .... , mejorando su capacidad defensiva. Es una crema ...., pero no contiene grasa.

Texto C

Consejos para el cuidado diario del cabello

1. Es aconsejable usar varios tipos de .... para lavarse el ...., y para mantenerlo suave y ....

2. Si tienes una .... larga y el pelo un poco ...., conviene que uses una vez por semana una crema .... en las puntas para ....

3 Antes de .... , enjuaga el exceso de agua con las manos, luego envuelve el pelo en una toalla para que absorba el agua.

4 .... suavemente con un .... ancho o con los dedos.

5 .... el pelo despacio. Trata de no usar el .... con un aire muy caliente.

9 **Lea el texto C) del ejercicio anterior y complete los siguientes enunciados.**

a) Al pelo no le beneficia nada secarlo con ....

b) Simplemente con los dedos o con .... el pelo se desenreda fácilmente.

c) Evitaremos que los recogidos se despeinen, aplicando unos toques de ....

d) Si se quiere evitar que el pelo largo y suelto se enrede, hay que aplicarse una .... solo en ....

e) Siempre, antes de secarse el pelo, debemos exprimir .... y, a continuación, ...

f) Para mantener el pelo suave se recomienda ir cambiando de ....

10 **Relacione estas palabras con sus antónimos.**

	PALABRAS
1.	melena larga
2.	maquillarse
3.	uñas naturales
4.	graso
5.	suave
6.	desenredar
7.	secar
8.	cambiar
9.	hidratar
10.	brillante

	ANTÓNIMOS
a)	mantener
b)	seco
c)	enredar
d)	apagado
e)	deshidratar
f)	media melena
g)	áspero
h)	desmaquillarse
i)	mojar
j)	postizas

11 ¿Qué significa?

1. facial: ....
2. acné: ....
3. piel mixta: ....
4. cambiar de imagen: ....
5. estética: ....
6. corporal: ....
7. higiene: ....
8. pintalabios: ....

[belleza
granitos en el cutis
del cuerpo
con zonas secas y grasas
del rostro
barra de labios
mantenimiento de la salud
tener un nuevo aspecto físico]

12 Relacione estos pensamientos con las situaciones en las que podrían usarse.

1 La belleza está en los ojos de quien ama. ☐

2 La belleza exterior no es más que el encanto de un instante. ☐

3 No está mal ser bello, lo que está mal es la obligación de serlo. ☐

4 La belleza sin gracia es un anzuelo sin cebo. ☐

a) La belleza puede convertirse en un castigo si estamos obligados a ella.

b) Encontrar que algo es hermoso (o feo) depende de cada persona, de los ojos con que se mira y admira.

c) Es tan importante la personalidad de una persona bella como la propia belleza. Hay que saber «llevar» la belleza.

d) El tiempo se encarga de borrar las huellas de la belleza.

Busque 8 términos relacionados con el campo temático de la unidad.

Q	E	R	T	Y	U	I	O	P	A	S	D	G	D	F	G	H	J	K
L	Ñ	Z	X	C	V	B	N	M	Q	E	R	O	T	Y	U	I	O	P
A	S	D	F	G	H	J	K	L	Ñ	Z	X	M	C	V	B	N	M	Q
W	E	R	T	Y	U	I	O	P	A	S	D	I	F	G	H	J	K	L
Ñ	Z	X	C	V	B	N	M	Q	E	R	T	N	Y	U	I	O	P	A
S	D	F	G	A	N	T	I	C	A	S	P	A	H	J	K	L	Ñ	Z
X	C	V	B	N	U	M	Q	W	E	R	T	Y	U	I	O	P	A	S
N	Ó	I	C	A	T	A	R	D	I	H	S	A	D	F	G	H	J	K
L	Ñ	Z	Q	R	R	T	Y	U	I	O	P	L	A	S	D	F	G	H
J	K	S	L	Ñ	I	Z	X	C	V	B	N	L	M	Q	W	E	E	R
T	Y	U	U	I	T	A	S	D	F	G	H	I	J	K	L	Ñ	J	Z
X	C	V	B	A	I	N	M	Q	E	R	A	R	U	C	I	N	A	M
T	Y	U	I	O	V	P	Q	Z	X	C	V	A	B	N	M	Q	L	E
R	T	Y	U	I	A	I	O	P	A	S	D	C	F	G	H	J	L	K
L	Ñ	Z	X	C	V	B	Z	N	M	Q	E	S	R	T	Y	U	I	I
A	S	D	F	G	H	J	K	A	L	Ñ	A	A	Z	X	C	V	U	B
N	Q	E	R	T	Y	U	I	O	N	P	A	M	S	D	F	G	Q	H
J	K	L	Ñ	Z	X	C	V	B	N	T	M	Q	E	R	T	Y	A	U
A	S	D	F	G	H	K	L	Ñ	Z	X	E	C	V	B	N	Q	M	C

9 Diga treinta y tres

SALUD Y ENFERMEDAD

¡FÍJESE!

En urgencias

(1: 35)

Ahora escuche. En estas escenas, ¿los médicos dan o quitan importancia a las dolencias de los pacientes? ¿Qué significa *tener una salud de hierro*?

ENFERMEDADES

SÍNTOMAS

Tener

la tensión alta
el colesterol alto
el azúcar alto
fiebre alta
una contractura
un tirón

Tener / sentir

cansancio
dolor
mareo
debilidad
náuseas
faringitis
ansiedad
malestar
molestias

Estar

a régimen = a dieta
decaído /-a
deprimido /-a
en coma

DIAGNÓSTICO

Hacer(se)

una radiografía
un escáner
una tomografía = TAC
una ecografía
un chequeo
una revisión ginecológica
una transfusión de sangre

Tomar(se)

la tensión arterial
las pulsaciones

Tener

bronquitis
neumonía
diabetes

Tener / padecer

Una enfermedad:
- crónica / terminal
- leve / grave
- hereditaria
- contagiosa
- mental

Tener / dar / sufrir

un desmayo
una parálisis
un infarto
un ataque de ansiedad

TRATAMIENTO

Poner(se)

una venda
una escayola
una gasa
un esparadrapo
una inyección
un supositorio
una pomada

Tomar

Un medicamento:
- genérico
- homeopático
- contraindicado

un calmante
un antiinflamatorio

Leer

El prospecto:
- las contraindicaciones
- los efectos secundarios

EJERCICIOS

PALABRAS EN CONTEXTO

1 Lea estas dos cartas de consulta sobre un tema médico y de respuesta al mismo.

CARTAS AL EXPERTO

¿Cuándo debemos acudir a urgencias?

Hola:

Mi pregunta está relacionada con la salud de mi abuela, que vive en casa conmigo. Tiene **hipertensión** y muchas otras cosas. Ayer tuvo un **ataque de ansiedad,** se mostraba inquieta, así que le **tomé la tensión** y tenía 19,5 de máxima y 9,5 de mínima. Es una tensión **muy alta.** Ahora se siente mejor, pues **toma medicación** para la **hipertensión.** Pero el caso es que tendría que llevar una dieta sin sal, y come todas las cosas que no debería. Mi pregunta es: ¿En qué caso la debería **llevar a urgencias?** ¿La debería llevar ya para que se lo tome en serio y empiece a cuidarse, o solo la llevo en caso de auténtica necesidad? Estoy preocupado.

RESPONDE EL EXPERTO

Estimado amigo:

Es peligroso estar con esa **tensión arterial.** Aunque su abuela tiene esa **enfermedad crónica,** debe controlarse, hacer una dieta sin sal y, sobre todo, tiene que ir al **centro de salud** cada semana, para que la controle su médico.

Si no se cuida, corre riesgo de **sufrir un infarto.** Pero si se cuida y toma la medicación, las posibilidades de correr un riesgo grave pueden llegar a desaparecer. El médico podrá ver si está tomando algún **medicamento contraindicado,** le **recetará** lo que necesite verdaderamente y le hará todas las recomendaciones adecuadas.

Solo si nota cualquier **síntoma** fuera de lo normal (**visión borrosa, dolor en el pecho, parálisis** o pérdida de fuerza de algún miembro), llévela a urgencias sin dudarlo.

■ **Responda si los siguientes enunciados son verdaderos (V) o falsos (F).**

	V	F
a) La persona que cuida a su abuela no sabe si tienen que hospitalizarla porque está enferma.	☐	☐
b) Si una persona tiene la tensión alta, debe hacer una dieta sin sal.	☐	☐
c) La hipertensión es una enfermedad grave y terminal.	☐	☐
d) Otros síntomas habituales de la tensión alta son la parálisis y el dolor agudo en el pecho.	☐	☐

2 Relacione estos síntomas con sus causas y efectos.

CAUSAS	SÍNTOMAS	EFECTOS
estar embarazada	**colesterol alto**	*dolor muscular*
estar enamorado	**fiebre alta**	*quedarse en estado vegetativo*
comer alimentos ricos en grasas	**tener náuseas**	*sentir debilidad*
sentarse en una mala postura	**tener una contractura**	*la ropa queda grande*
tener bronquitis	**estar en coma**	*problemas cardiacos*
choque frontal con el coche	**perder el apetito**	*delirar*

3 Consulte el mapa conceptual de las «Enfermedades», en el apartado de «Diagnóstico», y complete las oraciones.

1. Para controlar el ritmo cardiaco se puede tomar usted mismo ....
2. Al llegar a determinada edad, lo más común es padecer alguna enfermedad ....
3. En esta planta del hospital permanecen aislados los enfermos afectados por enfermedades .... para que su enfermedad no se propague.
4. Mi amiga tiene .... y debe pincharse insulina.
5. Como el local era pequeño, oscuro y lleno de gente le dio un ....
6. Para examinar el cerebro un sistema puede ser hacerse un ....
7. Siento debilidad, así que tendré que hacerme un ....

36)

4 Haga una recomendación para cada situación. Luego, escuche y compruebe.

	SITUACIÓN		RECOMENDACIÓN
1.	¡Ay! Me acabo de cortar en el dedo.	a)	Le voy a dar un genérico.
2.	El bebé tiene la piel muy irritada.	b)	Muy fácil. Léete el prospecto.
3.	No hay ningún medicamento que me quite la faringitis.	c)	Pues ponte una tirita.
4.	No tengo receta, pero no quiero que me cueste mucho dinero el medicamento.	d)	Habrá que ponerle pomada.
5.	¡Vaya flemón que tienes, chica!	e)	Y eso que me estoy tomando antiinflamatorios.
6.	No sé cuántas veces me lo tengo que tomar al día.	f)	¿Por qué no pruebas con alguno homeopático?

5 **Lea esta campaña del Ministerio de Sanidad.**

ATENCIÓN PRIMARIA

En **Atención Primaria,** la asistencia sanitaria se presta a demanda, de manera programada o urgente, tanto en la consulta del centro de salud o del consultorio local como en el domicilio del enfermo, si es necesario.

Estos servicios tienen la suficiente capacidad técnica para abordar los problemas de salud de presentación frecuente.

ATENCIÓN HOSPITALARIA

La **Atención Especializada** se presta, en función de las características del paciente y su proceso, en consultas externas, en hospital de día y en régimen de internamiento hospitalario. Esta atención presta apoyo a la asistencia primaria en el alta y en la hospitalización a domicilio, así como en los cuidados paliativos a enfermos terminales.

ATENCIÓN DE URGENCIA

La **Atención de Urgencia** se dispensa en aquellos casos en que es necesario atender al paciente de forma inmediata. Se realiza tanto en los centros sanitarios como fuera de ellos (domicilio del paciente, urgencias en cualquier situación...) durante las 24 horas del día.

La atención de urgencia se presta por la atención primaria, los hospitales y los servicios especialmente dedicados a ella.

(Fuente Ministerio de Sanidad español: http://www.serviciossanitarios.es/uso-servicios-sanitarios.html)

■ Ahora, indique a qué tipo de atención sanitaria debe recurrir dependiendo de la situación en que se encuentre, según la lectura anterior.

1. Ponerse una vacuna: ....
2. Hacerse una ecografía y una radiografía: ....
3. Pedir una receta: ....
4. Pasar una revisión ginecológica: ....
5. Hacerse una herida profunda y sangrante: ....
6. Recibir tratamiento de quimioterapia por un cáncer: ....
7. Tomarse la tensión: ....
8. Sentir un dolor muy agudo en el pecho: ....
9. Sufrir un golpe fuerte por un accidente de coche: ....
10. Perder el apetito: ....
11. Estar en cama con fiebre y necesitar asistencia domiciliaria: ....
12. Tener depresión: ....

6 Estas son algunas informaciones sobre los medicamentos. Complételas con los carteles siguientes.

a) Llevar a la farmacia todos aquellos medicamentos caducados, en mal estado, sin prospecto o envase original.

b) Es una medicina natural con base científica.

c) Tienen la misma eficacia, calidad y seguridad.

1. Campaña del Ministerio de Sanidad para el impulso de la utilización de los medicamentos genéricos:

- Con los medicamentos genéricos ganamos todos.
- Mejoras tú y mejoramos todos.
- ....

2. **¿Qué hacer con los medicamentos caducados?**
¡No los tires a la basura!

Es conveniente revisar nuestros botiquines caseros al menos una vez al año y

....

Un medicamento que acaba en la basura:

- Puede contaminar el agua potable.
- Puede acabar en manos de niños o de personas que buscan en los basureros.

3. **Ventajas de la homeopatía**

Es una medicina segura. ....

Es una medicina amigable y que fortalece las defensas.

Los medicamentos homeopáticos son preparados a base de hierbas, algunos minerales y una baja dosis de sustancias del reino animal.

Son medicinas que no afectan a la digestión, no bajan las defensas, no producen alergias y, por lo general, no producen daño alguno a los niños, aunque se tomen por un tiempo prolongado.

(1: 37)

■ **Escuche y compruebe.**

7 Relacione los tipos de medicamentos con los enunciados de la derecha.

MEDICAMENTOS

- Genéricos
- Homeopáticos
- Caducados

a) generan un mayor ahorro en el gasto farmacéutico.
b) pierden su efectividad y pueden ser peligrosos.
c) usan sustancias orgánicas, minerales y vegetales, en pequeñísimas dosis, para estimular las defensas inmunitarias del organismo.
d) son equivalentes a sus originales de marca.
e) son medicinas que no causan náuseas ni dolores de estómago.
f) deben depositarse en una farmacia para su reciclado.
g) constituyen una medicina alternativa que se basa en una realidad biológica.
h) son medicamentos de confianza, pues tienen como referencia a sus originales de marca que llevan al menos diez años en el mercado.
i) contienen los mismos principios activos, presentan la misma forma farmacéutica, y ofrecen la misma calidad, seguridad y eficacia que los de marca.

8 Indique a qué especialista médico deben acudir los pacientes que se encuentran en las situaciones siguientes.

otorrinolaringólogo / ginecólogo / pediatra / traumatólogo / anestesista / radiológo / cardiólogo / dentista / alergólogo / cirujano

1. Tiene un esguince en el tobillo y está escayolado por culpa de un accidente. (.....................)
2. Le están poniendo varias vacunas para investigar qué le causa las reacciones alérgicas. Se le hinchan los párpados y le lloran los ojos. (.....................)
3. Debe recoger los resultados de una mamografía y el control anual de la citología. (.....................)
4. Ha salido hace una hora del quirófano por una operación de amígdalas. Todavía está en la camilla, se le está pasando la anestesia y le duele bastante la garganta. (.....................)
5. Tiene cinco años; su madre está preocupada porque no quiere comer, tiene fiebre y un catarro fuerte. (.....................)
6. Van a operarla y necesita que le hagan todos los controles previos para la anestesia. (.....................)
7. Se le ha caído el empaste de la muela, le duele mucho; parece que tendrán que ponerle un implante. (.....................)
8. Lo han operado de urgencia por una peritonitis hace tres semanas y viene a que le controlen la herida. Ya le han cicatrizado todos los puntos. (.....................)
9. Le han hecho un electrocardiograma tras haberse llevado un gran susto, por un dolor muy fuerte en el pecho. Parece que no es un infarto. (.....................)
10. Están investigando sus dolores de rodilla, casi no puede andar. Necesita que le hagan un escáner y una radiografía. (.....................)

9 Indique si los siguientes enunciados se refieren a efectos *terapéuticos*, *perjudiciales* o *beneficiosos* para la salud.

a) La ola de calor que ha azotado el este de Europa, alcanzando más de 43°C en algunos lugares, ha producido innumerables casos de insolación, algunos muy graves. (.................................)

b) La sociedad actual concede una importancia cada vez mayor a la prevención de la salud, razón por la cual se habla mucho sobre las ventajas del ejercicio físico y, en general, sobre la conveniencia de practicar algún deporte. (..................)

c) La medicina ha hecho grandes avances en proporcionar cuidados paliativos para los enfermos terminales (de sida, cáncer...). (.....................)

d) Una alimentación equilibrada y un poco de ejercicio pueden reducir el estrés, cambiar el carácter y mejorar el estado médico y fisiológico. (.....................)

e) El ruido ensordecedor provoca múltiples accidentes laborales que afectan no solo al trabajador, sino también a quienes le rodean. (.....................)

(1: 38)

10 Escuche y complete las recomendaciones hechas por la OMS (Organización Mundial de la Salud) ante la epidemia de Gripe A.

La gripe es una (1) .... que afecta principalmente a la nariz, a la garganta, a los bronquios y, ocasionalmente, a los pulmones. La infección suele durar una semana y se caracteriza por la aparición súbita de fiebre alta, (2) ...., cefalea y (3) .... importante, tos seca, dolor de garganta y (4) ....

El virus (5) .... con facilidad de una persona a otra a través de pequeñas partículas expulsadas con la tos o los estornudos. Por ello, es muy fácil (6) .... La gripe (7) .... rápidamente en forma de epidemias estacionales.

La mayoría de los afectados se recuperan en una o dos semanas sin necesidad de (8) .... médico. Sin embargo, en niños pequeños, personas de edad y personas aquejadas de otras afecciones médicas graves, la infección puede conllevar graves complicaciones de la enfermedad, provocar (9) .... o causar la muerte.

Para prevenir, se recomienda (10) .... y consultar a su médico.

11 Algunas expresiones relacionadas con la salud pueden usarse en sentido literal (significado real) o figurado (otro sentido metafórico). Indique en qué sentido se usan las expresiones con *herida* y *herir* marcadas en negrita.

a) Si intentas darle dinero vas a **herir su sensibilidad.** (........................)

b) El **herido de bala** se recupera en el hospital; los **heridos por golpes** ya han sido dados de alta. (........................)

c) No te preocupes más, deja de **hurgar en la herida** y olvida ya lo que te hizo. La tristeza y la rabia no te ayudan para nada. (........................)

d) La enfermera ha sacado el desinfectante, las gasas y el esparadrapo del botiquín para **curarle la herida** del brazo. (........................)

e) Tendrá que **lavarse la herida** diariamente para que no se le infecte; el corte que se ha hecho es bastante profundo. (........................)

f) Solo el tiempo puede **restañar las heridas** del alma, sobre todo, porque la traición de sus hermanos **hirió profundamente sus sentimientos.** (........................)

12 Relacione cada dibujo con su nombre.

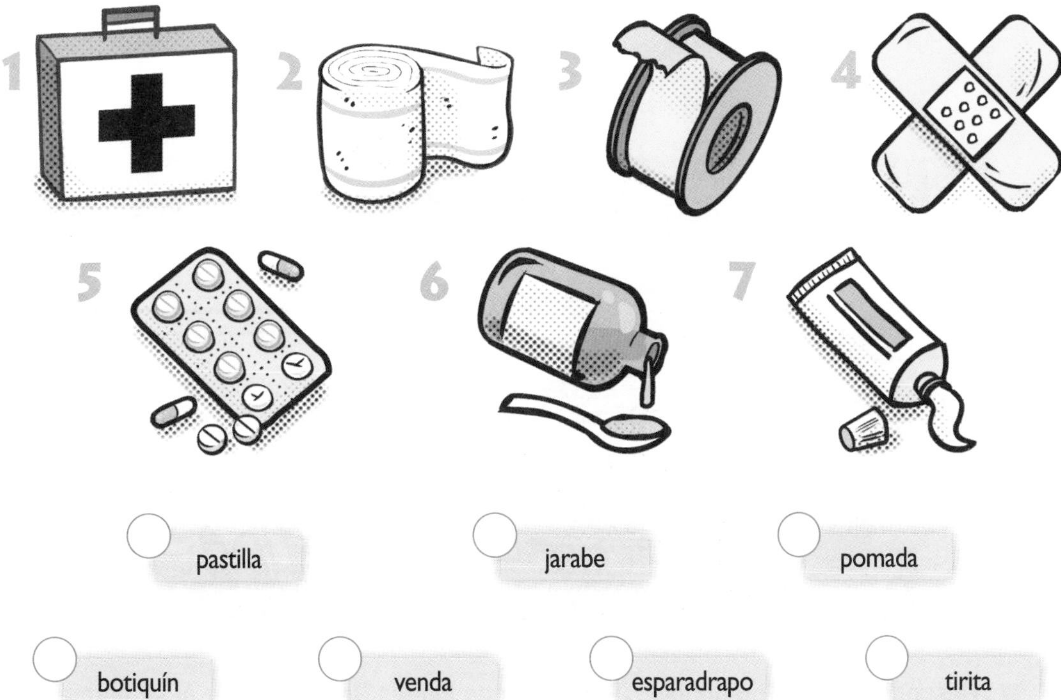

10 Tiene un mensaje nuevo
COMUNICACIÓN PERSONAL

¡FÍJESE!

Querida hermanita:

Hace tiempo que quería **comunicarme** contigo y aunque hubiera preferido hacerlo **personalmente,** o por lo menos **oralmente,** tengo que hacerlo **por escrito** porque estoy en la otra punta del mundo y la **comunicación telefónica** es difícil por la diferencia horaria.

Me he **enterado por casualidad** de que te vas a casar, pero no sé si es un **rumor** o una **noticia fiable.** Esperaba una **comunicación oficial** de tu parte o, al menos, **enterarme por la prensa,** pero lo único que ahora tengo es la **comunicación de última hora,** publicada en Internet..., de que te casas...¡¡¡con un duque!!!

¿Es verdad o no? Sé que no debería **formular una pregunta** tan directa, pero si quieres seguir **manteniendo el contacto** conmigo, necesito **conocer** este **dato.** Sabiendo lo loca que estás, pienso que esto será una **anécdota** más en tu vida y, aunque **anuncies** tu boda a bombo y platillo, no me lo creo. Te aviso de que la prensa rosa va a **formular toda clase de críticas.** Te lo digo como directora del semanal *La Jet Set del Mundo,* en el que, como bien sabes, **comunicamos, comentamos** y **opinamos** sobre toda clase de noticias de la alta sociedad, especialmente las relacionadas con España, así que no te perdonaría nunca que hicieras una **declaración** oficial sin haber **establecido comunicación** conmigo primero.

De todos modos, vamos a quedar para tener una sesión de **comunicación audiovisual** mañana, porque tengo que ver tu cara cuando me digas que te casas.

Tu hermana preferida,

Rosa

■ **¿Responda a estas preguntas: ¿Por qué tiene interés Rosa en saber si su hermana se casa o no? ¿Qué es la prensa rosa?**

EJERCICIOS

PALABRAS EN CONTEXTO

(1: 39)

1 Escuche la videoconferencia entre Rosa y Mila.

MILA: Hola, Rosa, menos mal que me escribiste ayer.

ROSA: Hola, Mila. ¿Es verdad ¡¡¡que te casas con un duque!!!?

MILA: ¡No! He **dado de baja la línea del teléfono** porque no ha parado de sonar desde anteayer. Y, además, voy a cambiar de **compañía telefónica** para el teléfono **fijo** y para **el móvil.** Y voy a escribir una **carta de reclamación**…

ROSA: ¿Es que la compañía te **da mal servicio**? Pues cámbiate…Yo tengo **ADSL** y **tarifa plana** con muy buenas condiciones.

MILA: No, es que la **factura del teléfono** me ha subido muchísimo. Pero mejor te cuento lo que ha pasado. Mira, me **apunté** hace tres meses a una **lista de distribución** en la que te enseñaban a **manejar *software* libre**, a **instalar antivirus**…

ROSA: Sí, ya… a mejorar la comunicación a través del ordenador y esas cosas, ¿y qué?

MILA: Pues que allí conocí a una chica que me ayudó a **acceder a los enlaces** que yo quería, a **atacar** y a **eliminar virus**… Pero que luego resultó ser un chico.

ROSA: ¡Si ya te lo decía yo! ¡Que tengas cuidado, que en Internet nadie es quien dice ser…! Pero tú, ni caso. Por eso yo prefiero la **videoconferencia**, ¡por lo menos ves a quién le estás hablando!

MILA: ¡Déjame hablar! El caso es que se me estropeó el **equipo informático**. El operario que vino a arreglármelo me dijo que, probablemente, me había **entrado un virus** que había dañado el **servidor de acceso.**

ROSA: ¿Y qué tiene que ver eso con lo de la boda? No me marees, Mila… Ve al grano.

MILA: ¡Mira que eres impaciente! Pues que «alguien» me había **metido el virus**. Cuando tuve **conexión** de nuevo, fui al chat y hablé con la tal «María»…y le dije cuatro cosas… porque solo podía haber sido ella. Solo ella sabía cómo hacerlo.

ROSA: ¿Y qué pasó después? Porque tu relación todavía era **virtual**… y no sabías que era un chico…

MILA: Sí, claro. Me dijo que «ella» no había sido, que podíamos saber quién había sido, pero que tenía que verlo en mi ordenador. Así que quedamos… en mi casa.

ROSA: ¿¿¿En tu casa??? No, si cuando digo que estás loca… ¿Pero cómo se te ocurre quedar con alguien que no conoces de nada ¡en tu casa!?

MILA: El caso es que vino a casa, llamó al timbre y, cuando abrí, creí que era un **repartidor** de una **empresa de mensajería** y le dije que no esperaba ningún **envío**. Él se rio y me dijo que no quería **entregar ningún paquete**, que venía a ayudarme en lugar de María, que estaba enferma. Luego me confesó que, en realidad, él era María, o Mario, como se llama en realidad.

ROSA: ¿Y es duque?

MILA: Pues sí..., pero no me voy a casar con él... ¡ni loca! Está chiflado y no para de hacerme **llamadas internacionales a cobro revertido**, por eso voy a cambiar de número y de compañía. ¡Pero si no debe de tener ni un duro! Ya he llamado al **servicio de atención al cliente** y mañana me **dan línea...**

ROSA: ¿¿A cobro revertido?? Te va a costar un riñón. ¿Y por qué ha salido todo el lío en Internet?

MILA: Pues yo creo que es todo un montaje de Mario para salir en televisión y en la prensa. Ya sabes, entrevistas, exclusivas y comentarios suponen mucho dinero... Por lo visto, ayer envió un **telegrama** anunciando nuestra boda a toda la prensa. También me envió un anillo de compromiso por **paquete postal... contra reembolso**....

ROSA: ¡Qué cara más dura! Y yo que me había hecho ilusiones de emparentar con la aristocracia...

MILA: ¡Ay, Rosa! Es que no te aguanto. Adiós. Y ahora ya sabes que no me caso ni con un duque ni con nadie.

Marque si las siguientes afirmaciones son verdaderas (V) o falsas (F).

	V	F
1. Rosa y Mila se comunican a diario.	☐	☐
2. Rosa y Mila han mantenido una conversación telefónica.	☐	☐
3. Ayer Rosa le escribió a Mila un correo electrónico.	☐	☐
4. Rosa se ha enterado de la noticia de la boda de su hermana por la radio.	☐	☐
5. Mila participa en un grupo de distribución de productos informáticos.	☐	☐
6. Mila pagaba las llamadas que le hacía el duque.	☐	☐

2 Elija la palabra que corresponde a la definición.

1. Comunicación informal de sucesos o acontecimientos sin fundamento que se propaga de boca en boca.

a) Noticia ☐ b) Rumor ☐ c) Comentario ☐

2. Relación de un suceso curioso.

a) Cuento ☐ b) Relato ☐ c) Anécdota ☐

3. Informe, antecedente necesario para conocer algo.

a) Dato ☐ b) Comunicado ☐ c) Opinión ☐

4. Servicio de cuota fija en telecomunicaciones.

a) Tarifa plana ☐ b) Tarifa universal ☐ c) Tarifa telefónica ☐

5. Computador que, formando parte de una red, provee de servicios a otras computadoras denominadas clientes.

a) Servidor ☐ b) Ordenador personal ☐ c) Ordenador portátil ☐

6. Cantidad que la administración de correos o las empresas de mensajería reclaman a cambio de la entrega del envío.

a) Certificado ☐ b) Acuse de recibo ☐ c) Reembolso ☐

3 Conecte las dos partes de cada oración.

1. Al realizar una llamada internacional...	una carta de solicitud de trabajo.
2. La videoconferencia nos permitió...	son gratuitas.
3. Las llamadas telefónicas de emergencia...	meter propaganda en los buzones de las casas.
4. He ido a Correos a echar...	ha emitido un comunicado oficial desmintiendo el hecho.
5. Un cartero comercial se dedica a...	es necesario conocer el código del país al que se quiere llamar.
6. El Gobierno, ante los rumores de la dimisión del presidente,...	tener una reunión de trabajo con nuestros compañeros de China.

■ **Escuche y compruebe.**

(1: 40)

4 Clasifique las siguientes locuciones según correspondan a cada tipo de comunicación.

[tarifa plana / a cobro revertido / empresa de mensajería / con acuse de recibo / lista de distribución / llamada interurbana / servidor de acceso / cheque postal / equipo informático]

COMUNICACIÓN TELEFÓNICA

....
....
....
....

COMUNICACIÓN ESCRITA

....
....
....
....

COMUNICACIÓN AUDIOVISUAL

....
....
....
....

5 Utilice las locuciones anteriores para completar las siguientes oraciones.

a) El .... sirve para que el remitente tenga constancia de que su envío ha sido entregado.

b) El acceso a Internet con .... permite navegar todo lo que quieras.

c) Una llamada .... quiere decir que no pagas tú, sino el que recibe la llamada.

d) Mi .... es muy antiguo y lento, por eso quiero comprarme uno nuevo con pantalla plana.

e) Una .... es la que tiene lugar entre dos poblaciones diferentes.

f) Se estropeó el .... y no pudimos conectarnos a Internet en toda la mañana.

g) En Europa, la mayoría de las deudas entre comerciantes se pagan mediante el sistema de ....

h) En la universidad tenemos una .... por cada grupo, lo cual nos permite enviar un mensaje a todos los alumnos de ese mismo grupo.

i) Si quieres enviar un paquete, es más rápido emplear una ....

6 Empareje los servicios que se complementan.

[ordinario / oficial / de alta / local / a mano / interurbana / postal / entrar / fijo]

llamada internacional / ....

llamada urbana / ....

teléfono móvil / ....

dar de baja / de .... una línea

carta privada / ....

escribir una carta a máquina / ....

correo electrónico / ....

correo certificado / ....

eliminar / .... un virus

7 Coloque en orden lógico estas secuencias para cada caso. Fíjese en el ejemplo.

Problema con la conexión ADSL → *Tener mal servicio – servicio de atención al cliente – dar de baja.*

a) NOTICIA OFICIAL → declarar – comentar – comunicar.

b) SOLICITUD DE TRABAJO → enviar – certificar – entregar – acuse de recibo – escribir.

c) LÍNEA TELEFÓNICA → dar de alta – instalar – factura – contratar.

d) PÁGINA WEB → entrar – acceder – conectar – pinchar.

a) ....

b) ....

c) ....

d) ....

■ **Ahora, escuche y compruebe.**

(1: 41)

8 **Las siguientes frases hechas marcadas en estas oraciones se refieren a la comunicación. Relaciónelas con su significado.**

a) Se informó de la situación de la venta, aunque **ya era del dominio público.**

b) La noticia de la caída de la bolsa hizo **correr ríos de tinta.**

c) **El cuarto poder** analizó la influencia de los políticos sobre la población.

d) Los periódicos **se hicieron eco** de la boda de los cantantes.

e) La ruina del hombre más rico del mundo fue **la noticia bomba** del año.

f) El posible nombramiento de mi hermano para ministro va **de boca en boca.**

1. Los medios de comunicación.
2. La noticia o el rumor se propaga de unas personas a otras.
3. Noticia extraordinaria que produce asombro.
4. Sabido por todo el mundo.
5. Una noticia que, por su gran interés, dio lugar a muchos comentarios escritos.
6. Los periódicos difundieron la noticia.

Relacione cada ilustración con la acción que representa.

a) entregar en mano
b) abrir la correspondencia
c) cortarse la comunicación
d) dejar un mensaje
e) guía telefónica
f) marcar un número
g) ponerse al teléfono
h) quedarse sin batería
i) quedarse sin saldo
j) estar comunicando
k) desviar una llamada

1

2

3

4

5

6

7

8

9

10

11

(1: 42)

10 **Escuche la recitación de este poema de Mario Benedetti. Marque el vocabulario relacionado con la comunicación.**

Medios de comunicación

No es preciso que sea mensajera
la paloma sencilla en tu ventana
te informa que el dolor
empieza a columpiarse en el olvido

y llegó desde mí para decirte
que están el río, el girasol, la estrella
rodando sin apuro
el futuro se acerca a conocerte

ya lo sabes, sin tropos ni bengalas
la traducción mejor es boca a boca
en el beso bilingüe
van circulando dulces noticias.

■ **Ahora, clasifique las palabras que ha señalado en este mapa conceptual.**

COMUNICACIÓN

VERBOS

....
....
....
....

NOMBRES

....
....
....
....

ADJETIVOS

....
....
....
....

Lea de nuevo el poema y responda a estas preguntas marcando la respuesta o respuestas que crea correctas.

a) **¿Qué medio de comunicación utiliza el emisor para transmitir su mensaje?**

1. Oral ☐ 2. Escrito ☐ 3. Virtual ☐ 4. Audiovisual ☐

b) **¿En realidad, qué tipo de comunicación prefiere el emisor?**

1. Oral ☐ 2. Escrita ☐ 3. Presencial ☐ 4. Virtual ☐

c) **¿Qué tipo de información es?**

1. Oficial ☐ 2. Privada ☐ 3. Confidencial ☐ 4. Rumor ☐

d) **¿Se comunican en el mismo idioma el emisor y el receptor del mensaje?**

1. Sí ☐ 2. No ☐ 3. Con intérprete ☐ 4. Alternan el idioma ☐

e) **¿Qué tipo de noticias se comunican?**

1. Buenas ☐ 2. Malas ☐ 3. Fiables ☐ 4. De última hora ☐

11 Bien informados

MEDIOS DE COMUNICACIÓN

¡FÍJESE!

Subtítulo

Titular

Portada

La Gaceta de Torrelodones

AÑO XXVIII | 14/8/2016 | Nº 10.225

Cecilia Arteso, del periodismo a la literatura

Cecilia Arteso presenta su último libro ante un público entregado

«Entrevistas con la cultura»

En la Gaceta de Torrelodones, nuestro **periódico semanal**, aparece en la portada del **último número** una **foto central** que recoge un momento de la **entrevista** con Cecilia Arteso, la famosa periodista, editora de libros y autora de éxito, como motivo del premio que le ha sido otorgado por la publicación de su último libro. Además de la entrevista, incluimos en las páginas de la **sección** de Cultura una **crónica** que ofrece detalles sobre la vida de esta conocida profesional del periodismo y las letras. ■

La escritora y periodista momentos antes de ser entrevistada.

Foto central

Pie de foto

EJERCICIOS

PALABRAS EN CONTEXTO

1 Escuche la entrevista con la periodista y escritora Cecilia Arteso.

(1: 43)

ENTREVISTA

PERIODISTA: Se la considera una periodista todoterreno, ya que ha trabajado en **prensa económica, prensa deportiva, prensa rosa...**

CECILIA: Es cierto. He hecho de todo: he sido redactora de noticias, **corresponsal** de guerra, **enviada especial** en África, encargada de la sección de **Cartas al director...** y también he escrito en la **prensa del corazón,** o **rosa,** como la llama usted.

PERIODISTA: ¿Considera que un periodista tiene que hacer de todo?

CECILIA: No lo sé. Creo que lo importante es hacer tu trabajo bien, sea el que sea. Tal vez hubiera sido mejor especializarme en algo, por ejemplo, en **artículos de opinión,** pero no es fácil escribir sobre un **tema de actualidad** o **una crítica,** y hacerlo sin **censura,** con **libertad de expresión.**

PERIODISTA: ¿Quiere decir que no existe la **libertad de prensa?**

CECILIA: Nooo. No digo tal cosa, no busque un titular con palabras que yo no he dicho... Ya lo veo en **primera página:** «Arteso piensa que no hay libertad de prensa en España». No, lo que digo es que, cuando empiezas, no puedes elegir, cualquier **noticia de actualidad** es una buena noticia. Y tu sueño es escribir un **artículo de fondo** o **un editorial.** Pero no te dejan porque hay otros periodistas más experimentados que tú y que saben más que tú... y te tienes que aguantar.

PERIODISTA: Con motivo de su ***best seller*** se ha dado una **rueda de prensa.** ¿Cómo se ha sentido al estar en el otro lado, en el del entrevistado, como ahora?

CECILIA: Es una sensación curiosa porque no dejas de ser una periodista en una rueda de prensa y piensas en los **titulares** y en los **subtítulos** que tú escribirías... y en cómo irías a **redacción** después, corriendo para que la información apareciera en el **periódico de la mañana** o en el **de la tarde,** pero antes que en los demás periódicos.

PERIODISTA: ¿Cree usted que la **prensa escrita** tiene los días contados, que no se van a leer más periódicos en papel, que la **prensa digital** los va a sustituir?

CECILIA: No, creo que siempre habrá lectores de prensa de papel y, de hecho, el número de personas que se **suscriben a un periódico** o **revista** sigue aumentando cada año.

PERIODISTA: Muchas gracias por sus palabras.

CECILIA: No hay de qué. Gracias a ustedes.

Intente definir los siguientes términos que aparecen en la entrevista anterior.

a) Periodista todoterreno: ....

b) Libertad de prensa: ....

c) Un editorial: ....

2 Conecte los siguientes puestos de trabajo de un periódico con sus definiciones.

a) REDACTOR

b) EDITOR

c) CORRESPONSAL

d) ENVIADO ESPECIAL

e) DIRECTOR

1. Responsable de la política editorial y de las relaciones internas y externas de un periódico.
2. Periodista que, eventualmente, cubre la información en una zona para informar de las noticias de interés.
3. Empresario de medios impresos.
4. Elabora y comunica las informaciones consideradas de interés para su difusión.
5. Periodista que envía noticias habitualmente desde un país extranjero.

3 El lenguaje periodístico utiliza muchos extranjerismos. Aquí tiene algunos: cámbielos por el sinónimo entre paréntesis correspondiente.

a. Durante la **interview** (conversación / diálogo / entrevista), la actriz anunció que estaba esperando un bebé.

b. La autora del **best seller** (superventas / triunfo / éxito) estaba muy contenta.

c. El **reportero** (informador / corresponsal / locutor) informó de la catástrofe con un lenguaje apocalíptico.

d. El cámara usaba mal el **zoom** (objetivo variable / zumo / foco), por lo que enfocaba mal a los espectadores.

e. El **spot** (noticia / anuncio publicitario / informe) fue un gran éxito de audiencia en la nueva programación.

4 Complete las colocaciones con las palabras del cuadro.

un *best seller* / rosa / a una revista / semanal / un artículo / de expresión / de la tarde / deportiva / una carta al director / económica / amarilla / una crónica / del corazón

a) Periódico de la mañana / .... / ....

b) Prensa escrita / .... / .... / .... / .... / ....

c) Escribir un titular / .... / .... / .... / ....

d) Libertad de prensa / ....

e) Suscribirse a un periódico / ....

5 **Diga a qué clase de textos de un periódico corresponden las siguientes muestras.**

NOTICIA DE ACTUALIDAD | PORTADA

CRÓNICA DEPORTIVA | CARTAS AL DIRECTOR

Sobre la TV

El motivo de este escrito es comunicar nuestra repulsa más absoluta a la programación televisiva, cuyo ejemplo más claro es la programación infantil, que, lejos de ser una programación de calidad, constituye un atentado a la buena educación.

P. Arias y trece firmas más.

1. ....

NÚMERO 5.430 26 DE MARZO DE 2012

El periódico de Villaverde

Esta madrugada cambiamos la hora

- Con el cambio de hora, podemos ahorrar hasta un 5 % en energía eléctrica.
- El organismo necesita hasta cuatro días para adaptarse al cambio.
- A los niños también les afecta el cambio.

Págs. 64 y 65

2. ....

¡¡¡CAMPEÓN DEL MUNDO!!!!

NOTE PIRES hizo ayer la mejor carrera de su vida. El español, que está bien clasificado para la final, se quejó de lo peligroso del circuito por causa de la lluvia, lo que no impidió la victoria del nueve veces campeón de Europa.

3. ....

El premio Bordón

La periodista Cecilia Arteso ha ganado la XXI edición del Premio Bordón, dotado con 40 000 euros y el de más prestigio en el panorama nacional.

En esta edición del premio hubo unanimidad en el jurado, ya que la calidad de la obra de Cecilia Arteso no dejaba lugar a dudas.

Cecilia Arteso es una periodista con una larga trayectoria en la profesión. Ha trabajado en distintas secciones de diversos periódicos, desde la prensa rosa a las crónicas deportivas. Su paso por la radio y la televisión dejó una impronta difícil de olvidar.

Damos la enhorabuena a nuestra compañera de profesión, deseándole muchos éxitos en su nueva andadura.

4. ....

N ANTENA

6 De acuerdo con las definiciones entre paréntesis, complete el texto con las palabras del cuadro.

programación / zapear / televisión analógica / espectadores / parte meteorológico / espacios publicitarios / televisión por cable / programa / televisión vía satélite / teleadictos / apta para todos los públicos / informativos / televisión digital

Probablemente, la televisión ha sido el medio de comunicación más popular desde los años 50, con millones de (1) .... *(personas que ven la televisión)* que no se perdían un (2) .... *(contenidos audiovisuales que se ofrecen por televisión)*. Entonces se trataba de (3) .... *(sistema de transmisión analógica de recepción de imágenes y sonido a distancia)*, sin la calidad que ahora tenemos.

No obstante, hoy en día, los (4) .... *(muy aficionados a ver la televisión)* están de enhorabuena, ya que ahora existe la (5) .... *(tecnología de transmisión y recepción de imagen y sonido a través de señales digitales)*, así como (6) .... *(servicio de TV que conecta al usuario a través de cable y ofrece la posibilidad de conectarse a Internet)* y la (7) .... *(método de transmisión televisiva consistente en retransmitir desde un satélite de comunicaciones una señal de televisión emitida desde un punto de la Tierra)*. Estos servicios nos ofrecen una (8) .... *(información detallada de los diferentes contenidos audiovisuales en TV)* muy variada, desde programas culturales hasta los (9) .... *(boletines de noticias del día),* pasando por el (10) .... *(información del tiempo atmosférico).*

Pero esta gran oferta tiene sus inconvenientes, por ejemplo, la gran cantidad de (11) .... *(anuncios),* que nos obligan a (12) .... *(saltar de programación o cambiar de canal continuamente)* o la escasez de una programación (13) .... *(adecuado también para niños).*

A pesar de lo popular de la televisión, las personas muy mayores siguen siendo fieles a la (14) .... *(tecnología que permite la emisión de ondas que se transforman en sonidos).*

(1: 44)

■ **Escuche y compruebe sus respuestas.**

7 Relacione las palabras propuestas con las acciones correspondientes.

[una serie de televisión / un programa televisivo / un programa radiofónico / un programa de radio]

.... — ESCUCHAR

.... — SEGUIR

.... — GRABAR

.... — EMITIR

8 Complete estas oraciones con los verbos del ejercicio anterior conjugados como corresponda.

Cecilia Arteso estaba muy ilusionada por salir en la tele. Avisó a sus padres de que podrían (1) .... la entrevista que le hicieron en Radio Cotilla Plus y en la televisión, un programa que (2) .... sobre su obra y que al día siguiente iban a (3) ....

Cuando Cecilia fue a la radio, creyeron que era una cantante y querían que (4) .... una audición. Ella les dijo que no era cantante, sino periodista, aunque también era una oyente que (5) .... todos los días los programas radiofónicos.

9 **Señale la palabra intrusa de cada serie.**

a) titular – subtítulo – entrevista – pie de foto.

b) editor – redactor – reportero – cámara.

c) *best seller* – crónica – artículo de opinión – editorial.

d) parte meteorológico – audición – informativo – anuncio publicitario.

e) prensa rosa – prensa amarilla – prensa deportiva – prensa escrita.

(1: 45)

10 **Ordene las siguientes oraciones para obtener una definición. Después, escuche y compruebe.**

a) medios informar sirven comunicación entretener los para educar de y

....

b) amarilla nombre la tipo prensa el prensa de se al sensacionalista da es que

....

c) uso censura el del la es expresión controlar para poder libertad la de

....

d) consiste distribución en prensa la público la periódicos al costo sin de gratuita

....

e) editorial género editorial periódico es la periodístico-expositivo a afín la un que un ese de posición que la ideológica

....

f) prensa de personas corazón son publicaciones las asuntos especializadas del en famosas rosa

....

(1: 46)

11 **Escuche el siguiente artículo que habla de las diferencias y semejanzas entre la radio y la televisión.**

COMUNICACIÓN

Radio y televisión: semejanzas y diferencias de dos medios

Los mensajes emitidos por radio y televisión tienen en común que son sonoros, pero se diferencian en la presencia de la imagen. En la radio, el sonido es el protagonista absoluto. En la televisión, el sonido comparte protagonismo con la imagen, a la que se subordina. Y esta es la gran ventaja de la televisión sobre la radio, la imagen.

Sin embargo, el sonido de la radio nos transmite una sensación de realidad. La radio es un medio de comunicación más natural y cercano que la televisión, pues en esta se da una manipulación mayor de los mensajes al utilizar y combinar varios medios para transmitirlos.

La radio también tiene otra gran ventaja sobre la televisión: la rapidez con que sus programas pueden ser realizados. Además, necesita menos atención para disfrutarla que la televisión: la radio puede formar parte del ambiente cotidiano del oyente sin exigirle que esté pendiente en exclusiva de ella; mientras que la televisión tiende a dominar por completo nuestra atención.

Por otro lado, la televisión tiene la capacidad de transportar directamente a sus espectadores a otros mundos. Mientras que el radioyente tiene que usar su imaginación, la televisión proporciona las imágenes de lo que cuenta. Por tanto, la radio es menos impactante, pero también es más sugestiva, puesto que utiliza la voz, la música, los efectos especiales, incluso los silencios para generar imágenes mentales que sustituyan a las imágenes reales de la televisión.

Al ser un medio sonoro, una de las limitaciones de la radio es que solo activa en el radioyente uno de los sentidos, el oído. No obstante, los profesionales de la radio han sabido hacer de la limitación una ventaja. En primer lugar, son capaces de crear textos sonoros sencillos y claros que se puedan comprender sin dificultad. En segundo lugar, han utilizado en su beneficio el poder de sugestión y la riqueza expresiva de una buena locución radiofónica, cuyo componente esencial es la voz, la palabra. El tono de la voz aporta a la historia o a la noticia expresión y sentimiento. El volumen de la voz sirve para dar matices significativos o expresivos al narrar. El ritmo de las palabras da vida y movimiento al discurso radiofónico.

Actualmente la radio ya está accesible en muchas formas. Ya podemos escuchar emisoras de radio a través de Internet en cualquier lugar del planeta. A pesar de todos los adelantos y del poder de la televisión sobre el espectador por su carácter audiovisual, la radio forma parte de nuestras vidas de una manera más directa y emocional como medio de información y entretenimiento. Muchas personas pasan una buena parte del día escuchando la radio activa y pasivamente, en el coche, en directo o en casa. Incluso hay personas que ven deporte por la televisión y escuchan los comentarios por la radio.

Después de escuchar el artículo anterior, clasifique dos a dos las siguientes palabras según se relacionen con la radio o con la televisión.

audiovisual / radioyente / sugestión / presentador / sonoro / monitor / realidad
telespectador / manipulación / transistor / evidencia / voz / locutor / imagen

TELEVISIÓN	RADIO
Audiovisual	*Sonoro*

TELEVISIÓN	RADIO

12 Se ha cometido un robo

LEY Y ORDEN

¡FÍJESE!

■ **Observe la imagen y responda. ¿Qué significa que la casa está «patas arriba»? ¿Qué cree que han sustraído los ladrones?**

EJERCICIOS

PALABRAS EN CONTEXTO

(2: 01)

1 Escuche la conversación entre el agente y los propietarios de la vivienda asaltada.

AGENTE: Así que dice usted que han entrado por una ventana...

DUEÑO: Pues sí, señor **inspector,** solo hay que ver las **huellas** de botas en el césped... ¿No se ha dado cuenta? Oiga..., no será usted **un policía de tráfico,** ¿verdad?

AGENTE: Pues no, no, señor. Nosotros velamos por la **seguridad, vigilancia** y **protección ciudadana.** Perseguimos los **delitos.** Y no soy inspector, soy **agente...**

DUEÑO: ¿Y qué piensa usted hacer..., agente?

AGENTE: Lo importante, señor, es establecer quién es el **sospechoso** y qué **coartada tiene...**

DUEÑO: Pero oiga, pero..., antes, ¿no tiene usted que **seguir las pistas, encontrar pruebas, identificar huellas?**

AGENTE: Pues no, no, señor. Usted no entiende... Primero hay que **hacer un retrato robot** e **interrogar a los sospechosos** y, después, **detener al delincuente...** para que confiese.

DUEÑA: Pero, con todos los respetos, inspector, ¿cómo vamos a hacer un retrato robot si no hemos visto a nadie? No **somos testigos...** ¡No nos ha dado tiempo ni de **poner una denuncia!**

AGENTE: ¿Que aún no **han denunciado** ustedes? ¿Y qué hago yo aquí, entonces?

DUEÑO: ¡Pero si acabamos de llegar... y usted ya estaba aquí...! Supongo que le habrán avisado del **servicio de seguridad...**

AGENTE: ¿De qué servicio?

DUEÑA: El de la **alarma,** que está conectada a una **central de seguridad.**

AGENTE: ¿Pero qué **medida de seguridad** es esa? Mejor sería que tuvieran ustedes un perro... policía... Y no este...

DUEÑO: Oiga, nosotros tenemos lo que nos parece mejor. Usted limítese a **detener al culpable** y a **llevarlo a juicio.**

AGENTE: Bueno, bueno, sigamos. No nos pongamos nerviosos. ¿Y qué se ha llevado el ladrón?

DUEÑO: ¿Pero no ve usted que se ha llevado todos los cuadros de la casa?

AGENTE: Ah, los cuadros...

COMISARIO: Buenas noches. Soy el comisario Castilla, ¿quiénes son ustedes?

AGENTE: Agente Benítez, a su servicio. Estos señores son las **víctimas...** o los **sospechosos.**

DUEÑA, DUEÑO: ¿¿¿Los sospechosos??? ¡Pero bueno! ¡Ahora resulta que nos **acusan de cometer un delito,** de robar en nuestra propia casa!

COMISARIO: A ver, Benítez, explíquese.

AGENTE: Pues mire usted, señor comisario. Estos señores «dicen» que son los dueños de la casa, pero no han **presentado ninguna prueba...**

DUEÑO: ¡Esto es increíble! Nosotros somos **inocentes...** Mire, mi documentación... Nos han avisado de que había saltado la alarma y hemos venido enseguida. El que es sospechoso es su agente... que ya estaba aquí cuando hemos llegado y que no sabe nada de estas cuestiones...

COMISARIO: ¡Mi agente! No es mi agente. ¡Un momento!, Benítez, ¿de qué **cuerpo** es usted? ¡¡Identifíquese!!

AGENTE: Del Cuerpo de... **Policía Municipal...** *(Sale corriendo).*

(...)

DUEÑA: ¡No era policía! ¡Era el ladrón! ¡Se escapa en una furgoneta! **¡Al ladrón,** al ladrón!

COMISARIO: No se preocupe, señora. Mis hombres le detendrán en el cruce... ya he avisado.

DUEÑO: Ya decía yo que no podía ser policía... Espero que la **sentencia del tribunal** sea dura.

COMISARIO: Le **condenarán a dos años de cárcel,** como mucho..., aunque le caerá algo más por **suplantación de identidad** de un agente de policía.

Marque si estas afirmaciones son verdaderas (V) o falsas (F).

	V	F
1. Los dos testigos declaran ante el comisario.	☐	☐
2. El ladrón ha sustraído obras de arte.	☐	☐
3. Los dueños de la casa ponen la denuncia.	☐	☐
4. El sospechoso aún está en la casa.	☐	☐
5. Un perro guarda la casa.	☐	☐

2 Busque los términos correspondientes a las siguientes definiciones.

[prueba / delito / víctima / tribunal / sospechoso / testigo / pistas / huella / delincuente]

a) Persona que presencia un hecho.

b) Persona que sufre daño o muerte como resultado de una conducta criminal.

c) Persona que se supone que ha cometido algún delito.

d) Rastro o vestigio dejado por alguien o algo.

e) Lo que sirve para establecer la existencia de un hecho.

f) Órgano colegiado del Estado encargado de juzgar y hacer ejecutar lo juzgado, con arreglo a lo dispuesto en el ordenamiento jurídico.

g) Acción o conducta voluntaria castigada por la ley.

h) Persona que comete delitos.

i) Conjunto de datos o señales que permiten averiguar algo.

3 ¿Qué palabras se utilizan con cada verbo?

una coartada / (una) víctima / (un) sospechoso / una prueba / una pista / vigilancia / protección / inocente / (un) delincuente

TENER	SER

4 Complete las oraciones con las colocaciones anteriores conjugadas según corresponda.

a) Como no .... para aquella noche, fue acusado del crimen.

b) El abogado laboralista dijo que .... del acoso a que se vio sometida su cliente.

c) «No ....», dijo ante el juez, «solo he tenido mala suerte».

d) El testigo dijo que .... en su casa en el pasado, pero que ya no la tenía desde que le robaron.

e) El presidente de Basaltos y Turbas S. A. .... de la policía a partir de ahora, pues ha recibido amenazas.

f) Aunque .... de encubrimiento del crimen, el jurado le dejó en libertad.

g) Queda sobreseída la causa contra el acusado tras demostrase que .... del delito que se le imputa.

Escuche y compruebe.

(2: 02)

5 Ordene las siguientes expresiones relacionadas con temas de orden ciudadano y justicia.

1. delito / del / cuerpo / el ....
2. ¡ladrón / al! ....
3. guante / de / blanco / ladrón ....
4. peso / la / ley / de ....
5. el / siglo / del / robo ....
6. lo / hasta / todo / es / el / mundo / inocente / que / contrario / se / hasta / demuestre ....

6 Relacione las expresiones anteriores con cada situación.

a) ¡Han robado la *Mona Lisa!* ....

b) Lo han condenado a cadena perpetua. ....

c) Cada vez que se detiene a una persona le asiste esta presunción. ....

d) Me han robado el bolso con el método del tirón. ....

e) Seguro que forzaron la cerradura con ese cuchillo, pues está partido. ....

f) ¡Cómo iba a sospechar de él, si iba vestido como un auténtico *lord* inglés! ....

7 **Elija el verbo y complete con él las colocaciones del texto. Conjugue el verbo adecuadamente.**

Condenar | Poner | Seguir | Detener | Hacer | Cometer

Ganar | Encontrar | Perder | Identificar | Tener

El día 27 de este mes, se (1) .... un robo en la casa de un abogado. Cuando el dueño (2) .... una denuncia, la policía comenzó a (3) .... una pista. Los agentes pensaban que (4) .... al criminal antes de 48 horas si (5) .... un retrato robot con la descripción que les dio un testigo.

Cuando le (6) ...., el delincuente dijo que ya le (7) .... en 1999 a dos años de cárcel, pero que esta vez (8) .... el juicio porque (9) .... una coartada perfecta. Pero los agentes (10) .... sus huellas en el lugar del delito así que, esta vez (11) .... el juicio y fue a la cárcel.

SE ABRE LA SESIÓN

(2: 03)

8 **Escuche los siguientes textos.**

TEXTO N.º 1

En el día de ayer, el **fiscal** ratificó el **procesamiento** de «El Poli» por el robo de unos cuadros en la vivienda del **abogado criminalista** César Peláez, sita en una urbanización de lujo, según ha informado esta mañana la agencia de noticias PRENSA EUROPA. La policía estima que el valor total de las obras se eleva a más de quince millones de euros. Su **abogado defensor,** Elidio Fernández, después del juicio cuestionó la imparcialidad del **Tribunal.** Dijo estar dispuesto a llegar hasta el **Tribunal Constitucional** si era necesario, ya que no había habido **testigos**. Su cliente, según el abogado, era **inocente** y era injusto que le acusaran. Juan Cantalejo debe su alias «el Poli» a su *modus operandi,* ya que suele suplantar la identidad de un policía para introducirse en las casas donde comete el robo.

TEXTO N.º 2

El **Juzgado** de Instrucción número 4 de Ávila instruyó procedimiento de la Ley Orgánica del Tribunal del Jurado con el número 172008 por delito de robo y **suplantación de identidad** contra Juan Cantalejo, y una vez abierto el **juicio oral,** lo remitió a la Audiencia Provincial de Ávila en la que, vista la causa por el Tribunal del Jurado, el Magistrado Presidente, en fecha diez de marzo de dos mil diez, dictó sentencia n.º 35/2010. Recurrida esta y, aunque el **Tribunal Constitucional** viene sosteniendo desde sus primeras sentencias que, a falta de prueba directa de cargo, también la prueba indiciaria puede sustentar un pronunciamiento condenatorio, sin menoscabo del derecho a la presunción de inocencia, a tenor de lo argumentado procede absolverlo del delito de robo que se le imputa. Determínese **el pago** de oficio **de las costas** causadas en las instancias inferiores.

TEXTO N.º 3

El Estado de derecho que nace con la Revolución francesa parte de una estricta **separación de poderes.** La separación de los tres órganos de poder, el legislativo (Cortes Generales y Senado), el ejecutivo (Gobierno) y el judicial (jueces y magistrados) garantizan el respeto a las libertades individuales y la independencia de dichos órganos, cuya función principal es **crear, aprobar** y **reformar leyes.** El poder legislativo tiene la capacidad de hacer leyes; el ejecutivo las pone en práctica; y el judicial juzga si se cumplen o no y, dado el caso, sanciona a los que las incumplen.

El derecho es el conjunto de normas creadas para regular la conducta humana en sociedad inspirado en postulados de justicia, bien común y seguridad. Dentro del derecho se distinguen el derecho público y el derecho privado, que a su vez se subdividen en distintas ramas, siendo las más importantes el **derecho penal** y el **derecho civil.**

■ **Ahora, relaciónelos con estos tipos de textos.**

Libro de texto: ....

Periódico: ....

Sentencia de un juez: ....

9 Según los textos del ejercicio 8, complete las series.

a) SEPARACIÓN DE PODERES: .... / .... / ....

b) LEYES: .... / .... / ....

c) POSTULADOS DE LAS NORMAS DEL DERECHO: .... / ....
.... / ....

d) DERECHO: .... / .... / .... / ....

10 Busque en los textos del ejercicio 8 los sinónimos equivalentes a estos términos.

1. crimen: ....
2. declarante: ....
3. no culpable: ....
4. corte de justicia: ....
5. comité: ....
6. juez: ....
7. proceso: ....
8. veredicto: ....
9. suposición: ....
10. perdonar: ....
11. acusar: ....
12. gastos: ....

11 Lea de nuevo los textos 1 y 2 del ejercicio 8, y complete la siguiente explicación.

En un (1) .... oral se lleva ante un (2) .... de justicia al supuesto culpable de un caso. En el acto intervienen el abogado (3) ...., que representa al acusado; el (4) ...., que representa a la parte de la acusación; y, asimismo, hay (5) .... que hacen su declaración a favor o en contra del supuesto culpable. En ocasiones, también hay un (6) .... popular, que, junto al (7) ...., dicta (8) ....

12 **En la cultura popular hay muchos chistes de jueces y abogados. Relacione cada bocadillo con el dibujo correspondiente.**

Yo lo había robado, pero después de oír su alegato, ya no estoy muy seguro... **4**

Ha sido declarado inocente gracias a mi defensa. Pero, en confianza, dígame: ¿fue usted quien robó el balón? **3**

1 En el juicio contra José Martín por el robo del coche a Jorge Pérez, por falta de pruebas, el acusado es declarado inocente

2 Perdone, Señoría, ¿significa esto que me puedo quedar con el coche?

13 **El lenguaje jurídico está lleno de latinismos. Algunos de ellos han pasado al lenguaje cotidiano, como los de la siguiente tabla. Conecte los términos latinos con su significado.**

a) *A priori*	Por declaración (expresamente)
b) *A posteriori*	Por su propia voluntad
c) *Ad hoc*	En el acto
d) *Conditio sine qua non*	Manera de hacer
e) *De facto*	Antes de comenzar
f) *Ex professo*	Condición necesaria
g) *Ipso facto*	Después de
h) *Modus operandi*	Para eso, justo a ese propósito
i) *Motu proprio*	De hecho

14 **Complete las siguientes oraciones con una de las expresiones latinas del ejercicio anterior. Después, escuche y compruebe.**

a) Es .... que el alumno apruebe para poder pasar de curso.

b) Obró de ...., sin que nadie la obligara a desheredar a sus sobrinos.

c) ¡No te lo voy a repetir. Te he dicho que recojas tus cosas ....! ¡Ya!

d) Habrá que reforzar las medidas de vigilancia porque, ..., podrían escaparse.

e) Para las olimpiadas construye estadios y otros edificios ....

f) Ha venido a verte .... desde Londres... ¡Y tú no le quieres hablar!

15 **Complete el mapa conceptual de la unidad con estas palabras y colocaciones.**

> detener a un sospechoso / sentencia / retrato robot / criminal / fiscal / juicio / encontrar una pista / inspector / prueba / Tribunal Supremo / cometer un delito / agente / poner una denuncia / seguridad / asesino

PROTECCIÓN Y SEGURIDAD				
PERSONAS IMPLICADAS	**ACCIONES DE LA POLICÍA**	**ACCIONES DE LA VÍCTIMA**	**ACCIONES DEL DELINCUENTE**	**LUGARES**
Delincuente	*seguir a un sospechoso,* *interrogar a un sospechoso*	*identificar a un sospechoso,*	*cometer un crimen,* *cometer un robo,*	*Tribunal Constitucional,*
ladrón,				
Víctima	***Ayudan a la Policía***		***Consecuencias del delito***	***Procesos***
Testigo	*pista,* *huella,*		*juicio,*	*vigilancia,* *protección,*
Defensores de la ley				
abogado, *juez,* *jurado,*				
Policía				
comisario,				

13 ¡Busque, compare y compre!

DE COMPRAS

Qué desastre, lo he lavado y **ha encogido** una barbaridad. Encima, **se ha descosido** entero. Está bien que estuviera **rebajado,** pero...

Señora, no se lo podemos **cambiar** sin la **etiqueta** de la **prenda** ni el **recibo** de compra ni...

Ni nada de nada, hombre. Voy a poner una queja ahora mismito... Deme el **libro de reclamaciones.**

(2: 05)

■ Ahora escuche y responda.

1. ¿Por qué se quejan los vendedores del distribuidor?
2. ¿Por qué pide la cliente el libro de reclamaciones? ¿Para agradecer el servicio recibido?
3. ¿Se demuestra que lo barato es siempre lo más conveniente?

OBSERVE

Encogerse una prenda ≠ Darse de sí.

EJERCICIOS

PALABRAS EN CONTEXTO

1 Lea este texto sobre las rebajas.

OFICINA DE DEFENSA DEL CONSUMIDOR

RECOMENDACIONES DE LA UNIÓN DE CONSUMIDORES EN LAS REBAJAS

La Unión de **Consumidores** recomienda a los **compradores** que tengan precaución a la hora de comprar los **productos** rebajados.

Los **comerciantes** y los **establecimientos** pueden decidir cuánto van a **bajar los precios** y qué **mercancías** van a **rebajar.** Tienen que vender todo lo expuesto, también en los **escaparates,** y con un precio inferior al del resto de la **temporada.**

Los consejos son muy útiles para que los **clientes** no se vean perjudicados.

Se advierte que la sensación de ahorro que proporcionan las **ofertas** puede derivar en un **consumismo** excesivo. Es conveniente hacer una lista de los **artículos** que realmente se necesitan y fijar la cantidad máxima que se quiere gastar.

Lo mejor es evitar la **compra** compulsiva, comparar precios en varios establecimientos, tomarse tiempo para **ver escaparates** y **echar un vistazo general** a las ofertas de los artículos que se quieren comprar para **hacerse una idea** antes de decidirse.

En esta época, si se buscan bien los productos, puede **salirle un artículo gratis,** ya que los comercios suelen ofrecer 2 x 1 **(dos por el precio de uno).** Es obligatorio que en la **etiqueta** se indique, junto con el **precio rebajado,** el precio anterior a las rebajas y el porcentaje en el que está rebajado.

El consumidor tiene los mismos derechos que durante el período ordinario de ventas. En este período, los **establecimientos** deben mantener las mismas formas de **financiación** y de **pago** de los productos, tanto si se **paga al contado,** con tarjeta o con una financiación para **pagar a plazos.**

También deben mantenerse los mismos derechos para la **devolución.** Los compradores tienen que salir con su **factura** o **recibo** de compra del **comercio** a fin de poder devolver o **reclamar** la compra, pues estos productos deben devolverse de la misma manera que en el resto del año.

La Unión de Consumidores recomienda que, en el caso de que cualquiera de sus derechos sean vulnerados, soliciten el **libro de reclamaciones** y **pongan la reclamación** por escrito.

■ **Indique si estos enunciados sobre el texto anterior son verdaderos (V) o falsos (F).**

	V	F
1. En los períodos de rebajas conviene gastar excesivamente porque los artículos se abaratan.	☐	☐
2. Los establecimientos pueden cambiar la mercancía y poner productos diferentes para la venta durante las rebajas.	☐	☐
3. Durante la época de rebajas no se permiten los cambios de los artículos adquiridos.	☐	☐
4. Conviene comparar los precios de distintos comercios para poder beneficiarse de un 2 x 1.	☐	☐
5. No todos los comercios están obligados a tener un libro de reclamaciones a disposición de los clientes.	☐	☐

2 **Complete con estos términos el mapa conceptual sobre las compras.**

consumidor – encargado – comercio – establecimiento – clientela – artículo – cadena – grandes almacenes – mercancía – gangas – comercial

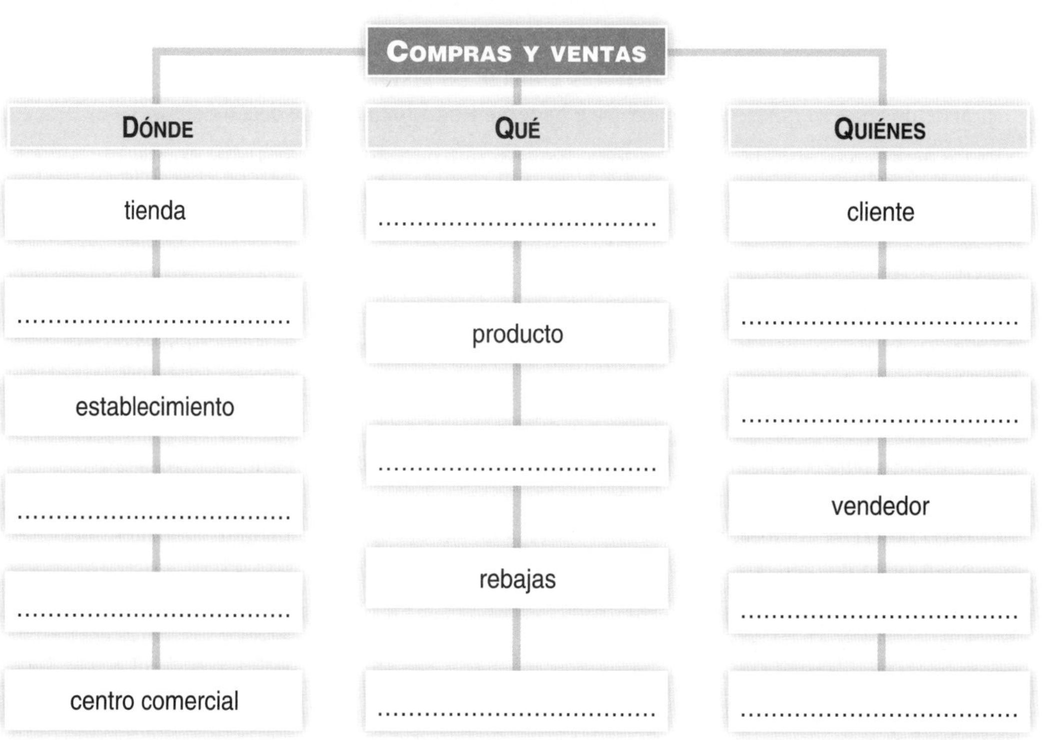

comprar por catálogo – Internet – pedir el libro de reclamaciones – perder – ganar clientes – hacer un presupuesto – hacer un descuento – subir – bajar los precios – poner etiquetas – ver escaparates – hacerse una idea – tener precios especiales – horario comercial

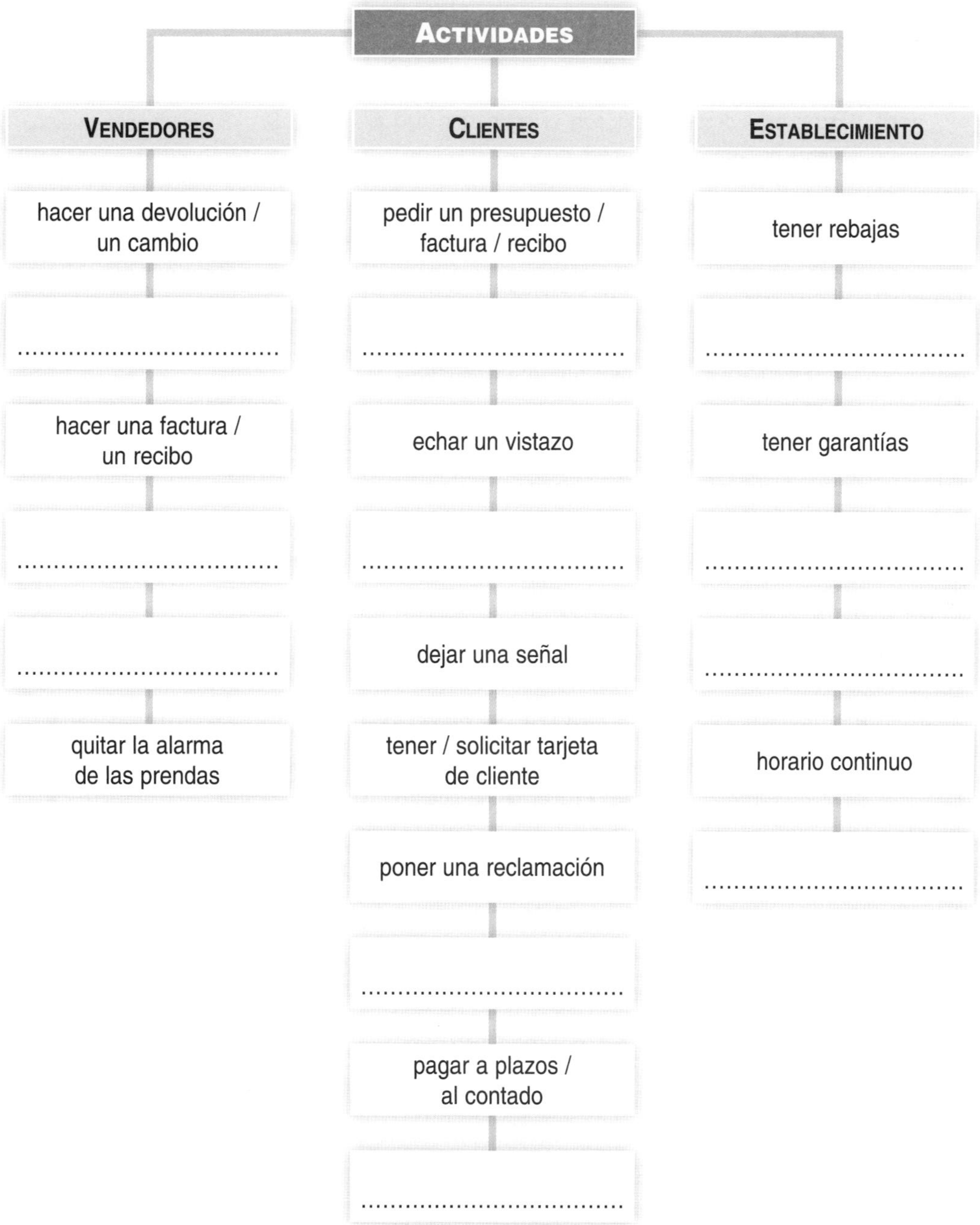

3 Relacione estos ocho casos con la acción correspondiente.

a) Los zapatos que compré me quedan estrechos.

b) Señorita, esta falda tiene una tara.

c) Si hay algún problema con el nuevo televisor, se lo reparamos sin coste alguno.

d) Estoy muy descontento con el trato que dan al cliente en este comercio.

e) Solo me gustan las prendas que tienen prestigio por el fabricante que las confecciona.

f) Ya he comprado todo y quiero pagar.

g) Me gustaría pagar 50 euros por anticipado sobre el precio total hasta que me entreguen toda la mercancía.

h) Quiero hacerme una idea de por cuánto me puede salir el conjunto de novia completo.

1. Dejar una señal.
2. Tener garantía.
3. Pedir un presupuesto.
4. Vestir ropa de marca.
5. Hacer un cambio.
6. Pasar por caja.
7. Pedir el libro de reclamaciones.
8. Hacer una devolución.

Elija tres acciones y escriba sus situaciones correspondientes.

4 Complete las siguientes oraciones correctamente con estas frases verbales.

[comprar por catálogo / dar la vuelta / tener horario continuo / ir de rebajas / ofrecer unas condiciones de pago / haber precios especiales / ver escaparates / salir gratis / hacer un descuento / hacerse una idea]

1. Esta mañana .... y mira qué ganga de conjunto he encontrado.
2. Como es la semana de los complementos, en estos grandes almacenes .... en todos los bolsos.
3. Si tiene la tarjeta de cliente, le .... en toda la ropa interior.
4. ¿A que me queda bien esta minifalda? Y eso que la ....
5. Esta cadena de tiendas ....: abre a las 10:00 y cierra a las 22:00.
6. Antes de comprarme el vestido de novia me gustaría .... de precios y diseños.
7. Una cosa buena de quedar en el centro es que puedes entretenerte ....

8. Este establecimiento .... inmejorables para la clientela habitual.
9. Si compra las deportivas de oferta, el segundo par le ....
10. Perdone, pero no me ha dado bien .... Eran 46 euros, yo le he dado 50 y solo me ha dado 3 euros de cambio.

(2: 06)

■ **Escuche y compruebe.**

5 Resuelva este crucigrama.

1. Prenda de vestir femenina compuesta de jersey y chaqueta, chaqueta o falda, o de otras prendas que combinen entre sí.
2. Ropa para poner debajo de la ropa y que no se ve.
3. Tejido natural vegetal que se arruga mucho.
4. Accesorios para la indumentaria.
5. Vestido que lleva algún dibujo.
6. Bata para después de la ducha o el baño.
7. Utensilio para calzarse los zapatos.
8. Ropa que resulta anticuada (3 palabras).

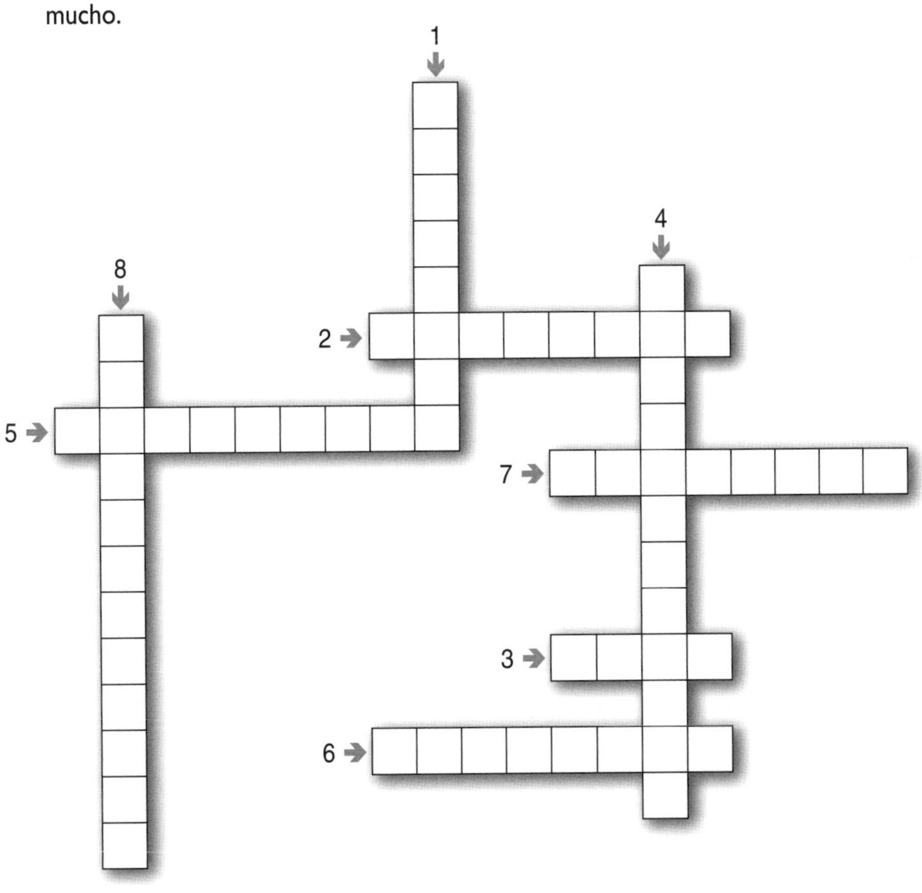

6 Coloque la ropa en distintas secciones de unos grandes almacenes.

[botas / bata / chaquetas / gorro / camisa / cinturón / camisón / conjuntos / polar / corbata / pijama / pañuelo / sudadera / sábanas / abrigos / bolso / vestidos / sombrero / jersey / zapatos / chubasquero / guantes / albornoz / mantas]

ROPA DE CAMA	ROPA DE MONTAÑA	ROPA DE CALLE	COMPLEMENTOS

(2: 07)

7 Escuche y complete estos consejos.

ARMARIOS prestados... ¡Qué gran solución!...

Si no sabes qué ponerte, no te desesperes, no salgas a comprar a lo loco. Es mucho más fácil invadir el armario de quien te lo permita.

Por ejemplo, mi hermano; elijo una camisa (1) ...., con un cinturón bien (2) .... en la cintura, y una chaqueta (3) .... ¡Uf, no, está (4) ...., y hace calor!

Me paso al armario de mi hermana, revuelvo un poco y ¡qué desastre! No hay ni una prenda (5) .... Todo lo que veo está para llevar (6) ...., manchado, y solo se puede limpiar (7) ....

¡Ah!, pero si aquí tiene un vestido sin estrenar..., (8) .... con flores, todo arrugado y (9) .... Pero, claro, no es de esta (10) ...., está pasado (11) .... y por eso no se lo pone. Pero con la chaqueta y los zapatos rojos (12) .... que me acabo de comprar, me quedará muy bien.

La solución para vestirse sin gastar es abrir otras puertas que no sean las tuyas, encontrar algo interesante, que bien conjuntado parezca que lo acabas de comprar, incluso abrir tus cajas de la temporada anterior. ¡Un poco de imaginación y te parecerá que no paras de (13) .... ropa!

8 Relacione las dos partes de estos enunciados.

1.	Si no quieres comprar a lo loco...
2.	Puedes combinar una camisa de cuadros...
3.	Como esta mancha es difícil de quitar...
4.	El vestido está completamente nuevo...
5.	Para conjuntar bien la ropa...

a)	la tendré que llevar al tinte para que la limpien en seco.
b)	y que parezca que la acabas de estrenar, solo hace falta gusto e imaginación.
c)	antes debes echar un vistazo a la ropa de que dispones.
d)	sin estrenar, lástima que no es de esta temporada.
e)	con un cinturón y una chaqueta.

9 Estas adivinanzas o acertijos corresponden a elementos de costura para confeccionar la ropa: *aguja, hilo* y *cremallera.* Escúchelas y adivine.

1
Tan largo como un camino,
proviene de vegetal,
y a pesar de su extensión,
en un cesto puede estar.

....

2
Una señora, muy aseñorada,
tiene muchos dientes
y se cose a puntadas.

....

3
Soy alta y delgada,
tengo un ojo,
hago vestidos
y no me los pongo.

....

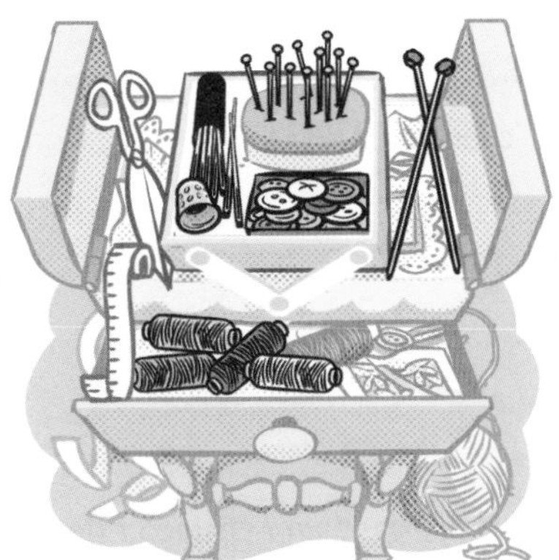

4
Y lo es, y lo es
y no me lo adivinas
en un mes.

....

5
Dientes por fuera,
lengua colgando
que sube y baja
de vez en cuando.

....

6
Soy pequeña y afilada
y pincho con mis puntadas.

....

10 Escriba el término contrario.

1. perder / .... clientes
2. zapatos .... / de tacón
3. estampado / ....
4. pequeño comercio / ....
5. zapatos cerrados / ....
6. encoger / ....
7. quedar .... / flojo
8. quedar apretado / ....
9. a rayas / a ....
10. pasado de moda / de ....

11 Intente ordenar estas frases hechas relacionadas con prendas de vestir.

1. dónde / cada / le / zapato / cual / el / aprieta / sabe

   ....

2. de / cambiar / chaqueta

   ....

3. manga / por / estar / hombro

   ....

4. no / a / suela / uno / llegarle / la / zapato / del / alguien

   ....

5. de / once / camisa / varas / en / meterse

   ....

6. guardar / la / y / ropa / nadar

   ....

7. llegarle / la / camisa / no / cuerpo / al

   ....

8. la / sacarse / manga / de / algo

   ....

9. trapitos / sacar / los / sol / al

   ....

10. corto / ser / que / las / más / mangas / un / chaleco / de

    ....

11. tus / zapatero / a / zapatos

    ....

(2: 09)

■ **Ahora escuche y compruebe.**

12 **Relacione cada frase hecha del ejercicio anterior con su posible significado y una situación de uso.**

FRASES HECHAS

- Cada cual sabe dónde le aprieta el zapato.
- Cambiar de chaqueta.
- Estar manga por hombro.
- No llegarle uno a alguien a la suela del zapato.
- Meterse en camisa de once varas.
- Nadar y guardar la ropa.
- No llegarle la camisa al cuerpo.
- Sacarse algo de la manga.
- Sacar los trapitos al sol. / Sacar los trapos sucios al sol.
- Ser más corto que las mangas de un chaleco.
- Zapatero a tus zapatos.

SIGNIFICADO

1. Estar muy asustado.
2. Cambiar de bando o partido político.
3. Se critica a quienes pretenden opinar de todo sin saber del tema.
4. Reprochar a alguien sus defectos o hacer públicos sus problemas de manera que se enteren los demás.
5. Estar desordenado.
6. No ser muy inteligente o espabilado.
7. Ser muy inferior a alguien en alguna habilidad o cualidad.
8. Meterse en asuntos que no son de nuestra incumbencia.
9. Actuar de la forma adecuada a nuestros propios intereses, y a la vez protegerse de los riesgos y consecuencias negativas.
10. Cada uno conocemos nuestros propios defectos y puntos flacos.
11. Decir o hacer una cosa de manera improvisada y con poco fundamento.

SITUACIÓN DE USO

a) No creo que se dé cuenta de lo que intentas explicarle. No te esfuerces.

b) Es un asunto de pareja y no debes opinar, que al final los dos se enfadarán contigo.

c) Ahí es precisamente donde le duele, en tener que soltar dinero.

d) Creía que no salía vivo de aquel callejón.

e) Opinaba de Picasso y no conocía la mayor parte de su obra. Callado estaba más guapo.

f) No sé cómo puedes encontrar nada en este armario.

g) Ayer se acostó republicano y hoy se levanta monárquico.

h) Eso de que se tiene que ir de viaje para no ir a tu boda es una excusa muy vieja.

i) No puedes comparar lo listo que es mi hámster con el tuyo.

j) Es muy hábil: dice lo que quieres oír y a la vez te saca un favor.

k) Discutieron de cosas íntimas delante de todo el mundo. ¡Vaya espectáculo!

14 De ida y vuelta

VIAJES Y TRANSPORTES

¡FÍJESE!

(2: 10)

Ahora escuche y responda: En el diálogo 1, ¿han cancelado el vuelo de Carla? En el diálogo 2, ¿a qué se refiere con un «área de descanso»?

EJERCICIOS

PALABRAS EN CONTEXTO

1 Lea el siguiente texto sobre un proyecto para mejorar el transporte público.

DIARIO DE MADRID

La red de transportes de Madrid se coordinará en tiempo real

La Comunidad de Madrid ha puesto en marcha un Centro Integral de Gestión del ***Transporte Público Colectivo*** *que actuará como un «cerebro» que se encargará de coordinar en tiempo real la información de los servicios de los diversos modos de la* ***red de transportes*** *y del estado de las infraestructuras.*

Esta es una iniciativa pionera en Europa. El Gobierno regional ha declarado que «será el primer centro que gestione en un mismo espacio la información puntual de todas las **incidencias** que se produzcan en el **transporte público»**.

La creación de este Centro de Gestión es el resultado de un proyecto que se ha ido desarrollando en diversas fases. Ya en uno de los **intercambiadores** de la ciudad (en la estación de Moncloa) existe un puesto de control que coordina la información de otros tres intercambiadores: en las estaciones de Príncipe Pío, Plaza Elíptica y Plaza de Castilla.

Las funciones de dicho centro se fueron ampliando a lo largo de todo el pasado año llegando a coordinar también el estado de las **líneas de autobuses urbanos e interurbanos, metro, Metro Ligero** y el **tranvía.** Todas estas actividades han dado muy buenos resultados, lo que ha llevado a la Comunidad de Madrid a lanzarse de lleno en este nuevo proyecto. El Centro recibirá toda la información desde los diferentes puestos de control locales.

Una de las características más novedosas de este nuevo centro es que los **usuarios** de transporte público podrán recibir mediante un *e-mail*, o un mensaje de texto a su móvil, información sobre cualquier problema que exista en las **líneas** que normalmente usan para desplazarse. Así se le da al usuario la posibilidad de organizarse y no llevarse sorpresas de última hora.

Indique si estos enunciados sobre el texto anterior son verdaderos (V) o falsos (F).

	V	F
1. La red de transportes de Madrid es muy sencilla y no se espera que registre incidencias.	☐	☐
2. Un intercambiador de transportes es un espacio en el que se pueden tomar diferentes medios de la red de transportes urbanos e interurbanos, en particular, el metro, autobuses interurbanos y trenes de cercanías.	☐	☐

3. No es necesario que la información sobre las líneas de metro y el recorrido de los autobuses de la ciudad esté coordinada de manera central. ☐ ☐
4. Los usuarios de autobuses urbanos podrán recibir información mediante SMS sobre la línea que están esperando. ☐ ☐

2 Indique qué significa cada señal sobre el transporte.

autopista de peaje | área de descanso | curva | cruce | rotonda
puesto de socorro | tráfico intenso | intercambiador | tranvía | autobús

1 PEAJE TOLL
....
....

2
....
....

3
....
....

4
....
....

5
....
....

6
....
....

7
....
....

8
....
....

9
....
....

10
....
....

■ ¿Conoce la diferencia entre *autovía* y *autopista*?

11)

3 Escuche este texto sobre cómo llegar a Barcelona y complételo con las palabras que faltan.

Llegar a Barcelona es muy fácil desde cualquier punto del mundo, pues cuenta con una (1) .... de transportes muy importante y consolidada.

Dependiendo del lugar de origen, para viajar a Barcelona hay distintas posibilidades:

En (2) .... Sin duda, una de las mejores opciones si piensas viajar desde cualquier ciudad de España o desde un país europeo cercano. Muchísimos trenes llegan cada día a las (3) .... de Barcelona, procedentes de ciudades españolas y europeas. Es una de las formas más cómodas, pues es económico y muy tranquilo. Si se ha pensado venir desde un punto lejano, se puede tomar (4) .... para ir todo el camino durmiendo plácidamente y llegar a Barcelona descansado para visitarla.

En coche o en autobús Llegar a Barcelona por (5) .... es otra de las opciones más recomendadas si se viaja desde cualquier otro punto de España o desde un país europeo, ya que tiene diversas (6) .... y (7) ....; aunque (8) .... con el coche por la ciudad es un poco agobiante y los aparcamientos son caros. Desde luego, mucho mejor es moverse en transporte (9) ....: metro, autobús y (10) ....

En (11) .... Este es el medio de transporte más rápido y seguro para llegar. Hay miles de vuelos, tanto nacionales como internacionales, que llegan a diario al aeropuerto del Prat. En las compañías de (12) .... se puede adquirir un billete de avión de ida y vuelta a Barcelona desde cualquier punto de España por unos sesenta euros; y también si se viaja desde cualquier punto del mundo en vuelos (13) ....

En (14) .... Muchas compañías de transporte (15) .... ofrecen (16) .... con escala en Barcelona. También hay servicio de (17) .... diario del puerto de Barcelona rumbo a Mallorca, Ibiza y demás islas cercanas, por lo que se puede trasladar el coche en (18) ....

Barcelona les espera en cualquier medio de transporte: (19) ...., aéreo, (20) .... y marítimo.

4 Complete cada enunciado con palabras de este mapa conceptual.

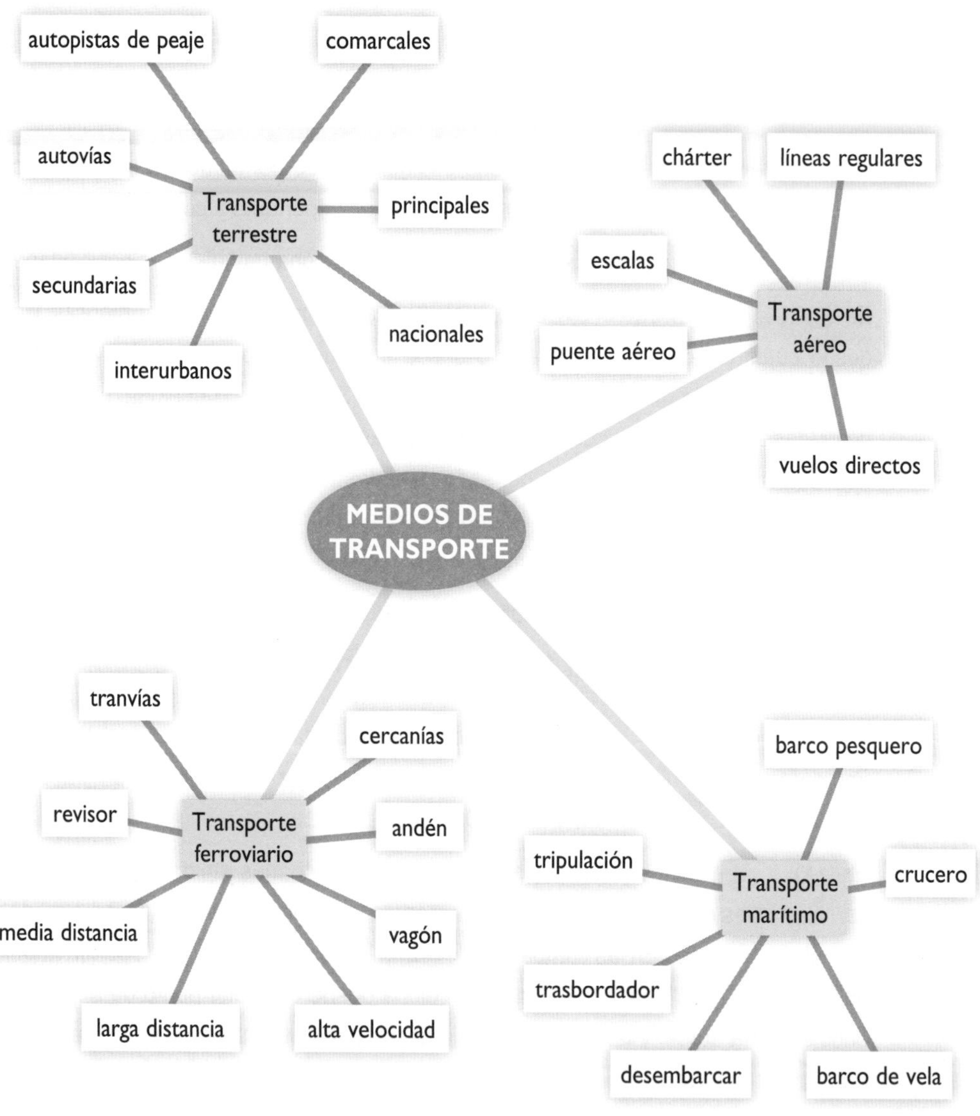

a) Aparte de los vuelos nacionales e internacionales, en los aeropuertos de Barajas (Madrid) y El Prat (Barcelona) sale un .... que une directamente las dos ciudades.

b) Los autobuses que unen diferentes poblaciones son los ....

c) Frente a las ...., los vuelos .... solo vuelan en determinados momentos del año y en horarios especiales a destinos normalmente turísticos.

d) Al contrario que las ...., las .... no son gratuitas.

e) Normalmente, los trayectos aéreos intercontinentales no son vuelos ...., sino con ....

f) Los dos tipos básicos de carreteras son las .... y las .... Las primeras también se pueden llamar .... y las otras, ...

g) Para ir de Aranjuez a Madrid utilizamos un tren de ....; para ir de Cádiz a Jaén, un tren de ....; para ir de Alicante a Gijón, un tren de ....; y de Sevilla a Madrid es posible tomar el ....

h) Los .... resultan menos contaminantes que los autobuses o los coches.

i) Los barcos de pasajeros pueden ser el .... y el *ferry* o ....

j) En una estación de tren se accede a las vías por el ....

k) En un barco los pasajeros no forman parte de la ....

l) El .... pasa de un .... a otro comprobando que todos los usuarios llevan billete.

m) El .... es un barco de recreo y el .... se dedica a faenar en las aguas.

(2: 12)

■ **Escuche y compruebe.**

5 Escriba el opuesto de estos términos.

1. carretera .... / secundaria.
2. autobús urbano / ....
3. tripulación / ....
4. vuelo directo / con ....
5. vuelo chárter / ....
6. .... / autopista.
7. anunciar / .... un vuelo.
8. terrestre / .... / ....

LA CONDUCCIÓN Y EL MANTENIMIENTO DEL VEHÍCULO

6 **Javier y Rita van a cumplir 18 años y quieren sacarse el carné de conducir. Por ello necesitan estudiar las normas de circulación para aprobar un examen teórico y poder pasar también el examen práctico. Ayúdelos a completar este mapa conceptual con las acciones propuestas y comprobar si están preparados.**

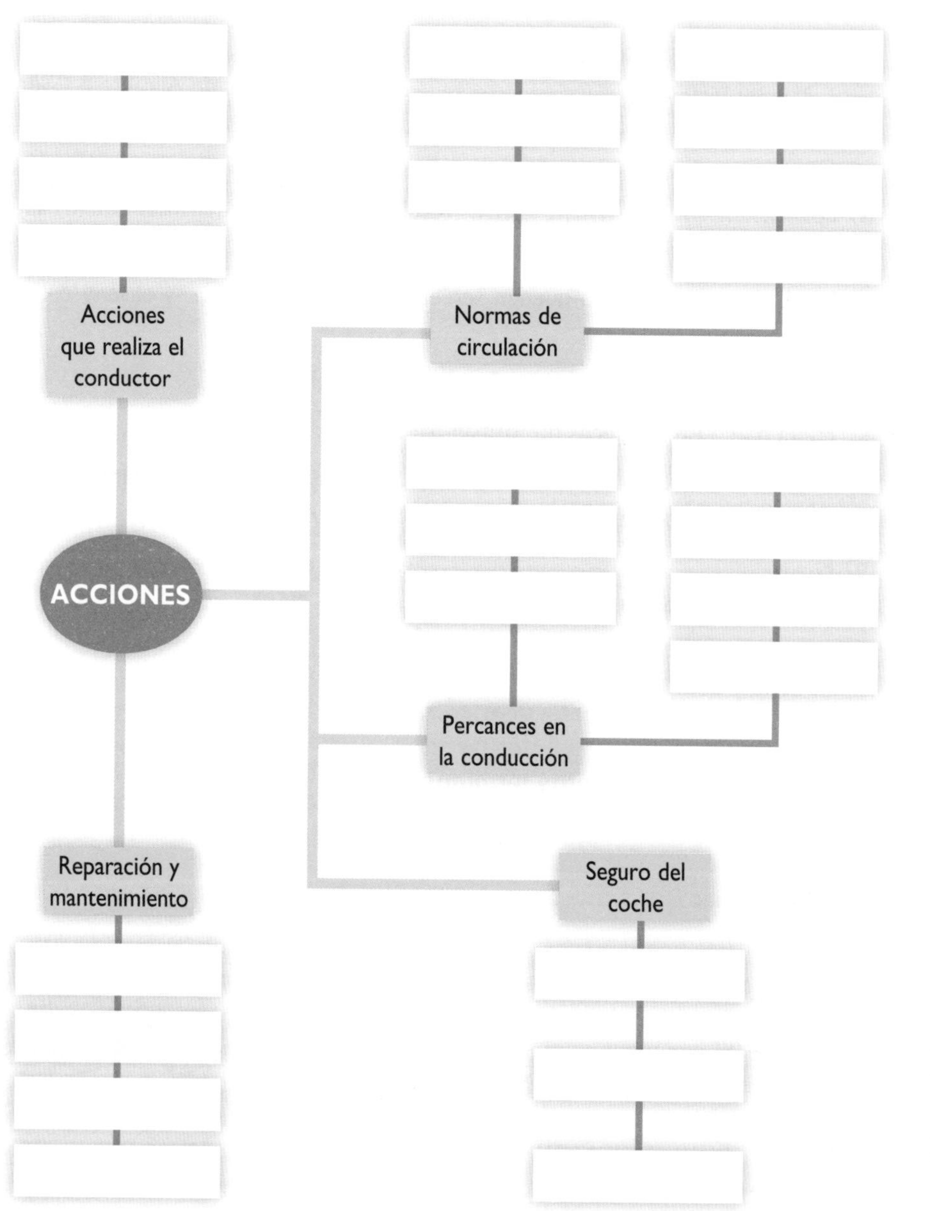

pinchar(se) una rueda
arrancar el motor
salirse de la carretera
taller de reparación
contratar un seguro a todo riesgo
llamar a la grúa

llevar casco / cinturón / chaleco homologado
arreglar un pinchazo
ayuda en carretera
rueda de repuesto
adelantar por la izquierda
sacar(se) el carné de conducir

perder el control
tocar el claxon
cambiar el aceite
seguro a terceros (obligatorio)
respetar las señales de tráfico
carné por puntos
cobrar una indemnización

ceder el paso
renovar el permiso de circulación
pagar una multa
quedarse sin frenos
producirse un accidente
controlar la velocidad

7 Complete los siguientes enunciados con algunas expresiones del ejercicio anterior.

a) Movilidad se escribe con S de seguridad si, cuando vas en bicicleta, llevas .... y, cuando vas en coche, llevas .... homologado. Y si en ambos casos respetas las ....

b) Muchos accidentes de tráfico se producen por exceso de .... Generalmente, el conductor pierde .... y se sale ....

c) Para tener una garantía completa, es mejor contratar un ....

d) Si pasa un control de carreteras, debe mostrar a la policía el carné .... y el permiso ....

e) Si va por una autopista y se le .... una rueda del coche o .... sin frenos, puede llamar al teléfono de .... para que le envíen una .... que pueda trasladarlo a un ....

8 Relacione las dos partes de estas informaciones sobre la conducción.

a) En caso de utilizarlo como señal de advertencia...
b) En España se deben tener los 18 años cumplidos...
c) Al girar la llave en el contacto...
d) Si se baja de un vehículo en caso de avería...
e) Para adelantar...
f) Para reparar un pinchazo en carretera, es imprescindible...
g) Las revisiones periódicas del vehículo...
h) Es un requisito mínimo obligatorio para tener permiso de circulación...
i) Al producirse un accidente de tráfico...
j) Si la matrícula del vehículo no está bien visible...

1. arranca el motor del coche.
2. debe dar el intermitente izquierdo.
3. debe llevar puesto el chaleco fluorescente.
4. incluyen como parte fundamental cambiar el aceite.
5. nos pueden poner una multa.
6. tener la rueda de repuesto en óptimas condiciones.
7. las víctimas tienen derecho a una indemnización y el causante del siniestro pierde puntos o el carné mismo.
8. contratar un seguro a terceros.
9. está permitido tocar el claxon.
10. para sacarse el carné de conducir.

(2: 13)

■ **Escuche y compruebe.**

9 Escriba el significado de estas señales de tráfico.

ceda el paso | paso de peatones | velocidad limitada | precaución

dirección prohibida | prohibido adelantar | dirección única

cambio de sentido | prohibido aparcar | velocidad aconsejada

10 **Lea estos dos diálogos y elija la opción correcta entre paréntesis.**

Diálogo 1

MECÁNICO: ¿ Y cómo se ha producido el accidente?

CLIENTE: Creo que *(se ha pinchado una rueda / he perdido la rueda de repuesto)* y he perdido *(aceite / el control)* del coche en la curva.

MECÁNICO: Es un punto negro de la carretera, a menudo ocurren *(incidentes / accidentes)* relacionados con la *(silla homologada / conducción)* en esa curva. ¿Y no tenía la rueda de repuesto?

CLIENTE: Sí, pero al *(salirme de la carretera / adelantar indebidamente)* y chocar, creo que he perdido el *(intermitente / líquido de frenos)*.

Diálogo 2

MECÁNICO: Buenos días, Sra. Juárez, ¿qué tal va su coche?

SRA. JUÁREZ: Estupendo, estoy muy contenta. Lo traigo para la *(revisión periódica / renovación del seguro)*, pero no necesita ninguna *(reparación / avería)*, va de maravilla.

MECÁNICO: De acuerdo. Vamos a *(cambiar el aceite / arreglar el pinchazo)* y a comprobar que todo está perfecto.

SRA. JUÁREZ: ¿Todavía está *(dado de alta / en garantía)?*

MECÁNICO: Sí, todavía la tiene hasta fin de año y, además, usted ha contratado un seguro a *(todo riesgo / terceros)*. Así que no se preocupe, que no tendrá que pagar nada.

■ **¿Sabe qué significa «punto negro» en la carretera?**

11 Relacione cada sigla con su significado.

1. RENFE
2. AENA
3. ITV
4. AVE
5. FEVE
6. SOS
7. RACE
8. TALGO

- Alta velocidad
- Real Automóvil Club de España
- Tren articulado ligero Goicoechea-Oriol
- Inspección Técnica de Vehículos
- Socorro
- Aeropuertos Españoles y Navegación Aérea
- Ferrocarril Español de Vía Estrecha
- Red Nacional de Ferrocarriles Españoles

12 Encuentre el intruso.

a) conductor – peatón – tripulación – chófer.
b) autovía – carretera – autopista – frontera.
c) choque – pinchazo – indemnización – accidente.
d) curva – rotonda – cruce – señal.
e) vagón – andén – vía – puerto.
f) adelantar – acelerar – pinchar – arrancar.
g) área de descanso – puesto de socorro – control de carreteras – peaje.
h) intermitente – carné – cinturón de seguridad – claxon.
i) grúa – trasbordador – crucero – barco de pesca.
j) seguro – matrícula – permiso de circulación – carné de conducir.

13 Una las oraciones de las dos columnas y obtendrá recomendaciones para viajar y circular con seguridad.

1. La segunda causa de accidentes por fallos mecánicos son los frenos...
2. Los conductores y usuarios de motocicletas y ciclomotores deberán usar cascos protectores...
3. Revise la presión de los neumáticos...
4. Al menor síntoma de problemas con la dirección del vehículo, sean ruidos, dureza al girar, vibraciones, etcétera...
5. Deténgase cada tres horas para evitar la conducción continuada...
6. La víspera del viaje procure descansar y dormir lo suficiente...
7. Recuerde que debe tener siempre al día sus documentos...
8. Evite durante el viaje las comidas copiosas...
9. Suprima cualquier bebida alcohólica...
10. Queda prohibido conducir utilizando auriculares...
11. Recuerde que la distancia mínima de separación lateral para adelantar a peatones y vehículos de dos ruedas...

a) acuda al taller de reparaciones.
b) para lo que debe sacar el coche de la carretera, estirar las piernas y respirar aire puro.
c) conectados a aparatos reproductores de sonido o radioteléfonos.
d) pues si es inadecuada, puede reventarse o deteriorar elementos mecánicos.
e) así podrá conducir relajado y sin somnolencia.
f) por lo que conviene mantener una revisión constante de los mismos.
g) ya que producen efectos negativos, como digestiones pesadas y somnolencia.
h) tanto el carné de conducir como el permiso de circulación de su vehículo.
i) para circular por cualquier vía urbana o interurbana.
j) es de 1,50 metros.
k) ya que el alcohol disminuye los reflejos y crea una falsa sensación de seguridad.

14 Agrupe los anteriores consejos según el tema.

1. Campaña de tráfico para la operación salida de vacaciones: ....

....

2. Normas de circulación: ....

....

3. Consejos de mantenimiento y seguridad del vehículo: ....

....

15 El mercado financiero
ECONOMÍA Y FINANZAS

¡FÍJESE!

Pilar es cliente habitual de un gran banco, y pide consejo a la asesora financiera de la entidad, Carmen Álvarez.

(2: 14)

■ **Escuche y conteste: ¿De qué bolsa hablan en el diálogo? ¿De la bolsa de la compra?**

EJERCICIOS

PALABRAS EN CONTEXTO

(2: 15)

1 Escuche la consulta que realiza un pequeño inversor en una página web de empresas de inversión y la respuesta que le da el experto.

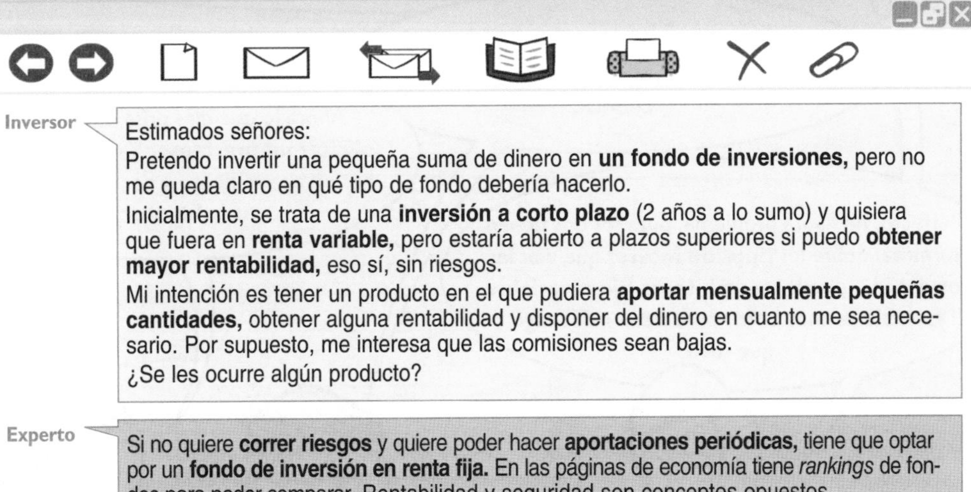

Inversor

Estimados señores:
Pretendo invertir una pequeña suma de dinero en **un fondo de inversiones,** pero no me queda claro en qué tipo de fondo debería hacerlo.
Inicialmente, se trata de una **inversión a corto plazo** (2 años a lo sumo) y quisiera que fuera en **renta variable,** pero estaría abierto a plazos superiores si puedo **obtener mayor rentabilidad,** eso sí, sin riesgos.
Mi intención es tener un producto en el que pudiera **aportar mensualmente pequeñas cantidades,** obtener alguna rentabilidad y disponer del dinero en cuanto me sea necesario. Por supuesto, me interesa que las comisiones sean bajas.
¿Se les ocurre algún producto?

Experto

Si no quiere **correr riesgos** y quiere poder hacer **aportaciones periódicas,** tiene que optar por un **fondo de inversión en renta fija.** En las páginas de economía tiene *rankings* de fondos para poder comparar. Rentabilidad y seguridad son conceptos opuestos.

■ **Coloque las palabras en negrita de la consulta y de la respuesta donde corresponda en el mapa conceptual siguiente.**

BANCOS

CUENTA CORRIENTE	SERVICIOS FINANCIEROS	BOLSA
ingresar dinero = hacer un ingreso	pedir una hipoteca	comprar acciones / participaciones
retirar dinero	solicitar un préstamo	ser accionista / inversor
hacer una transferencia / un giro	conceder una hipoteca / un préstamo	.... / largo plazo
cobrar / firmar un cheque	pagar un crédito	tener un interés del 5%
domiciliar un pago / un recibo	pagar a plazos	....
....	tipo de interés fijo / variable	....
....	....	
	....	
	....	
	....	
	....	

2 Lea este diálogo y responda: ¿el término *interés* está relacionado con las aficiones personales?

Ahora, marque el intruso en las siguientes series.

a) **Domiciliar:** un recibo – un pago – un dinero – la nómina.

b) **Realizar:** un ingreso – un cheque – un cobro – un pago.

c) **Presentar:** una denuncia – la declaración de la renta – una deuda.

d) **Tener:** una hipoteca – un fondo de inversión – un delito fiscal.

e) **Solicitar:** un préstamo – un crédito – un accionista.

f) **Ahorrar:** dinero periódicamente en un fondo de inversión – en un talonario de cheques – en renta fija.

g) **Obtener:** un fondo de alta rentabilidad – un riesgo alto – un tipo de interés bajo pero seguro.

3 Relacione las definiciones con los términos que les correspondan.

1. Dueño de una o varias participaciones en una compañía comercial, industrial o de otra índole. Es un socio capitalista que participa de la gestión de la sociedad en la misma medida en que aporta capital a la misma. → □
2. Capacidad de obtener más ganancias que pérdidas en una inversión determinada. Hace referencia a que el proyecto de inversión de una empresa pueda generar suficientes beneficios para recuperar lo invertido y obtener la tasa deseada por el inversor. → □
3. Mecanismo que permite a los agentes económicos el intercambio de activos bancarios y bursátiles, o de activos de los grandes negocios mercantiles. → □
4. Patrimonio constituido por las aportaciones de diversas personas, partícipes del fondo. El fondo lo administra una sociedad gestora, y una entidad depositaria que custodia los títulos y el efectivo, y ejerce funciones de garantía y vigilancia ante las inversiones. → □
5. Emisiones de deuda que realizan los Estados y las empresas dirigidas a un amplio mercado. A cambio de prestar su capital, los inversores reciben un interés cada determinado tiempo. → □
6. Porcentaje que se aplica en el cobro de la ganancia que produce un capital. → □
7. Cantidad de dinero entregada cada cierto tiempo, por ejemplo, mensualmente o anualmente para un determinado plan de ahorro o de inversión. → □

a) fondo de inversión
b) renta fija
c) aportaciones periódicas
d) rentabilidad
e) accionista
f) tipo de interés
g) mercado financiero

4 Lea esta conversación en una agencia de viajes y complete con las palabras que faltan.

GONZALO: ¡Bueno, ya lo tenemos, vamos a realizar nuestro sueño, dos meses viajando por Oriente!

RAMÓN: Sí, por fin hemos conseguido (1) .... todo el dinero que necesitamos. Ahora tenemos que saber cómo administrarlo.

AGENTE: Claro, podéis llevar parte del dinero encima, necesitáis (2) .... y seguridad. Lo mejor es llevar una parte en (3) .... de viaje, otra parte en (4) .... extranjera y la mayor cantidad dejarla en la cuenta (5) .... para poder disponer de ella con la tarjeta de (6) ....

GONZALO: No te preocupes, Ramón, si lo necesitamos, mi padre nos puede (7) .... dinero, nos hace una (8) .... o un giro, y en unos días lo tenemos.

RAMÓN: ¿Sabes si los hoteles en los que vamos a alojarnos tienen caja (9) ....? Yo prefiero dejar los pasaportes, los billetes, los cheques de viaje y el dinero en (10) .... en una caja fuerte, me parece mucho más seguro.

AGENTE: Seguro que sí hay, no te preocupes por ello, vais a estar alojados en hoteles de cuatro estrellas, todos tienen caja fuerte.

GONZALO: Ahora a disfrutar, ya iremos pagando poco a poco el (11) .... Esto de pagar a (12) .... está muy bien, porque no podríamos viajar si tuviéramos que pagar al (13) ....

(2: 16)

■ **Escuche y compruebe.**

5 **Para cada uno de estos verbos que utilizamos al hablar de dinero, indique qué nombres se pueden combinar con ellos. Un mismo nombre puede combinarse con varios verbos.**

[dinero – ahorro – préstamo – ingreso – pago – recibo – factura – producto – moneda extranjera – cuenta corriente – ingreso – transferencia – inversión – acciones – descuento – fondo de inversión – tipo de interés bajo / alto]

Tener ....

....

Pedir ....

....

Solicitar ....

....

Prestar ....

....

Otorgar ....

....

Pagar: ....

....

Obtener: ....

....

Conseguir: ....

....

Ingresar ....

....

Retirar ....

....

Transferir ....

....

Hacer ....

....

EL DINERO Y LOS MERCADOS

6 Complete el texto eligiendo para cada hueco la opción adecuada.

ECONOMÍA

Apoyo financiero a las pequeñas empresas

Ante la crisis .... **(ganadera / económica / financiera)** global, varios organismos e instituciones financieras y mercantiles, junto con las Cámaras de Comercio, han lanzado un plan de refuerzo de las exportaciones con medidas concretas que pretenden mejorar las acciones de apoyo a la .... **(importación / exportación / inversión)**, así como la salida al exterior de las pequeñas empresas.

Una de las medidas más importantes tiene como objetivo facilitar el .... **(débito / interés / crédito)** y los fondos que requieren las empresas para sus proyectos de internacionalización. Se van a facilitar los procesos para la circulación de las mercancías nacionales y extranjeras entre diferentes mercados, en particular con el MERCOSUR (..............) **(Mercado Común del Sur / Mercado del Cono Sur / Mercado Cooperativo del Sur)**, integrado por Argentina, Uruguay, Paraguay y Brasil, junto a otros países asociados de América del Sur.

Se pretende facilitar la .... **(adquisición / importación / transacción)** y la exportación de productos, controlar de manera conjunta el trasporte de mercancías, cumpliendo con la legislación vigente en el MERCOSUR y la Unión Europea. La circulación de los bienes que producen los diferentes países, tanto de entrada como de salida de la producción en el comercio .... **(interior / nacional / internacional)**, está sometida a restricciones y trámites en las aduanas.

Los refuerzos a las empresas españolas en estos momentos buscan facilitar un comercio justo y legal, con negociaciones transparentes para las nuevas .... **(inversiones / gestiones / acciones)**. En el caso de la distribución alimentaria y de la comercialización de las .... **(bienes / mercancías / propiedades)** que produce cada país, existe una tensión continua entre los productores agrícolas, ganaderos e industriales y los .... **(repartidores / compradores / distribuidores)**, debido a las diferencias de precios y ganancias de lo que paga el consumidor.

La crisis financiera de los últimos años ha perjudicado en gran medida a los productores y .... **(propietarios / inversores / comerciantes)**, más que a las empresas logísticas de distribución, según las opiniones de los representantes de los comerciantes.

Se ha detectado una cierta caída del consumo y de la .... **(petición / demanda / adquisición)** de los productos, por lo que los comerciantes está solicitando apoyo y nuevas ayudas de las Cámaras de Comercio. Estas Cámaras representan, promueven y defienden los intereses generales de los agentes económicos de las diferentes regiones y prestan numerosos servicios a las empresas.

■ **Escuche y compruebe.**

(2: 17)

7 Lea el texto anterior e indique si los siguientes enunciados son verdaderos (V) o falsos (F).

	V	F
1. El Mercado Común del Sur es un consorcio formado por varios países de Latinoamérica.	☐	☐
2. La sociedad de consumo no tiene problemas de distribución y comercialización de los productos del campo.	☐	☐
3. La exportación de productos de diferentes países está totalmente libre de impuestos y del control de aduanas.	☐	☐
4. La demanda de mercancías producidas en diferentes países obliga a desarrollar mecanismos financieros que faciliten el comercio internacional.	☐	☐
5. La Cámara de Comercio es una institución que aglutina a los comerciantes, empresarios y agentes económicos de una ciudad o región.	☐	☐

8 Escriba el complementario o, en su caso, el contrario.

1. .... / bajar la bolsa
2. compra / ....
3. importación / ....
4. .... / pagar
5. aumentar / .... el precio
6. oferta / ....
7. .... / reparto
8. comercio exterior / ....
9. mercado .... / internacional
10. factura / ....
11. .... / al contado
12. interés fijo / ....
13. .... / salida de mercancías
14. .... / medianas empresas

LA ECONOMÍA, LA INDUSTRIA Y LA EMPRESA

9 Relacione las frases de la derecha con las de la izquierda para obtener un enunciado completo.

a) Las empresas pueden ser de varios tipos según la actividad que realizan:

b) Una empresa mixta es un tipo de empresa...

c) Los accionistas de una empresa que cotiza en bolsa...

d) En los periodos de crisis financiera, las empresas pueden sufrir cambios drásticos...

1. algunas no pueden mantenerse, pero otras aprovechan los movimientos del mercado para su expansión.
2. reciben información de las evoluciones del valor de sus participaciones a través de los informes del Consejo de Administración.
3. las del sector primario se dedican a la extracción de recursos básicos; las del sector secundario, a la industria, y las del terciario, a los servicios.
4. en la que la propiedad del capital es compartida entre el Estado y los particulares.

(2: 18)

■ **Escuche y compruebe.**

10 Lea el siguiente texto.

ECONOMÍA

EMPRESA ELÉCTRICA

EMPRESA ELÉCTRICA es una **compañía** eléctrica que opera en España y en Iberoamérica. Es un operador eléctrico relevante en el arco europeo mediterráneo. Además, tiene una presencia creciente en el **mercado español** de gas natural y dispone de un importante nivel de desarrollo en el terreno de las **energías renovables.**

SU MISIÓN

- Un operador del **negocio energético** y de servicios conexos, centrado en la electricidad.
- Una **compañía multinacional,** responsable, eficiente y competitiva, comprometida con la seguridad, la salud y el medio ambiente.
- Una empresa preparada para **competir globalmente.**

SU VISIÓN

- Maximizar **el valor de la inversión de sus accionistas.**
- **Servir a sus mercados** superando las expectativas de sus clientes.
- Contribuir al **desarrollo de sus empleados.**

ACCIÓN DE EMPRESA ELÉCTRICA

El capital social está integrado por más de un millón de **acciones** de 1,2 euros de valor nominal unitario, pertenecientes todas a una misma clase, con los mismos derechos políticos y económicos. Sus acciones **cotizan** en las **bolsas** españolas y de varios países iberoamericanos.

Ahora, responda a las preguntas.

a) ¿A qué sector económico pertenece Empresa Eléctrica?

b) ¿Qué bienes suministra principalmente?

c) ¿Se dedica en exclusiva al sector eléctrico?

d) ¿Es una empresa mixta?

e) ¿Por qué es una compañía multinacional?

f) ¿Se pueden adquirir acciones de esta compañía?

11 Ordene los siguientes párrafos para obtener información sobre otra empresa española.

ECONOMÍA

GASNOSA

a) Todas las acciones tienen idénticos derechos políticos y económicos.

Las acciones de GASNOSA cotizan en las cuatro bolsas españolas a través del mercado continuo y forman parte del índice Ibex 35.

b) Es una gran compañía integrada en gas y electricidad de España y Latinoamérica, con una red amplia de comercialización de gas en la península ibérica y de distribución de gas en Latinoamérica.

c) La empresa está en período de crecimiento y de inversiones internacionales.

d) GASNOSA es una de las compañías multinacionales líderes en el sector del gas y la electricidad, está presente en 20 países y cuenta con más de 15 millones de clientes.

e) El capital social de GASNOSA es de casi un millón de euros, dividido en acciones de 1 euro de valor nominal cada una de ellas, pertenecientes a una misma clase y serie.

f) El Consejo de Administración de GASNOSA convoca cada año la Junta General Ordinaria de Accionistas de la Sociedad para informarles y aprobar las decisiones tomadas.

■ **Escuche y compruebe.**

(2: 19)

12 Busque en el cuadro los sinónimos correspondientes a los términos procedentes del texto anterior.

empresa / expansión / tienen valor / intermediaria / sector energético / adquisiciones / socios / distribución / Comité de Gestión / empresas plurinacionales / participaciones

1. Compañías multinacionales: ....
2. Sector del gas y la electricidad: ....
3. Compañía: ....
4. Comercialización: ....
5. Distribuidora: ....
6. Acciones: ....
7. Cotizan: ....
8. Consejo de Administración: ....
9. Accionistas: ....
10. Crecimiento: ....
11. Inversiones: ....

13 Complete el texto con las siguientes colocaciones.

cooperativa de trabajo / jefe de personal / producción de bienes o servicios / estén de baja / pequeña empresa / gestionar la plantilla / empresa en crisis / puestos de trabajo / a tiempo parcial / conciliación entre la vida familiar y el empleo

ECONOMÍA

La empresa Teleprix regala una acción a cada uno de sus trabajadores

Esta (1) ...., formada por un grupo de amigos dedicados a la comunicación, a través de las redes sociales, ha decidido transformarse en una (2)..
Su objetivo es poder mantener y mejorar los (3) ...., (4) .... o completo, de todos sus socios, mediante la organización en común de la producción de bienes o servicios. Cada socio tiene un voto, con independencia de sus aportaciones al capital.

Han decidido elegir por votación a quienes se harán cargo de dirigir la asociación y de (5).. de la empresa. Se podrá elegir la dedicación que tendrá cada uno en el puesto que ocupe, se va a promover la (6)..., se podrá negociar quiénes cubrirán a los compañeros que (7) .... En vez de un (8) .... para toda la plantilla, la cooperativa va a tomar las decisiones de común acuerdo entre todos.

La satisfacción y el compromiso personal de cada uno podrán cambiar la situación de esta pequeña (9) ...., y le dará nuevas oportunidades y energías para crecer.

14 Complete los siguientes enunciados con algunas de las palabras con que ha rellenado el texto anterior.

a) Debido a la bajada de las ventas y al aumento del coste de las materias primas y del transporte, la empresa está ...., por lo que tendrá que reducir ....

b) El jefe .... ha decidido que no se nombrará un sustituto para los trabajadores de la .... que ahora están de baja. Los compañeros tendrán que asumir su trabajo, además de realizar el propio.

c) Las empresas que se organizan como .... otorgan a cada socio trabajador una acción.

d) Las pequeñas empresas son más sensibles a cuestiones sobre derechos y bienestar de los trabajadores, y por eso facilitan la conciliación ....

15 Como resumen de lo aprendido acerca de la empresa en los ejercicios 10-14, responda a estas preguntas.

a) ¿Cuál de las tres empresas es una pyme (pequeña o mediana empresa) y cuál es una gran empresa? ....
b) ¿Qué empresa está en expansión y cuál en recesión? ....
c) ¿Qué empresa pertenece al sector terciario? ....
d) ¿Qué empresas son compañías públicas? ....
e) ¿Qué empresa opera en el mercado internacional y cuál en el nacional? ....
f) ¿Qué empresa tiene un modelo de gestión participativa? ....

16 Relacione estos refranes sobre economía con su posible significado.

a) *Sin ahorrar, nadie llega a ser rico; ahorrando, muy pocos llegan a ser pobres.*
b) *El que regala bien vende, si el que lo toma lo entiende.*
c) *Dame dinero y no me des consejos.*
d) *No hay mejor lotería que el trabajo y una buena economía.*
e) *Quien ahorra cuando es joven, podrá gastar cuando sea viejo.*
f) *De enero a enero, el dinero es del banquero.*
g) *A dinero en mano, el monte se hace llano.*
h) *Si no ahorras peniques, no tendrás dólares.*

1. El despilfarro empobrece, pero el ahorro genera riquezas.
2. Solucionar el problema en vez de hablar demasiado.
3. Con el dinero se eliminan los mayores obstáculos.
4. Hay que empezar por lo pequeño para alcanzar lo grande.
5. El banco tiene siempre las de ganar por no exponer el dinero propio sino el de los ahorradores.
6. Dar esperando recibir.
7. A quien es previsor no le faltará nada en los días difíciles.
8. El ahorro conseguido con el propio esfuerzo es seguro, mientras que las ganancias de la lotería son cosa de suerte y acaban gastándose.

16 ¿Es posible un planeta habitable?

PROBLEMAS MEDIOAMBIENTALES

¡FÍJESE!

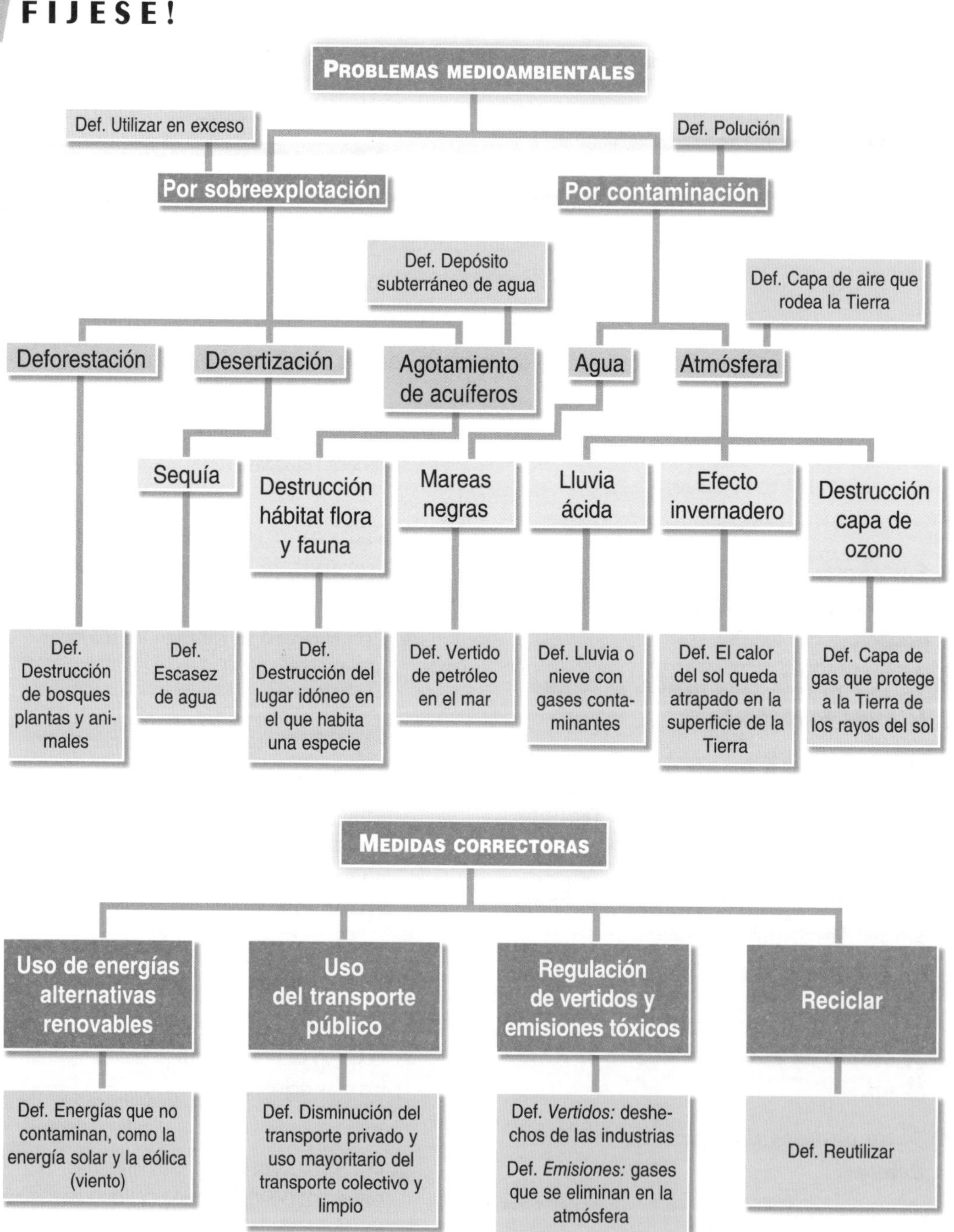

EJERCICIOS

PALABRAS EN CONTEXTO

1 Lea el siguiente texto y preste atención a los términos y expresiones marcados.

La actividad humana tiene un **impacto medioambiental** enorme sobre la **naturaleza** y sus **recursos**. El exagerado **crecimiento demográfico** está **agotando** aceleradamente los recursos naturales de nuestro **ecosistema** debido a su explotación ilimitada, además, esta **densidad de población** genera mayor **contaminación,** en la medida en que el hombre, para mantener sus necesidades –cada vez más consumistas–, necesita consumir más **energía** y mantener un constante **crecimiento industrial.**

En los procesos de producción de energía, transporte y su posterior consumo, se generan **residuos** que **contaminan** gravemente el **medio ambiente;** entre ellos, la **radiactividad**, la **lluvia ácida**, las **mareas negras** –que **degradan** los mares–, la **contaminación atmosférica** por **emisiones tóxicas** que alteran el **equilibrio climático**, como el **efecto invernadero** provocado por las **emisiones** de CO_2 o la destrucción de la **capa de ozono**.

En la actualidad, el **calentamiento global** del planeta es ya una evidencia científica y sus efectos devastadores sobre el clima son crecientes: lluvias torrenciales, huracanes, inundaciones, **sequías** prolongadas, **deshielo** de los casquetes polares, entre otros.

Para remediar este panorama tan desolador es necesario tomar una serie de medidas que puedan minimizar los daños provocados en la **biosfera**. Algunas de estas medidas son:

- Normas legales que regulen los **vertidos** y las **emisiones** de las industrias y los hogares.
- Instalación de **depuradoras** que limpien las aguas sucias que producen los habitantes de una localidad.
- Uso del transporte público siempre que sea posible.
- Uso de **combustibles** menos **contaminantes** (gasolina sin plomo).
- Instalación y mantenimiento de **contenedores** de **reciclaje** en lugares que faciliten su uso por los ciudadanos.
- Que los **residuos** sean tratados en **plantas de reciclaje**.
- Promoción de las **energías alternativas renovables**: **energía eólica** y **solar**.

2 Conteste verdadero (V) o falso (F).

a) La superpoblación es un mal menor para los recursos del planeta. ☐

b) Las energías alternativas favorecen el desarrollo sostenible. ☐

c) La radiactividad y la lluvia ácida son contaminantes. ☐

d) El deshielo favorece el mantenimiento del frío tanto en el Polo Sur como en el Polo Norte. ☐

e) Las emisiones de CO_2 no alteran el clima. ☐

f) Es imprescindible la instalación de depuradoras para limpiar las aguas residuales. ☐

g) La actitud consumista del ser humano está siendo racional con el ecosistema. ☐

h) Reciclar es una actitud responsable ante el futuro. ☐

3 Escuche con atención y elija del texto del ejercicio 1 un término sinónimo de:

(2: 20)

a) Superpoblación ....

b) Polución ....

c) Cambio climático ....

4 Complete los huecos de estos dos textos con las palabras que damos. No olvide realizar los cambios necesarios.

[invierno / planeta / reducir / contaminante / ecosistema / cambio climático / efecto invernadero / industrializado / temperatura / emisión / calentamiento global]

CIENCIA

El Protocolo de Kioto sobre el cambio climático

EL 11 DE DICIEMBRE de 1997, los países .... se comprometieron, en la ciudad de Kioto, a ejecutar un conjunto de medidas para .... las .... de gases .... El objetivo principal era frenar el ...., cuya base es el .... Los científicos prevén que desde ahora hasta el 2100 la .... media de la superficie del .... habrá aumentado, a pesar de que los .... son más fríos y violentos. Esto se conoce como .... y repercutirá gravemente en el ....

[radiación / rayos solares / capa de ozono / gas / petróleo / contaminante / especie / ultravioleta / luz / tratado / atmósfera / deforestación / rayos ultravioleta / aerosol / carbón / eléctricas / gas tóxico / medioambiental / efecto invernadero]

CIENCIA

El Protocolo de Montreal sobre la capa de ozono

EL PROTOCOLO DE MONTREAL es un acuerdo internacional firmado por 195 países que entró en vigor en 1989 con el fin de prevenir la destrucción de la ....

La capa de ozono es una capa de .... que rodea a la Tierra y absorbe los .... protegiendo al hombre de los efectos negativos / nocivos de los ....

Su destrucción se origina, entre otras causas, por las .... y las constantes emisiones de ...., como los emitidos por las centrales .... que utilizan .... y ...., así como por el empleo de agentes .... utilizados en la industria de los .... y de la refrigeración, que actúan como gases de .... sobre el planeta, permitiendo la entrada pero no la salida de la .... solar, y aumentando así la temperatura de la Tierra.

La disminución de la .... ha provocado el aumento de enfermedades, las cataratas oculares, la debilidad del sistema inmunitario en humanos y en otras ....

Además, las radiaciones .... afectan a la capacidad de las plantas de absorber la .... del sol, con lo que se reduce el contenido nutritivo y el crecimiento de las plantas.

Sin embargo, el esfuerzo realizado por los países firmantes del Protocolo no ha sido en vano. Los expertos coinciden en que la capa de ozono ha empezado a regenerarse al estabilizarse los contaminantes presentes en la .... y estiman que si todos los países cumplen con los objetivos propuestos en el tratado, la capa de ozono podría haberse recuperado para el año 2050.

Por tanto, el Protocolo de Montreal ha sido totalmente efectivo y ha evitado un desastre .... global.

5 Complete el siguiente cuadro.

SUSTANTIVO	ADJETIVO	VERBO
calentamiento	caliente	
reducción		
		verter
	deforestado	
		conservar
sobreexplotación		sobreexplotar
	reciclado	
contaminación		
		desertizar
empobrecimiento		

6 Empareje la primera parte de cada oración con el final apropiado.

a) El mundo debe tener un desarrollo sostenible porque...

b) En la actualidad, más de la mitad de las emisiones contaminantes...

c) Los habitantes del mundo desarrollado somos responsables del 80% de la contaminación mundial; es nuestra tarea, por tanto, ...

d) Los últimos años han dejado ver los graves problemas de inseguridad alimentaria, cuya causa fundamental es...

e) Los expertos afirman que el aumento de la temperatura del planeta...

1. encontrar respuestas técnicas e incluso un nuevo estilo de vida que nos permitan vivir según un modelo sostenible.
2. puede ralentizar la regeneración de la capa e, incluso, promover su destrucción.
3. son originadas por los vehículos por carretera.
4. el progreso indiscriminado está causando graves desastres ecológicos.
5. la utilización de sustancias químicas que pueden afectar gravemente la salud de los consumidores a través de los alimentos y el agua.

(2: 21)

■ **Ahora escuche las oraciones completas y compruebe sus respuestas.**

7 Asocie cada palabra con su combinación más frecuente.

a)	Marea	1.	forestal
b)	Contaminación	2.	biodegradable
c)	Lluvia	3.	amenazadas
d)	Gestión	4.	atmosférica
e)	Espacio	5.	correctoras
f)	Medidas	6.	sostenible
g)	Cambio	7.	tóxicos
h)	Material	8.	global
i)	Residuos	9.	protegido
j)	Energías	10.	alternativas
k)	Especies	11.	ácida
l)	Calentamiento	12.	ecológico
m)	Alimento	13.	transgénico
n)	Producto	14.	negra
o)	Crecimiento	15.	climático

Lea el siguiente texto y sustituya las palabras en negrita por un sinónimo.

Vauban, un pueblo totalmente sostenible

Vauban es uno de los experimentos **ecológicos** (...........) más exitosos de Europa. Vauban es un pequeño pueblo de Alemania –cercano a la ciudad de Friburgo– de 42 hectáreas y 5 000 habitantes, que se creó en el año 2001 y se terminó en el 2006. Actualmente, es centro de atención internacional en el **ámbito** (...........) ecológico por ser un ejemplo de preocupación por minimizar el **impacto** (...........) ambiental en el planeta y la eficacia en el uso de **los recursos** (...........).

Todas las viviendas se han construido conforme a criterios de bajo **consumo energético** (...........), y de aprovechamiento de las energías **renovables** (...........), tanto para la electricidad como para la calefacción mediante la energía **solar** (...........). Las casas de Vauban son tan **sustentables** (...........) que generan un excedente que venden a la empresa de electricidad.

Se ha construido una planta de generación de energía muy eficaz, que utiliza astillas de madera y **paneles solares** (...........) como **combustible** (...........), ayudando a generar la energía necesaria para el funcionamiento de las viviendas.

El uso de coches en sus calles está prohibido. Allí el transporte es principalmente a pie o en bicicleta. Vauban está conectado con la ciudad de Friburgo por un tranvía alrededor de cuyo recorrido se alinean todas las casas. En la periferia del pueblo hay dos grandes **estacionamientos** (...........) para quienes quieren tener coches o para alguna visita de amigos no tan «**verdes**» (...........).

Y todo en Vauban se **recicla.** El agua de las duchas y retretes es filtrada y utilizada para regar los jardines. Todos los **desperdicios** son reducidos a un **abono** (...........) orgánico.

Vauban, sin duda, es el ejemplo que seguir por futuros barrios o pueblos que quieran abandonar la **contaminación** (...........), y volverse sostenibles y renovables.

9 **Ayude a resumir las ventajas de los alimentos orgánicos para el folleto del supermercado NATUREL ordenando las letras de las palabras descolocadas y asociando cada título con su explicación.**

Supermercado NATUREL

1. SON RESPETUOSOS CON LA NATURALEZA porque...	A	Están libres de los residuos **tixcoós** .... que se utilizan en la **augtlcirrua** .... convencional para eliminar insectos o plagas y combatir enfermedades, y que a medio o largo plazo pueden dañar nuestro organismo.
2. SON SOSTENIBLES CON EL MEDIO AMBIENTE porque...	B	Los alimentos **ecoocóglis** .... no contienen sustancias químicas **aicrlatiifes** .... para mantener y conservar las cualidades de los alimentos. Muchos de ellos, de fuerte **imotpac** .... químico, pueden ser perjudiciales para nuestra salud.

C

3. NO CONTIENEN ADITIVOS SINTÉTICOS porque...

Los animales se cuidan de forma **pveenivtra** ...., evitando la administración de **medoantimecs** ...., tranquilizantes u hormonas.

D

4. NO CONTIENEN SUSTANCIAS TÓXICAS porque...

La agricultura **aocgóilce** .... es la más respetuosa con la **aofrl** .... y la **anufa** ...., la que genera una **ccanmaioiótnn** .... más baja de **alseroeos** ...., produce menos dióxido de **oanbrco** ...., previene el **ecoetf irnedvearno** ...., no genera **rodissue** .... contaminantes y ayuda al ahorro **eérceintgo** ...., ya que en el cultivo y en la elaboración de los productos se aprovecha el máximo de recursos **reebloanvs** ....

E

5. SON RESPETUOSOS CON EL BIENESTAR ANIMAL porque...

Los **ilaesnma** .... no son manipulados artificialmente o de manera intensiva para lograr una mayor producción. La alimentación de estos animales está basada en pastos naturales, leche preferiblemente de su propia madre, y piensos **ceosgóloci** ...., exentos de **piteasdics** ...., fertilizantes y **téorgasnincs** ....

F

6. NO CONTIENEN ANTIBIÓTICOS porque...

La agricultura ecológica fertiliza la tierra y frena la **dósiiazcteern** ....; favorece la retención del agua y no contamina los **aoeurcífs** ....; fomenta la biodiversidad; mantiene los **hbáittas** .... de los animales silvestres, permitiendo y favoreciendo la vida de numerosas especies; respeta los ciclos naturales de los cultivos, evitando la degradación y **comnncóntaiai** .... de los ecosistemas; **reccila** .... los nutrientes incorporándolos de nuevo al suelo como **asonbo** .... orgánicos, y utiliza de forma óptima los **rucresos** .... naturales.

El camino más corto es la línea recta

CIENCIA Y TECNOLOGÍA

¡FÍJESE!

- **Químico /-a:** **científico** especializado en **química.** Estudia e investiga la composición de la **materia** y sus **propiedades.**
- **Físico /-a:** científico que se dedica al área de conocimiento de las **ciencias físicas** (materia y energía).
- **Símbolo químico:** signo abreviado para identificar los **elementos** y **compuestos químicos.** Se utiliza en sustitución de su nombre completo: **Cu** = cobre; **Fe** = hierro.
- **Fórmula:** forma breve de expresar información de modo simbólico: $E = mc^2$. De fórmula, **formular.**
- **Átomo:** la unidad más pequeña de un **elemento químico.**
- **Molécula:** la partícula más pequeña de una sustancia, con todas sus propiedades físicas y químicas.
- **Célula:** el elemento vivo de menor tamaño. La **transmisión celular** tiene lugar a través del ADN.
- **Neurona:** célula del **sistema nervioso.** Propaga el impulso nervioso a otras neuronas.

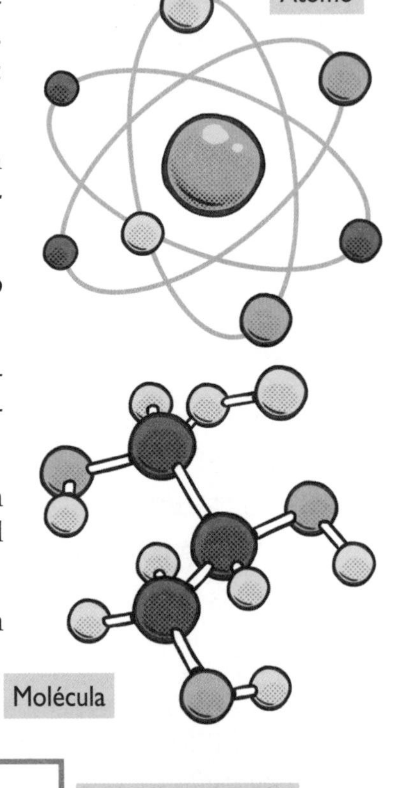

Ángulo

Área del triángulo

$\frac{b \times h}{2}$

Área del cuadrado

$b \times h$

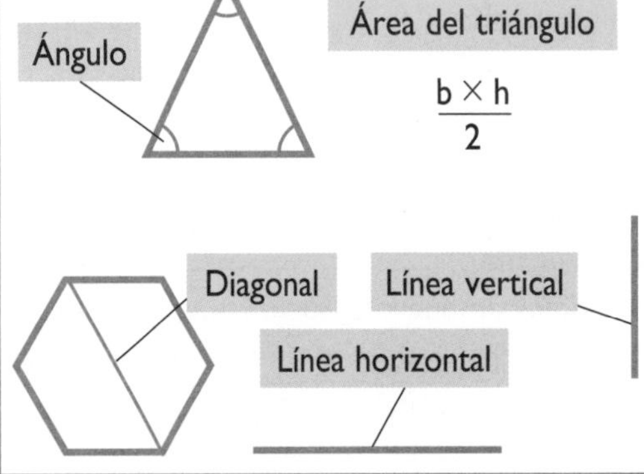

Números impares	1, 3, 5, 7...
Números pares	2, 4, 6, 8...
Números decimales	0,19; 2,5...

EJERCICIOS

PALABRAS EN CONTEXTO

1 **Lea los descubrimientos de los siguientes investigadores y complete los huecos con la palabra adecuada. Recuerde hacer los cambios necesarios.**

[demostrar / físico / fórmula / formular / teoría (2 veces) / número / investigación (2 veces) / sistema nervioso / química / neurociencia / triángulo / investigador / Nobel / lado / neurona / célula / investigación / ángulo / teorema / científica / física / microscopio]

GALILEO GALILEI (1564-1642)
Astrónomo italiano que construyó un **telescopio** para observar los satélites de Júpiter, las manchas solares, la superficie lunar, etc. Sus **descubrimientos** confirmaron la **hipótesis** de que los cuerpos celestes no eran inmutables, sino que cambiaban. Sus logros incluyen la mejora del telescopio, gran variedad de **observaciones** astronómicas y la primera ley del movimiento.

ALBERT EINSTEIN (1879-1955)
Fue un .... de origen alemán que .... la .... general de la relatividad. Una de las consecuencias de sus .... fue el estudio científico del origen y evolución del universo por la rama de la .... denominada cosmología.

PITÁGORAS DE SAMOS (*ca.* 580 a. C – *ca.* 495 a. C.)
Fue un matemático griego, famoso por el teorema de Pitágoras. Afirmaba que «todo es matemática», y su objeto de estudio fueron los .... El .... de Pitágoras establece que en un .... rectángulo, el cuadrado de la longitud de la hipotenusa (el .... de mayor longitud del triángulo rectángulo) es igual a la suma de los cuadrados de las longitudes de los dos catetos (los dos lados menores del triángulo rectángulo: los que conforman el .... recto). Esta teoría se representa en la siguiente .... matemática: $c^2 = b^2 + a^2$.

cateto — hipotenusa — 90° — cateto

c — b — a

MARIE CURIE (1867-1934)
Fue la primera .... en recibir dos premios .... y la primera mujer en ser profesora en la Universidad de París. Su área de estudio fue la radiactividad. En 1910 .... que se podía obtener un gramo de radio puro. Con una actitud desinteresada, no patentó el proceso de aislamiento del radio, dejándolo abierto a la .... de toda la comunidad ....

SANTIAGO RAMÓN Y CAJAL (1852-1934)
Fue un .... español que .... que las .... eran entidades que se comunicaban unas con otras y establecían una especie de red mediante conexiones especializadas. Esta .... es conocida como «la doctrina de la neurona» y es uno de los elementos centrales de la .... moderna. Ramón y Cajal utilizó técnicas muy avanzadas para observar con el .... las .... del ....

(2: 22)

Ahora escuche el texto y compruebe si sus respuestas son correctas.

2 Una cada palabra con su definición.

Dureza	es la capacidad que tienen algunos materiales para recuperar su forma anterior una vez que ha desaparecido la fuerza que los deforma.
Elasticidad	es la facilidad que tienen algunos materiales a la rotura cuando una fuerza impacta sobre ellos.
Fragilidad	es la propiedad que tienen algunos materiales de no dejarse penetrar por otros.

3 Clasifique los elementos según su dureza, elasticidad y fragilidad.

goma	diamante	hierro	cristal	chicle	barro
cerámica	aluminio	guantes de látex	plata	cable	oro

DUROS	ELÁSTICOS	FRÁGILES

4 Resuelva el siguiente crucigrama.

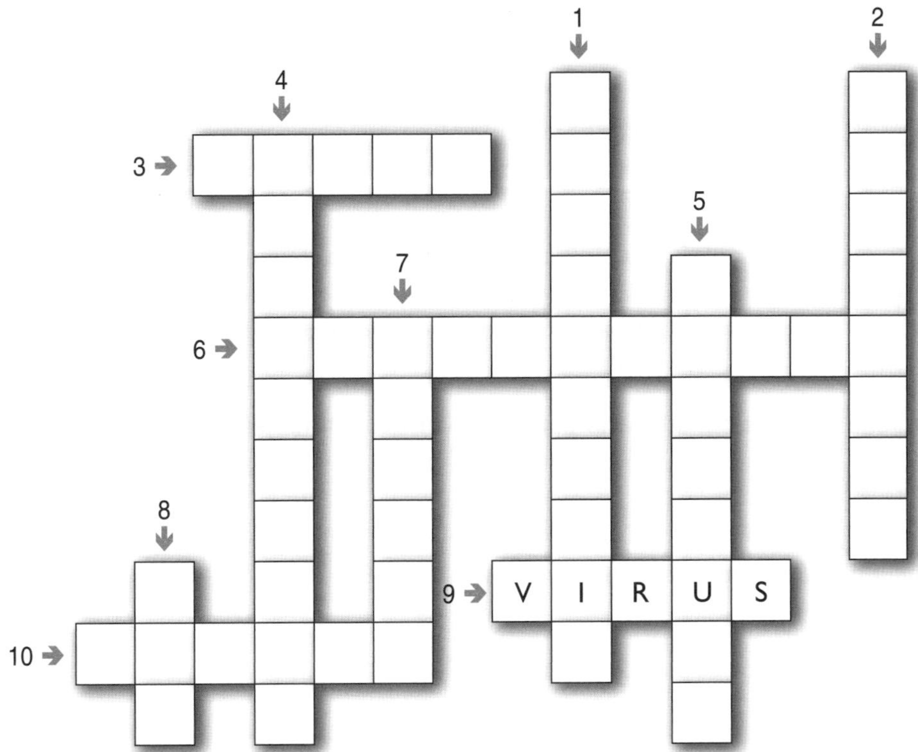

1. Instrumento que permite ver agrandada la imagen de un objeto lejano.
2. Célula nerviosa.
3. La partícula más pequeña de un elemento químico.
4. Instrumento que sirve para medir la temperatura.
5. Unidad mínima de una sustancia que conserva sus propiedades químicas. Puede estar formada por átomos iguales o diferentes.
6. Instrumento óptico formado por un sistema de lentes que permite la ampliación de la imagen para la observación de objetos muy pequeños.
7. Unidad microscópica esencial de los seres vivos.
8. Fenómeno científico comprobado, irrefutable y universal.
9. Entidad infecciosa microscópica que solo puede multiplicarse dentro de las células de otro organismo.
10. Explicación científica sustentada con muchos experimentos.

5 Una cada ciencia con su definición.

1. **Estadística**	Cómputo, cuenta o investigación que se hace de algo por medio de operaciones matemáticas.
2. **Cálculo**	Rama de las matemáticas que no utiliza números sino letras. Los números son representados por símbolos (usualmente *a, b, c, x, y, z*).
3. **Álgebra**	Es una ciencia con base matemática referente a la recopilación, análisis e interpretación de datos, que busca explicar condiciones regulares en fenómenos de tipo aleatorio.

6 Indique qué ciencia utilizaría para resolver los siguientes problemas.

Problema 1

Encuentre un número tal que el doble de dicho número menos 33 sea igual a 5 veces una cantidad igual a 33 más que el propio número: x = –66 ☐

Problema 2

De los 800 alumnos de un colegio, han ido de viaje 600. ¿Qué porcentaje de alumnos ha ido de viaje? ☐

Problema 3

Se extrae una bola de una bolsa que contiene 4 bolas blancas, 5 rojas y 2 negras. ¿Cuál es la probabilidad de que no sea negra? ☐

7 Lea estos enunciados prestando especial interés a los términos y expresiones marcados en negrita. Elija una palabra de la caja que pueda sustituirla.

1. Una teoría **da orden al** conocimiento sobre un fenómeno o realidad, conocimiento que en muchas ocasiones es disperso y no se encuentra organizado.

   [sistematiza el / planifica el / formula el / desarrolla el]

2. Una hipótesis es una **proposición** aceptable que ha sido formulada a través de la recopilación de información y datos, aunque no está confirmada más allá de toda duda, pero que sirve para responder de forma tentativa a un problema con base científica.

   [teoría / enunciado / ley / fórmula]

3. Es difícil **calcular con precisión** el porcentaje de gases que contiene el aire, pero en su estado puro (limpio y seco) se calcula que es de un 78% de nitrógeno, un 21% de oxígeno y un 1% por dióxido de carbono y otros gases.

[suponer / reflexionar / computar / analizar]

4. Un trabajo de investigadores estadounidenses **ha confirmado** la hipótesis de que algunos virus de la gripe incrementan el riesgo de sufrir trastornos neuronales.

[ha ratificado / ha refutado / ha garantizado / ha autorizado]

8 Lea el siguiente texto prestando especial atención a las palabras en negrita.

CIENCIA

La teoría del *Big Bang* y el origen del universo

El *Big Bang*, literalmente gran **estallido,** constituye el momento en que de la «nada» emerge toda la **materia,** es decir, el **origen** del universo. La materia, hasta ese momento, es un punto de **densidad** infinita, que en un momento dado «explota», generando su expansión en todas las direcciones y creando lo que conocemos como nuestro universo.

Inmediatamente después del momento de la **«explosión»,** cada **partícula** de materia comenzó a alejarse muy rápidamente una de otra, de la misma manera que al inflar un globo éste va ocupando más espacio expandiendo su superficie.

El **hidrógeno** y el **helio** habrían sido los productos primarios del *Big Bang,* y los elementos más pesados se produjeron más tarde. Al expandirse, el helio y el hidrógeno se enfriaron, y se condensaron en estrellas y en galaxias. Esto explica la expansión del universo.

Uno de los problemas sin resolver presisamente es si el universo es abierto o cerrado; esto es, si se expandirá indefinidamente o se volverá a contraer.

Adaptado de: http://www.xtec.cat.

9 Ahora, indique si estas afirmaciones son verdaderas (V) o falsas (F).

a) Estallido y explosión son sinónimos. ☐

b) Materia es sinónimo de asignatura. ☐

c) Densidad es la relación entre la masa y el volumen de un cuerpo. ☐

d) Debido a su baja densidad, el hidrógeno y el helio se expandieron con lentitud. ☐

e) Las estrellas y las galaxias son los mismos cuerpos celestes. ☐

f) Las estrellas están formadas por helio e hidrógeno, entre otros elementos. ☐

18 *¡Te toca!*

JUEGOS Y PASATIEMPOS

¡FÍJESE!

JUEGO DE AZAR

Juegos donde la **suerte** es protagonista: el resultado de una partida depende de la suerte y no de ninguna **estrategia.**

LOTERÍA

Juego de azar en el que se **premian** los **billetes** cuyos números coinciden con los del **bombo.**

PASATIEMPO

Se denominan **pasatiempos** a aquellos juegos de divertimento que ayudan a **pasar el rato.**

	6	1			3
3	4		5		6
2		4	6		
					4
6	1			4	2
4	2		1		1

JUEGO DE INGENIO

Juegos en los que es necesario utilizar la **lógica** para resolverlos.

Quiniela de la Jornada 56, 03/06/2012				
España-Rep. China	1	1		
Portugal-Turquía	2			2
Inglaterra-Bélgica	3	1		
Noruega-Croacia	4		X	
Murcia-Girona	5			2
Celta-Córdoba	6		X	
Elche-Nástic	7	1		
Almería-Alcoyano	8	1		
Valladolid-Guadalajara	9			2
Numancia-Alcorcón	10			2
Las Palmas-Sabadell	11	1		
Xerez-Barcelona B	12			2
Villarreal B-Deportivo	13		X	
Recreativo de Huelva-Cartagena	14			2
Huesca-Hércules	Pleno al 15			2

QUINIELAS

Juego en el que los jugadores pronostican los resultados de una competición deportiva.

HACER TRAMPAS

Infracción maliciosa de las reglas de un juego o de una competición.

BARAJAR

Mezclar las **cartas** de una **baraja** para alterar su orden.

HACER UNA APUESTA / APOSTAR

Arriesgar una cantidad de dinero en un juego o una contienda deportiva. Esa cantidad, en caso de **acierto,** se recupera aumentada a expensas de la que han perdido quienes no **acertaron.**

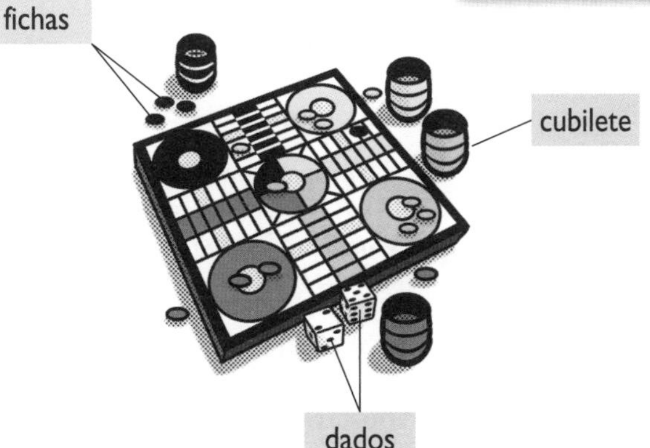

JUGAR UNA PARTIDA

Conjunto de **jugadas** que se realizan hasta que un jugador resulta **ganador.**

TURNO

Orden según el cual se suceden los jugadores en una **partida.**

EJERCICIOS

1 Conteste a este test técnico.

1. **En los juegos de azar no es necesario que el jugador tenga alguna habilidad especial, todo depende de la...**
   a) suerte ☐ b) certeza ☐ c) destreza ☐

2. **En mi oficina siempre jugamos en el sorteo de Navidad. Compramos un…**
   a) billete ☐ b) triunfo ☐ c) suerte ☐

3. **Mi pasatiempo favorito son los crucigramas, porque me ayudan a aprender palabras y a fijar su significado. Un sinónimo de pasatiempo es:**
   a) afición ☐ b) reírse ☐ c) entretenimiento ☐

4. **Resolver un sudoku requiere tener ………………….. matemática.**
   a) intuición ☐ b) suerte ☐ c) inteligencia ☐

5. **Me divierte hacer quinielas para ver si acierto qué equipo de fútbol ganará la liga. Esto es:**
   a) una lotería ☐ b) una apuesta ☐ c) un concurso ☐

6. **«Sin trampa ni cartón» significa:**
   a) jugar limpio ☐ b) jugar con maldad ☐ c) jugar sucio ☐

7. **«No hagas trampas y baraja bien las cartas antes de repartirlas». Es decir:**
   a) ordena ☐ b) separa ☐ c) revuelve ☐

8. **Un sinónimo de «apostar» o «hacer una apuesta» es:**
   a) envidar ☐ b) trampear ☐ c) reservar ☐

9. **«No tires los dados hasta que sea tu turno, hasta que te toque a ti». Esto significa:**
   a) tiempo ☐ b) vez ☐ c) lugar ☐

10. **«¿Echamos una partida de cartas?». Con esta pregunta estoy proponiendo:**
    a) un juego ☐ b) un turno ☐ c) una baraja ☐

¡OBSERVE!

Las expresiones que aluden al juego suelen usarse con sentido figurado o metafórico.

A Juan ***le ha tocado la lotería*** *con su hija* = La hija de Juan es una joven nada problemática.

El entrenador ***esconde un as en la manga*** = Tiene planes ocultos para sorprender al contrincante.

diana

Respetar las normas del juego = Respetar los acuerdos empresariales, por ejemplo.

La empresa ***no ha jugado limpio*** = No ha respetado los acuerdos.

Has ***dado en la diana*** = Alguien acierta en un juicio u opinión.

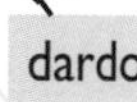

Antes de leer el texto del ejercicio 3, ¿qué términos aprendidos le sugiere el titular?

ALABRAS EN CONTEXTO

Lea y escuche el texto.

(2: 23)

EL GLOBO

El póquer: ¿el deporte del siglo XXI?

PUEDE PARECER un título fuerte y provocador debido a que mucho se ha escrito sobre si esta actividad de **cartas** es o no un deporte. Primero, veamos cómo define la Real Academia Española el término «deporte»:

Deporte: Actividad física, ejercida como juego o **competición**, cuya práctica supone **entrenamiento** y sujeción a normas. // Recreación, **pasatiempo**, placer, **diversión** o ejercicio físico, por lo común al aire libre.

A simple vista, el póquer cuenta con la mayoría de los requisitos para entrar en la categoría de deporte. Al analizar esta actividad, podemos ver que es una disciplina que necesita de práctica y está sujeta a unas normas. A veces, los **torneos** se extienden por días y el desgaste tanto corporal como mental es extremadamente profundo; esto exige concentración, y **estar en forma** física y mentalmente.

Los que practican el póquer en niveles altos necesitan desplegar **estrategias** y **tácticas** para obtener buenos **resultados**; además, se necesita un control mental muy profundo, una concentración aguda, mucha paciencia y gran precisión a la hora de hacer una **jugada**.

Pero es el **azar** el factor que pone en duda la categorización de este **juego de naipes** como disciplina **deportiva**.

En las **partidas** rápidas podemos ver que la influencia del azar tiene un porcentaje alto, pero en las partidas largas, los **competidores** con mayores habilidades y estrategias son los que mejores resultados obtienen, ya que priman sus conocimientos sobre el azar.

Sin embargo, el debate acerca de si el póquer es o no es un deporte seguirá dando mucho de que hablar. La pregunta queda abierta... sobre el **tapete.**

http://www.masdepoker.com.

4 Ahora, marque verdadero (V) o falso (F) en las siguientes afirmaciones.

	V	F
a) Considerar el póquer un deporte resulta provocador por el factor azar.	☐	☐
b) Pasatiempo, placer, diversión y ejercicio físico son sinónimos.	☐	☐
c) El póquer es un juego con reglas estrictas en el que no interviene la suerte.	☐	☐
d) El póquer puede producir desgaste físico.	☐	☐
e) Los buenos resultados en el póquer son fruto de la habilidad de los jugadores.	☐	☐
f) En las partidas cortas el azar no juega un papel importante.	☐	☐
g) El póquer no es un juego de naipes.	☐	☐
h) Paciencia, concentración y precisión son cualidades necesarias en un jugador de póquer.	☐	☐

5 **Coloque estos términos con los verbos correspondientes. Atención, hay términos que pueden acompañar a más de un verbo.**

[una apuesta / un crucigrama / trampas / una quiniela / una partida / a las cartas / un pasatiempo / a las quinielas / las cartas / a la lotería / un sudoku]

HACER

....
....
....
....
....

ECHAR

....
....
....
....

JUGAR

....
....
....
....

RESOLVER

....
....
....
....

■ **Ahora escuche las posibles colocaciones léxicas correctas.**

(2: 24)

6 **Tache la palabra que es un sinónimo de las propuestas.**

a) **Lotería:** quiniela, sorteo, premio.

b) **Rompecabezas:** puzle, crucigrama, buscapalabras.

c) **Azar:** certeza, destino, habilidad.

d) **Turno:** repetición, tiempo, vez.

e) **Carta:** dado, ficha, naipe.

f) **Barajar:** repartir, dar, desordenar.

JUEGOS DE LA INFANCIA

(2: 25)

7 **Escuche y cite dos juegos tradicionales. Después, lea este texto y conteste verdadero (V) o falso (F).**

De pequeños, casi todos hemos jugado alguna vez al **parchís**, a las **cartas** o a otros **juegos de mesa.**

Nos solíamos juntar con la familia alrededor de un **tablero**, armados con nuestros **dados** y nuestro **cubilete**, dispuestos a llegar hasta el final, avanzando por las **casillas.**

Seguro que a ninguno nos gustaba **perder** y nos poníamos muy nerviosos si nuestra **ficha** caía en la **casilla** que nos hacía **perder el turno.** Siempre había quien intentaba **hacer trampas** y **tiraba el dado** dos veces si no le gustaba el **resultado**.

Claro, que también había juegos muy emocionantes que disfrutábamos en la calle. Los juegos tradicionales eran las **canicas,** que se jugaban con **bolas** de cristal, la **comba,** cuerda por la que saltábamos todos, de uno en uno, pasándola por los pies, y el **escondite**, que a todos nos hacía desaparecer de golpe. El caso es que pasábamos el rato muy entretenidos porque había mil juegos divertidos. ¡Lo pasábamos en grande!

Hoy en día, a más de uno nos gusta **tirarnos por el tobogán** en los parques o **montarnos en los columpios**... si no están ocupados... y si no hay nadie cerca. El tiempo pasa, pero nos sigue gustando... ¡ser niños!

a) Pasarlo fenomenal es pasar un rato aburrido. ☐
b) Se tira el dado y se avanza con la ficha. ☐
c) Todos los juegos de mesa necesitan de un tablero. ☐
d) A las canicas se juega con una cuerda y a la comba con bolas. ☐
e) Hacer trampas es jugar sucio. ☐
f) Esperar turno para jugar es esperar a que te toque tirar. ☐
g) Nos tiramos por los columpios. ☐
h) Perder es un buen resultado en el juego. ☐

¡OBSERVE!

Los verbos que se corresponden con los juegos:

De escondite, **esconderse.**

De entretenimiento, **entretenerse.**

De columpio, **columpiarse.**

8 Relacione ambas columnas teniendo en cuenta las expresiones sinónimas.

a) Seguir las reglas del juego.
b) Entender las reglas del juego.
c) Saltarse las reglas del juego.

1. Saber jugar.
2. Jugar sucio.
3. No hacer trampas.

9 Ordene estas palabras relacionadas con los juegos.

1. CPASRÍH ....
2. BALO ....
3. DORAGNA ....
4. CIANAC ....
5. ICAHF ....
6. ALEROTÍ ....
7. DREPODER ....
8. ADOD ....
9. SARCAT ....
10. JRUADOG ....
11. BERLATO ....
12. OMBOB ....
13. ERETUS ....
14. ASLICLA ....
15. MIRPEO ....
16. GOTÁBON ....
17. CLUPOMIO ....
18. ZUPLE ....

Ahora encuéntrelas en esta sopa de letras.

C	E	P	A	R	C	H	I	S	E	V	W	O	E	L	Z	U	P
O	R	B	M	O	I	N	N	T	L	B	E	V	N	R	T	X	W
L	T	M	K	D	I	Ñ	R	A	B	O	D	U	G	B	R	C	E
U	Y	J	T	A	R	R	R	B	M	E	T	S	R	R	E	V	R
M	U	I	R	N	E	P	C	L	R	T	F	E	O	T	D	B	T
P	I	L	H	A	R	E	X	E	U	O	G	D	R	Q	F	N	Y
I	N	J	U	G	A	D	O	R	J	U	L	E	A	I	S	M	U
O	H	D	B	S	O	B	M	O	B	Y	U	G	C	Y	A	Ñ	I
H	G	C	V	D	C	A	R	T	A	S	K	H	V	V	H	L	O
Y	V	O	F	G	N	O	D	L	L	L	A	K	B	Z	J	K	P
U	D	I	B	R	D	X	F	M	V	O	T	C	O	R	T	D	H
F	G	M	N	E	A	Q	M	O	P	R	N	A	G	O	B	O	T
V	V	E	D	S	D	W	J	K	A	V	D	N	R	X	E	B	N
G	D	R	J	D	O	E	Y	J	T	G	A	I	G	F	W	Q	F
T	E	P	H	F	R	A	L	L	I	S	A	C	T	T	S	J	Z
P	W	Y	U	G	Y	T	F	V	H	U	E	A	L	O	B	T	S

19 Comienza el campeonato de liga

DEPORTES

¡FÍJESE!

CAMPEONATO / COMPETICIÓN

Certamen en el que se disputa un premio.

INSTALACIONES DEPORTIVAS

Espacios preparados para realizar actividades deportivas.

ESTADIO

Recinto con graderías destinado a competiciones deportivas.

AFICIONADO

Persona a la que le gusta mucho un deporte o un equipo determinado y asiste con frecuencia al estadio.

TRIUNFO

Es el resultado de ganar al equipo contrario o al rival contrario en una competición.

ENTRENARSE / CALENTAR

Prepararse para practicar un deporte.

EMPATE

Obtener el mismo número de puntos en un partido.

SUFRIR / HACERSE UNA LESIÓN / LESIONARSE

Sentir físicamente un daño o dolor.

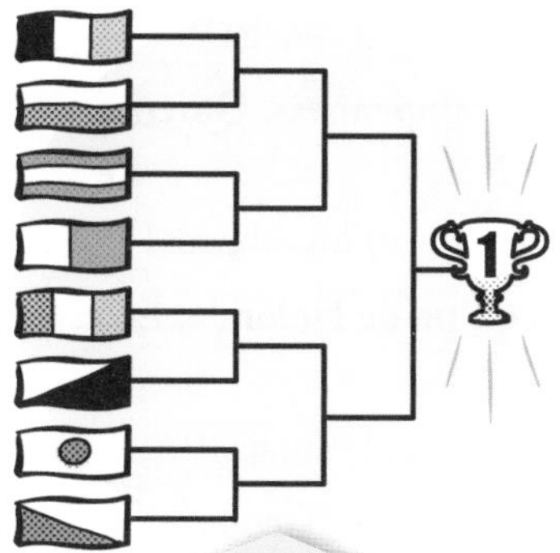

CLASIFICARSE

Conseguir un puesto que permite continuar en una competición o torneo deportivo.

RETIRARSE

Abandonar una competición, un partido o la práctica de un deporte.

JUEGOS OLÍMPICOS

Eventos deportivos multidisciplinarios en los que participan atletas de diversas partes del mundo.

CAMPEÓN

Persona o equipo que gana una competición.

EJERCICIOS

1 Conteste este test deportivo.

1. **«En el campeonato de natación ganó el nadador holandés». *Campeonato* aquí significa:**
   a) liga ☐ b) victoria ☐ c) empate ☐
2. **Las instalaciones deportivas de mi universidad tienen piscina, pista de tenis y un gimnasio. Este conjunto es un:**
   a) hipódromo ☐ b) polideportivo ☐ c) empate ☐
3. **«El estadio estaba lleno de aficionados apoyando a su equipo». *Estadio* significa:**
   a) teatro ☐ b) instalación deportiva ☐ c) cancha ☐
4. **Los aficionados animaron a su equipo con los gritos de «campeones». Quienes animaron eran:**
   a) los deportistas ☐ b) los fans ☐ c) los árbitros ☐
5. **El triunfo del equipo de España supuso la derrota del equipo de Holanda. En este caso hubo .... de España.**
   a) victoria ☐ b) empate ☐ c) ventaja ☐
6. **Nicole entrena en el equipo de baloncesto de su colegio. Es decir, Nicole:**
   a) se ejercita ☐ b) es aficionada ☐ c) estudia ☐
7. **Si el partido terminó con un empate a 22 puntos significa que el resultado es de:**
   a) diferencia ☐ b) igualdad ☐ c) victoria ☐
8. **El futbolista sufrió una lesión en el tobillo a causa de una patada, y ahora tiene:**
   a) un arañazo ☐ b) un dolor fuerte ☐ c) una herida ☐
9. **El corredor del equipo del colegio se clasificó para la final. Ha conseguido:**
   a) eliminarse ☐ b) ganar ☐ c) colocarse ☐
10. **Agassi se retiró del tenis de competición cuando cumplió 40 años. Decidió:**
    a) marcharse ☐ b) acercarse ☐ c) volver ☐
11. **Rafael Nadal fue campeón del torneo Roland Garros en 2008 al vencer a Roger Federer. Se proclamó:**
    a) ganador ☐ b) defensor ☐ c) líder ☐
12. **Los Juegos Olímpicos de 2008 se celebraron en la ciudad de Pekín. También son conocidos como:**
    a) maratón olímpico ☐ b) torneo ☐ c) olimpiadas ☐

PALABRAS EN CONTEXTO

2 Complete el texto con las palabras adecuadas en la forma correcta.

[estadio / partido (2 veces) / entrenador / título / temporada / futbolista (2 veces) / lesión / aficionado (2 veces) / instalación deportiva / retirarse / encuentro / rival / equipo / fichar / triunfo / gol / traspaso / balón / trofeo / entrenar / debutar / juego / deportista]

EL NOTICIERO

Cristiano Ronaldo: una carrera de triunfos

Esta joven revelación portuguesa del fútbol mostró una gran habilidad con el .... desde muy pequeño cuando .... en las modestas .... del club de su barrio. A los diez años, su excelente nivel de .... no pasó desapercibido para el entrenador del Sporting Lisboa, uno de los equipos más importantes de Portugal. En este club fue donde empezó el verdadero desafío y donde creció como .... y persona. Con tan solo 17 años de edad .... en un .... de la Superliga Portuguesa, causando tal impresión entre los .... y la prensa que pasó a formar parte del grupo de habituales de la plantilla que se proclamó campeona en la .... 2001-2002. Este campeonato sería el primer éxito de una intensa carrera de ....

Otro .... muy importante para él fue el amistoso que jugó su .... contra el Manchester United en el año 2003. En este ...., Cristiano Ronaldo sorprendió por su calidad de juego tanto a los propios jugadores .... como a su ...., Alex Ferguson, que consiguió convencer al Manchester United para que lo .... ese mismo verano tras pagar más de dieciocho millones de euros.

Después de largas negociaciones, a mediados de 2009 fue traspasado al Real Madrid por 94 millones de euros, convirtiéndose en el .... más caro en la historia del fútbol. Entre los campeonatos conquistados en los diferentes países que había jugado, los .... internacionales y las distinciones a nivel personal, Cristiano Ronaldo llegaba con un total de 24 .... y veía cumplido su sueño de jugar en el Real Madrid. La ceremonia de presentación se celebró en el .... Santiago Bernabéu ante más de ochenta mil ....

Actualmente, es considerado uno de los mejores .... del mundo y uno de los deportistas más mediáticos. A pesar de haber sufrido varias .... en el tobillo, Ronaldo afirma que aún le queda una larga carrera deportiva y que de momento no piensa en ...., sino en seguir anotando ....

■ **Ahora escuche y corrija sus respuestas.**

(2: 26)

3 Escoja la palabra que no es un sinónimo.

1. certamen – campeonato – competición.
2. estadio – recinto deportivo – gran superficie – instalación deportiva.
3. triunfo – victoria – éxito – fracaso.
4. lesión – herida – golpe – enfermedad.
5. clasificarse – situarse – vencer – colocarse.
6. aficionado – enemigo – hincha – seguidor.
7. tanto – cantidad – punto – gol.

4 Lea el siguiente texto e inserte las «frases perdidas» donde corresponda.

LOS JUEGOS OLÍMPICOS son uno de los más importantes eventos del planeta, que moviliza poblaciones de centenas de países y (1) .... Cada cuatro años, una ciudad del mundo tiene el privilegio de ser sede de esta fiesta. Los XXXI Juegos Olímpicos (2) .... en la ciudad de Río de Janeiro, Brasil. Siete ciudades presentaron oficialmente ante el Comité Olímpico Internacional sus deseos de albergar este evento deportivo, pero, (3) .... la lista fue reducida a cuatro ciudades: Chicago, Río de Janeiro, Madrid y Tokio. De estas, (4) ....

a) (...) *la ciudad brasileña de Río de Janeiro fue elegida la ciudad candidata.*

b) (...) *serán un evento multideportivo que se celebrará entre el 5 y el 21 de agosto de 2016*

c) (...) *emociona a todos con victorias, récords e historias de superación.*

d) (...) *tras una primera etapa de evaluación,*

5 **Relacione cada epígrafe con la explicación apropiada para saber por qué. ¡Cuidado! En cada explicación hay alguna palabra desordenada.**

RÍO DE JANEIRO, SEDE DE LOS JUEGOS OLÍMPICOS (2016)	
1. Espíritu, deporte y un legado poderoso para el recuerdo.	a) En el Parque Radical, en Deodoro –el área de Río con la población más joven y, también, con escasez de **iproitvpdosleo** (........................).
2. Instalaciones existentes de nivel internacional y nuevas inversiones para el evento.	b) Una combinación de tecnología de primera y actividades interactivas, los **soJuge** (........................) se podrán ver en vivo en cualquier lugar del mundo.
3. Uniendo juventud y deporte en las áreas más desfavorecidas.	c) Más de la mitad de las **ciioalsntsnae** (........................) para los Juegos Olímpicos ya están construidas.
4. Una experiencia extraordinaria de Villa Olímpica para atletas y oficiales.	d) Cada **ataelt** (........................) y miembros de la familia olímpica recordarán este evento excepcional.
5. Una verdadera celebración global.	e) La familia olímpica disfrutará de alojamientos de la más alta calidad en Río a distancias mínimas de los lugares de **mnipctiecóo** (...............) y entrenamiento.

Adaptado de HYPERLINK "http://www.rio2016.org" http://www.rio2016.org.

6 **Asocie un verbo de la columna A con un sustantivo de la columna B.**

A

1. Ganar
2. Clasificarse
3. Acertar
4. Quedar
5. Ser
6. Hacerse
7. Sufrir
8. Conseguir

B

a) Un equipo
b) Campeón
c) Un resultado
d) Aficionado
e) Socio (de un club)
f) Una lesión
g) Una medalla
h) Un partido

7 Asocie a estos verbos los términos y expresiones adecuados.

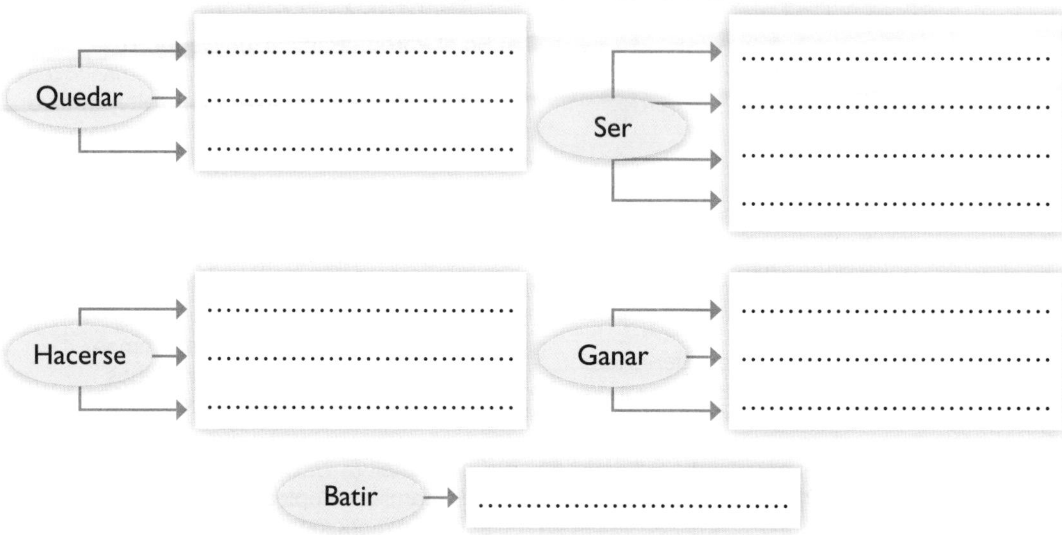

8 Complete con la palabra adecuada.

[deportistas / seguidores / instalaciones deportivas / batir / atletas / final / victoria / lesión / Juegos Olímpicos]

1. Muchos atletas internacionales entrenan sin descanso para clasificarse y poder competir en los ....
2. La .... del equipo de Brasil fue aplaudida por todos los ....
3. La .... de tenis habría sido emocionante si uno de los jugadores no se hubiera retirado por una .... en la rodilla.
4. Solo los mejores .... pueden .... el récord de los cien metros lisos en menos de 10 segundos.
5. Las .... del Real Madrid van a ser trasladadas fuera del centro de la ciudad para modernizarlas y que cuenten con más servicios para los ....

9 Subraye en cada oración la palabra o expresión adecuada.

1. Si el equipo mexicano encesta otra vez, el partido acabará en **empate / campeonato.**
2. El equipo que gane la **liga / victoria** recibirá un trofeo.
3. El campeonato se celebrará en unas **instalaciones / olimpiadas** muy modernas.
4. El primer corredor en llegar a la meta recibirá una medalla de **oro / plata,** el segundo, una de **cobre / plata** y el tercero, una de **bronce / plata.**
5. Si no se entrena lo suficiente antes de competir, hay riesgo de sufrir una **lesión / victoria.** Por eso, se aconseja **calentar / beber** antes de iniciar una actividad deportiva.
6. Si **aciertas / fallas** mucho en la fase clasificatoria para una gran competición, seguro que te **eliminan / contratan.**
7. La selección nacional de un país se forma con los mejores jugadores de ese país, sin tener en cuenta en qué **competición / equipo** juegan normalmente.
8. **Conseguir / perder** un buen puesto en el medallero es motivo de satisfacción.

10 Lea la siguiente entrevista y complete con las palabras que faltan.

D'ESPORT

Hazañas deportivas: Todos los maratones de España en un año.

UN MULTIDEPORTISTA de Vizcaya celebró su 50 aniversario en 2005 corriendo todos los maratones de España. El año pasado, José Pedro .... los 24 .... que se celebran en España más el de Marrakech, para probarse antes de iniciar su intenso calendario deportivo. Y en todos, exceptuando el maratón de Valencia, en el que se encontraba ...., hizo menos de tres horas. A ritmo tranquilo, según él, que tiene su mejor .... en maratón con 2 h 28 min.

PREGUNTA: ¿Tenía en mente **batir** alguna **marca?**

RESPUESTA: No, a mi edad las marcas ya no se pueden .... Tienes que crearte otras .... para motivarte. Desde el principio tenía claro que quería .... los 25 maratones, pero sabía que iba a ser muy difícil que durante un año entero me respetasen las ...., pues el entrenamiento es duro y los músculos sufren mucho.

P: ¿Cuál fue el momento más difícil?

R: Sin duda, el maratón de Valencia. En la carrera anterior me había lesionado y no había podido .... en 20 días. Según se acercaba la fecha, pensé que no lo iba a .... Al final, fui muy tocado y fue un calvario, pensé que no iba a poder terminar. Fue el único maratón en el que hice más de tres horas.

P: ¿Qué ha sido más duro: física o mentalmente?

R: Mentalmente. Yo soy un desastre: no tengo ...., por tanto, no sigo un plan de entrenamiento. Y este proyecto requería mucha concentración, lo que no me resultaba sencillo. Un gran .... mental.

P: ¿Repetirías?

R: Sí, ha sido una .... muy positiva.

P: ¿Qué otros deportes practicas?

R: Yo empecé a correr tarde, a los 32 años. Antes, era ....Ahora, sigo haciendo largas rutas y expediciones en bici durante los veranos... En realidad, me gusta .... casi todos los deportes.

Sport Life en HYPERLINK "http://www.pulevasalud.com"http://www.pulevasalud.com (texto adaptado).

(2: 27)

■ **Ahora escuche la entrevista y corrija sus respuestas.**

11 Asocie cada icono con el deporte correspondiente.

1 2 3 4

5 6 7 8

9 10 11 12

13 14 15 16

gimnasia carrera baloncesto ciclismo

judo salto de vallas tiro con arco natación

esquí salto de altura balonmano voleibol

esgrima fútbol piragüismo lanzamiento de peso

20 *Alma de artista*

ARTES PLÁSTICAS

¡FÍJESE!

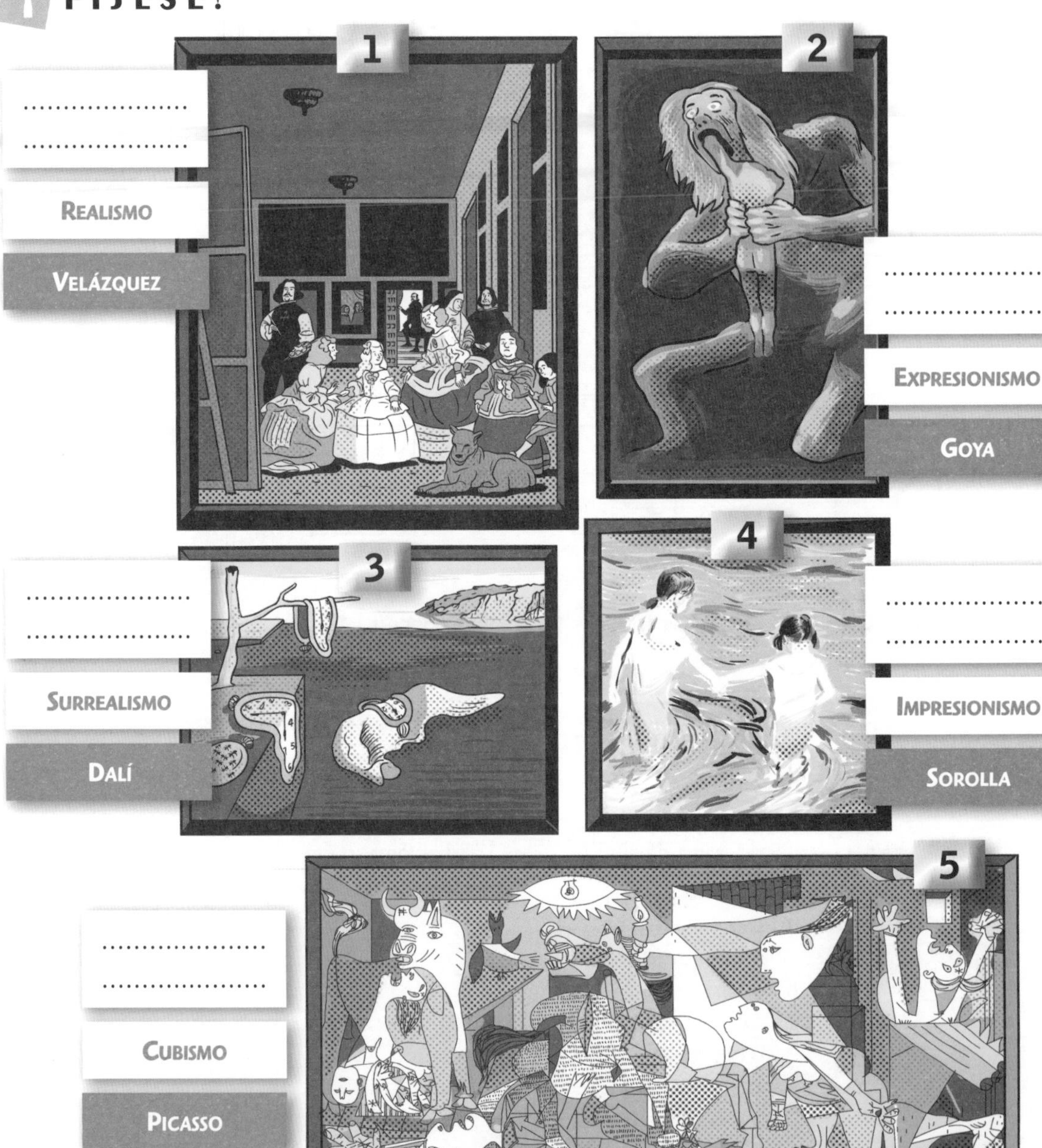

■ **¿De qué sustantivo procede el nombre de estos movimientos artísticos? Asigne uno de estos títulos a cada cuadro: *El Guernica, Niñas en el mar, La persistencia de la memoria, Las meninas, Saturno devorando a sus hijos.***

EJERCICIOS

PALABRAS EN CONTEXTO

(2: 28)

1 **Escuche el siguiente texto sobre el expresionismo y preste atención a las palabras marcadas en negrita.**

CULTURA

EL EXPRESIONISMO fue un **movimiento artístico** surgido en Alemania a principios del siglo XX, que tuvo su plasmación tanto en las **artes plásticas (arquitectura, escultura y pintura)** como en la literatura, música, cine, teatro, danza, fotografía, etcétera. Recibió su nombre en 1911 con ocasión de una **muestra** de arte en Berlín donde se **exhibieron obras** de **creadores** como Braque, Dufy y Picasso, siendo muy bien acogidas por los **críticos** de arte. Su primera manifestación fue en el terreno **pictórico,** y fue uno de los primeros exponentes de las llamadas **«vanguardias** históricas» del arte **contemporáneo.** Más que un **estilo** con características propias comunes fue un movimiento **heterogéneo,** una actitud y una forma de entender el arte que aglutinó a diversos **artistas** de **tendencias** muy diversas y diferente formación y nivel intelectual.

Surgido como reacción al impresionismo, los **expresionistas** defendían un arte más personal e intuitivo, donde predominase la visión interior del artista. Si los **impresionistas** plasmaban en el lienzo una «impresión» del mundo circundante, un simple reflejo de los sentidos, los expresionistas pretendían reflejar su mundo interior, una «expresión» de sus propios sentimientos. Así, la **estética** expresionista empleó la **línea** y el **color** de un modo temperamental y emotivo, con un fuerte contenido simbólico. El expresionismo no busca plasmar la belleza ni la **armonía** de la realidad, sino que la deforma para expresar de forma subjetiva la naturaleza y el ser humano, dando primacía a la expresión de los sentimientos más que a la descripción objetiva de la realidad. Con su **colorido** violento y su **temática** de soledad y de miseria, el expresionismo reflejó la angustia existencial que invadió los círculos artísticos e intelectuales de la Alemania prebélica, así como de la Primera Guerra Mundial (1914-1918) y del período de entre guerras (1918-1939).

Lea el texto e indique si estos enunciados son verdaderos (V) o falsos (F).

	V	F
1. El expresionismo fue el último movimiento de las vanguardias europeas.	☐	☐
2. El expresionismo es más que un estilo artístico.	☐	☐
3. El impresionismo se contrapone al expresionismo en el uso del color.	☐	☐
4. El expresionismo es reflejo de la crisis vital de la Alemania de principios del siglo XX.	☐	☐
5. Los temas del expresionismo tratan de la crítica social.	☐	☐

2 Busque en el texto anterior los sinónimos de estos términos.

1.	actual	
2.	arte	
3.	artistas	
4.	avance	
5.	comentarista	
6.	diverso	
7.	equilibrio	

8.	exposición	
9.	manera	
10.	materia	
11.	movimiento	
12.	pinturas	
13.	tonalidad	
14.	visuales	

3 Según el texto sobre el expresionismo transforme en verdaderas las siguientes afirmaciones.

1. La literatura, la música y el cine son las artes plásticas.

   ....

2. El expresionismo fue un movimiento muy homogéneo.

   ....

3. La primera manifestación expresionista se produjo en la escultura.

   ....

4. El impresionismo surge como reacción al expresionismo.

   ....

5. El expresionismo busca la armonía basándose en la realidad.

   ....

6. Los cuadros expresionistas tienen un fuerte contenido histórico.

   ....

7. La felicidad es el motor de la estética expresionista.

   ....

4 Encuentre los adjetivos correspondientes a estas actividades y términos artísticos.

Ejemplo: *arte* → *artístico*

a) escultura: ....
b) pintura: ....
c) arquitectura: ....
d) fotografía: ....
e) música: ....
f) teatro: ....
g) literatura: ....
h) cubismo: ....
i) vanguardia: ....
j) símbolo: ....
k) realismo: ....
l) surrealismo: ....

■ **¿Sabría formar los derivados verbales de estos términos?**

escultura / pintura / fotografía / teatro / impresionismo / símbolo

5 Asigne los siguientes términos a la pintura o a la escultura.

[trazo / mármol / línea / perspectiva / volumen / claroscuro / barro / pincelada / paleta / cincel / pincel / tallar / lienzo / bronce / esculpir / colorido / al óleo / estatua / a la acuarela / moldear]

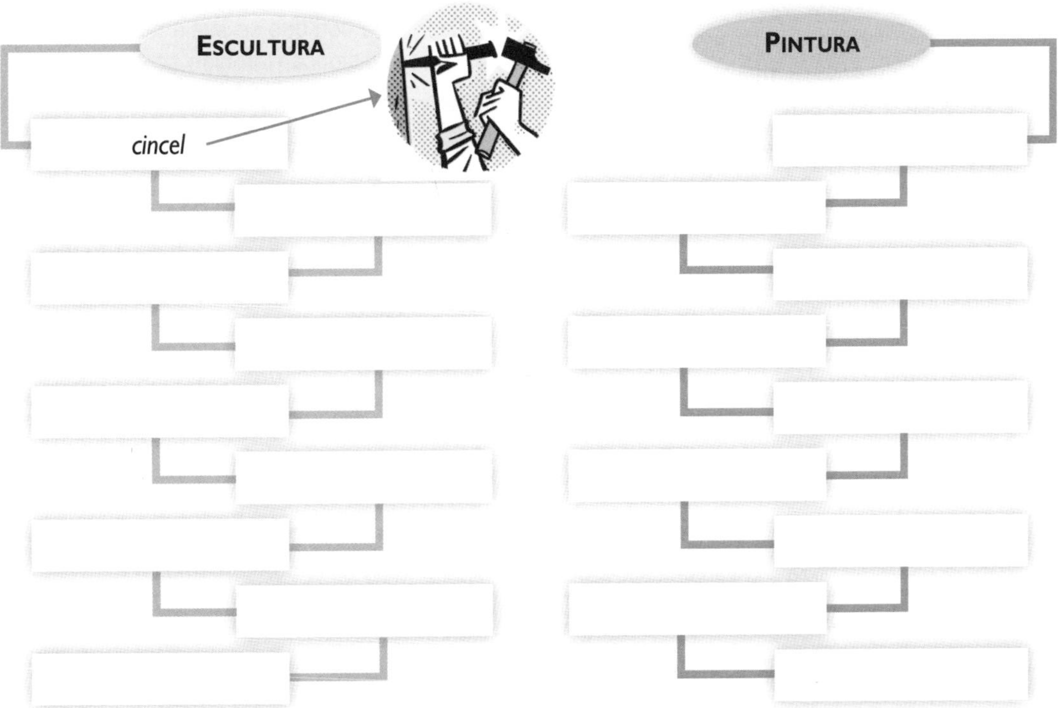

6 Escriba el término correspondiente junto a su definición.

tallar / perspectiva / cincel / claroscuro / paleta / bodegón / óleo / esculpir / acuarela / moldear

1. Juego de luces y sombras en un cuadro.
   ....
2. Herramienta de 20 a 30 cm de largo, que sirve para tallar con un martillo piedras y metales.
   ....
3. Dar forma a una materia echándola en un molde.
   ....
4. Naturaleza muerta. Composición pictórica que tiene como tema principal frutas, verdura, caza, pesca y objetos domésticos diversos.
   ....
5. Sistema de representación que intenta reproducir en una superficie plana la profundidad del espacio.
   ....
6. Trabajar a mano una obra de escultura, especialmente en piedra, madera o metal.
   ....
7. Dar forma o trabajar un material sólido.
   ....
8. Tabla pequeña con un agujero sobre la que el pintor tiene ordenados los colores.
   ....
9. Pintura con que se suele realizar una obra pictórica. También se denomina así a la obra pictórica realizada con dicha pintura.
   ....
10. Pintura sobre papel o cartón con colores al agua.
    ....

7 Encuentre el intruso.

1. lienzo – pincel – color – mármol.
2. perspectiva – línea – volumen – pincelada.
3. arquitectura – fotografía – escultura – pintura.
4. muestra – exposición – exhibición – museo.
5. expresionismo – impresionismo – existencialismo – cubismo.
6. cuadro – paisaje – retrato – bodegón.
7. románico – gótico – barroco – estilo.

8 **El sufijo *-ismo* forma sustantivos que designan doctrinas, sistemas, escuelas o movimientos, por ejemplo, *socialismo, platonismo, impresionismo.* Forme el nombre de movimientos artísticos a partir de los sustantivos del cuadro y asígneles su definición.**

	MOVIMIENTO	DEFINICIÓN
impresión		
expresión		
cubo		
real		
romántico		
surreal		
moderno		
futuro		

Definiciones

1. Movimiento artístico que impulsa la imaginación y el sentimiento, rompiendo con las reglas de composición. Su temática busca la evasión, así como los lugares lejanos y exóticos de épocas pasadas.
2. Tendencia estética que propugna la intensidad de la expresión sincera aun a costa del equilibrio formal.
3. Corriente estética que se caracteriza por la intención de crear un arte nuevo llevando a cabo una ruptura con los estilos dominantes de la época.
4. Sistema estético que asigna como fin a las obras artísticas la imitación fiel de la vida cotidiana a pesar de su crudeza.
5. Tendencia estética que impulsa lo imaginario, lo onírico y lo irracional.
6. Corriente pictórica del siglo XIX que representa su objeto según la impresión que la luz produce a la vista.
7. Vanguardia que buscaba reflejar el movimiento, el dinamismo, la velocidad, las máquinas, todo lo que fuese moderno, rompiendo con el pasado y el academicismo.
8. Escuela que se caracteriza por la imitación, empleo o predominio de formas geométricas, como triángulos, rectángulos, etcétera.

9 **Complete las siguientes características pictóricas con las palabras de la paleta. Después indique qué características aplicaría a cada cuadro.**

1. Figura y .... violento.
2. Uso de las .... buscando transmitir el ritmo de los ....
3. Tratamiento .... de la visión de la naturaleza.
4. Planos y ángulos de influencia ....
5. Uso de colores .... y .... con la intención de alimentar sus obras de una desmedida fuerza psicológica y ....
6. Gran importancia de la .... que cae sobre los objetos.
7. Representación de paisajes y .... muertas.
8. .... distorsionadas.
9. Rostros .... y tristes.
10. Obra emblemática del ....
11. Afinan el .... mediante .... lumínicos.

El grito, Munch (1893)

....

Paisaje montañoso detrás del hospital de Saint Paul, Van Gogh (1889)

....

(2: 29)

■ **Ahora escuche y compruebe.**

10 Complete las analogías.

1. Pintura es a .... como .... es a arquitectónica.
2. Impresión es a .... como .... a expresionismo.
3. .... es a pintura como mármol es a ....
4. .... es a novela como pintor a ....
5. Pinacoteca es a .... como biblioteca a ....
6. .... es a cubismo como Dalí a ....
7. Inspiración es a .... como técnica es a ciencia.
8. Vanguardia es a siglo .... como .... es a siglo XIX.

11 Escuche y complete el texto.

30)

El Museo del Prado

El (1) .... Nacional del Prado, en Madrid, es una de las (2) .... más importantes del mundo, así como una de las más visitadas.

Es un museo muy rico en cuadros de (3) .... europeos de los siglos XVI al XIX: Tiziano, Rubens y El Bosco. Pero su principal atractivo lo constituye la amplia presencia de los (4) .... de la pintura española (5) ....: Velázquez, El Greco, Goya (el artista más extensamente representado en la (6) ....). De todos estos pintores, el Museo del Prado posee las mejores y más extensas (7) .... que existen a nivel mundial, a lo que hay que sumar destacados conjuntos de (8) .... tan importantes como Murillo, Ribera, Zurbarán, Rafael, Veronese, Tintoretto o Van Dyck, por citar solo los más relevantes.

En julio de 2011, la (9) .... permanente contaba con unas trescientas obras. Además de las (10) ...., el Prado posee alrededor de novecientas cincuenta (11) ...., 6.400 dibujos, 2.400 grabados, 800 objetos de artes decorativas, 900 monedas y 800 medallas.

Al igual que otros grandes museos europeos, como el Louvre de París y los Uffizi de Florencia, el Prado debe su origen a la afición (12) .... y los gustos de los reyes españoles a lo largo de los siglos, por lo que es una colección heterogénea, insuperable en determinados artistas y (13) ...., y limitada en otros.

En el Prado se exponen (14) .... que han determinado la historia de la pintura; algunos ejemplos serían:

- *Las meninas*, de (15) ....
- *Los fusilamientos del 3 de mayo*, de (16) ....
- *El caballero de la mano en el pecho*, de El Greco.
- *Las tres gracias*, de Rubens.

El Prado no es un museo enciclopédico al estilo del Louvre, el Hermitage de San Petersburgo, la National Gallery de Londres, o el vecino Museo Thyssen-Bornemisza, que tienen obras de prácticamente todas las (17) .... y épocas. Por el contrario, la colección de El Prado es intensa y distinguida, donde muchas (18) .... fueron creadas por encargo. El núcleo procedente de la Colección Real se ha ido completando con aportaciones posteriores. Muchos expertos la consideran una colección «de pintores admirados por pintores», enseñanza inagotable para nuevas generaciones de (19) ...., desde Manet, Renoir y Toulouse-Lautrec, que visitaron el museo en el siglo XIX, hasta (20) ...., Matisse, Dalí y Francis Bacon.

Los amantes del arte necesitarán dedicar al menos una mañana para recorrer todas las (21) .... y poder parar ante las obras más valiosas.

Junto con el Museo Thyssen-Bornemisza y el Museo Reina Sofía, el Museo Nacional del Prado forma el Triángulo del Arte, meca de numerosos turistas de todo el mundo.

12 Complete las siguientes afirmaciones con estas palabras.

[modernos / *prosaico* / desarrollar / limitación / representativa / abstractos / original / inspiración / armonía]

1. El arte clásico busca la .... de la naturaleza y el arte contemporáneo busca ser ....
2. *El grito* es la obra más .... del expresionismo.
3. El arte busca escapar de lo *prosaico.*
4. Las musas simbolizan la .... de los artistas.

5. En las pinturas negras de Goya ya se empieza a .... el expresionismo.

6. Los cuadros del Picasso cubista son .... y ....

7. En una pintura realista es importante conseguir la .... de los colores y las líneas.

13 **A continuación figuran una serie de expresiones construidas sobre términos pictóricos. Relacione cada frase hecha con su posible significado.**

FRASES HECHAS	SIGNIFICADO
1. Pintor de brocha gorda	a) Persona que está dotada de unas habilidades o inteligencia extraordinarias para alguna materia.
2. Ser el vivo retrato	b) Se dice de quien no aporta nada en un lugar o en una determinada situación.
3. Pintar la mona	c) Pintor artístico que es considerado malo.
4. Ser un genio	d) Tenerle mucha manía a alguien.
5. No pintar nada	e) No desaprovechar una buena oportunidad cuando nos llega para hacer o conseguir algo.
6. No querer ver a alguien ni en pintura	f) Ser inútil o estar de más en un lugar.
7. La ocasión la pintan calva.	g) Parecerse mucho una persona a otra.

14 **Complete estas oraciones con alguna de las frases hechas del ejercicio anterior.**

1. A mí me ofrecen ese trabajo en la otra punta del mundo y es que ni me lo pienso. Ya sabes, ...

2. Da cuatro pinceladas según le apetece y ya se cree un Picasso, cuando no es más que ....

3. Cómo no los iba a confundir si la nieta .... del abuelo.

4. Pues no pienso aparecer por el banquete y menos si está mi suegra, es que ....

5. Venga, niños, id a jugar fuera, que en las conversaciones de los mayores ....

21 ¡Arriba el telón!

LITERATURA Y TEATRO

¡FÍJESE!

■ ¿Qué cree que significa *donjuán*? ¿Cómo será el plural?

EJERCICIOS

PALABRAS EN CONTEXTO

(2: 31)

1 Escuche este texto sobre *Don Juan Tenorio.*

Don Juan Tenorio es un **drama romántico** escrito en **verso.** Su autor es José Zorrilla y fue **publicado** en 1844. Constituye una de las dos principales materializaciones **literarias** en lengua española del mito de Don Juan. La **obra** está estructurada en dos **partes.** La Primera Parte se divide en cuatro actos y transcurre en una sola noche. La Segunda Parte se divide en tres **actos** y **transcurre** también en una sola noche, pero 5 años después de los **sucesos** de la primera parte. El **final** es **trágico** por la muerte de los dos **protagonistas,** un caballero y una monja enamorados. Muchos **críticos** consideran que la primera parte es una **comedia** y la segunda, un **drama** religioso.

Es tradición que esta obra se **represente** la noche de Todos los Santos, el 31 de octubre.

El precedente en la literatura española del **personaje** de Don Juan es el protagonista de *El burlador de Sevilla* o *convidado de piedra,* de Tirso de Molina (1630). En el arte universal, este mito del conquistador de mujeres también es tratado por Mozart en su ópera *Don Giovanni,* además de por Molière o Byron, entre otros muchos, tanto en la literatura como en la música y el cine.

■ **Lea el texto y marque la opción correcta.**

1. *Don Juan Tenorio* es...

   a) la obra principal que trata el mito de Don Juan ☐ b) la única obra que trata el tema de Don Juan ☐ c) una de las obras sobre el tema de Don Juan ☐

2. *Don Juan Tenorio* tiene...

   a) dos sucesos ☐ b) cinco años ☐ c) siete actos ☐

3. El final de *Don Juan Tenorio* es trágico porque...

   a) hay dos fallecimientos ☐ b) es un drama religioso ☐ c) es romántico ☐

4. El género teatral de la obra de Zorrilla es...

   a) una comedia en verso ☐ b) una tragedia ☐ c) un drama ☐

5. La segunda parte de *Don Juan Tenorio*...

   a) transcurre la noche siguiente de la primera parte ☐ b) sucede algunos años después de la primera parte ☐ c) es simultánea de la primera parte ☐

6. El personaje de *Don Juan Tenorio*...

   a) es el protagonista masculino de la obra ☐ b) es un mito hispano ☐ c) es cómico ☐

2 Complete estas informaciones sobre el teatro con las palabras del cuadro.

[dramaturgo / en escena / monólogo / prosa / géneros literarios / comedia / papeles / diálogo / secundario / escenas / arte escénica / estreno / tragedia / protagonista / actos]

1. Los tres principales .... son la narrativa, el teatro y la poesía.
2. El teatro es un tipo de .... junto a la ópera, la danza o el cabaré.
3. El escritor que compone obras de teatro se llama .... o autor teatral.
4. El teatro puede escribirse en .... o en verso, pero siempre en forma de ....
5. Cuando un personaje habla consigo mismo o piensa en voz alta pronuncia un ....
6. Los tipos principales de obras de teatro son la ...., el drama, la .... y la tragicomedia.
7. Una obra de teatro puede dividirse en partes, además de en .... A su vez, los actos se dividen en ....
8. La primera función de una obra teatral se llama ....
9. Los actores pueden interpretar .... El de .... o el de ....
10. Cuando una obra de teatro escrita se representa en el edificio de un teatro, decimos que se pone .... o se escenifica.

(2: 32)

Escuche y compruebe.

3 Encuentre en esta sopa de letras siete términos relacionados con el teatro.

A	Q	W	E	R	T	Y	U	I	O	P	A	O	D	A	S	D	F	G	H
E	S	C	E	N	A	R	I	O	H	J	K	L	E	Ñ	M	N	V	B	C
Z	X	C	V	B	N	S	M	Q	W	E	R	T	C	R	Y	K	E	L	Z
Q	D	T	R	I	K	R	I	S	F	E	T	T	O	U	E	C	S	N	M
X	S	W	V	B	N	O	L	E	T	S	D	F	R	G	J	H	T	K	Z
R	C	S	F	K	M	D	T	Q	N	O	I	C	A	N	I	M	U	L	I
U	E	I	R	E	U	A	H	W	A	T	S	D	D	F	G	H	A	J	K
A	E	V	Q	G	O	T	T	E	S	D	O	J	O	S	Q	W	R	M	N
Z	S	S	D	P	M	C	R	R	Q	W	E	R	T	Y	U	I	I	O	P
W	X	V	I	B	N	E	E	T	M	N	B	V	C	X	Z	Ñ	O	L	K
E	Z	Q	P	Q	Y	P	Q	Y	U	I	O	P	A	S	S	D	F	G	H
P	M	I	N	R	T	S	W	U	G	F	D	S	A	Q	W	E	R	T	Y
A	X	C	V	F	B	E	S	I	H	J	K	L	A	Z	X	C	V	B	N

4 Asigne un término a cada definición.

1 acto 2 capítulo 3 comedia 4 drama 5 escena 6 estrofa

7 temporada teatral 8 tragedia 9 tragicomedia 10 verso

a) Palabra o conjunto de palabras sujetas a medida y ritmo, o solo a ritmo. ☐

b) División que se hace en los libros y novelas, y en cualquier otro escrito para el mejor orden y comprensión de la materia tratada. ☐

c) Meses durante los cuales los teatros funcionan y ofrecen nuevos espectáculos. ☐

d) Pieza teatral en cuya acción suelen predominar los aspectos placenteros, festivos o humorísticos, con desenlace casi siempre feliz. ☐

e) Cada una de las partes, compuestas del mismo número de versos y ordenadas de modo igual, de que constan algunas composiciones poéticas. ☐

f) Obra de teatro que desarrolla temas que tratan del sufrimiento, la muerte y las peripecias dolorosas de la vida humana, con un final desgraciado y que mueve a la compasión o al espanto. ☐

g) Cada una de las partes principales en que se pueden dividir las obras escénicas. ☐

h) Obra de teatro o de cine en que prevalecen acciones y situaciones tensas y pasiones conflictivas. ☐

i) Cada una de las partes en que se divide el acto de la obra dramática, y en que están presentes unos mismos personajes. ☐

j) Obra dramática con rasgos de comedia y de tragedia. ☐

5 Escuche y complete el texto.

33)

CARMEN LAFORET fue (1) .... en 1944 con el (2) .... literario Nadal por su novela (3) .... *Nada*. Esta novela tuvo un gran éxito de crítica y entre los (4) .... y logró que el trabajo de una mujer se reconociera dentro de la literatura (5) .... española. Carmen Laforet se adelantó a su tiempo con una (6) .... intimista y fotográfica en la que con un (7) .... sencillo y sobrio nos (8) .... perfectamente la sociedad de la (9) .... y la lenta desaparición de la pequeña burguesía tras la Guerra Civil.

La (10) .... transcurre en Barcelona y la novela llega a crear una atmósfera tan asfixiante, que consigue traspasar el papel y llegar al lector. Con esta novela, Carmen Laforet ha sido relacionada con la (11) .... literaria, surgida en la posguerra, llamada existencialismo.

Nada es una novela fundamental para comprender la literatura de la segunda mitad del siglo XX, se ha (12) .... muchas veces y ha sido vendida en sucesivas (13) ....

6 Lea los enunciados y marque la opción correcta en cada caso.

1. El argumento de *Nada* trata sobre ...

   a) una trama ☐ b) el existencialismo ☐ c) la sociedad española de la posguerra ☐

2. *Nada* fue un éxito porque ...

   a) consigue llegar al lector ☐ b) se ha reimpreso muchas veces ☐ c) es fundamental para comprender la literatura del siglo XX ☐

3. El estilo de Carmen Laforet es ...

   a) artístico ☐ b) elegante ☐ c) realista ☐

4. *Nada* obtuvo el galardón llamado...

   a) Premio Nobel ☐ b) premio literario ☐ c) Premio Nadal ☐

5. La novela de Carmen Laforet pertenece a la literatura española...

   a) romántica ☐ b) contemporánea ☐ c) clásica ☐

7 Elija dos sinónimos para cada palabra de la tabla.

[creación / penoso / imprimir / trabajo / conceder / desenlace / editar / hecho / estilo / escuela / evento / lenguaje / conclusión / otorgar / argumento / poesía / corriente / dramático / distinción / tema / galardón / poema]

1. Publicar		
2. Galardonar		
3. Premio		
4. Suceso		
5. Movimiento		

6. Trama		
7. Obra		
8. Trágico		
9. Prosa		
10. Verso		
11. Final		

8 Empareje cada palabra con su colocación

1. Final	a) sobrio
2. Drama	b) literario
3. Premio	c) la historia de
4. Galardonar	d) principal
5. Estilo	e) trágico
6. Personaje	f) un poema
7. Éxito	g) romántico
8. Crítica	h) de público
9. Componer	i) con el Premio Cervantes
10. Tratar	j) favorable

9 Asigne las siguientes características al teatro o a la novela.

1. Arte escénica
2. Origen en el siglo XVI y auge en el XIX
3. Género narrativo
4. Formas principales: tragedia, drama, comedia
5. Se dirige al lector
6. Siempre en forma de diálogo
7. Origen en la Antigüedad griega
8. Diversidad de tipos y mezcla entre ellos
9. Para ponerse en escena
10. Se dirige al espectador
11. Para leerse
12. Siempre en prosa

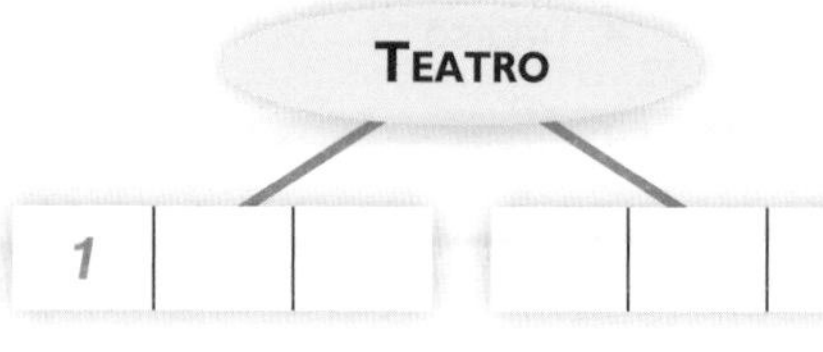

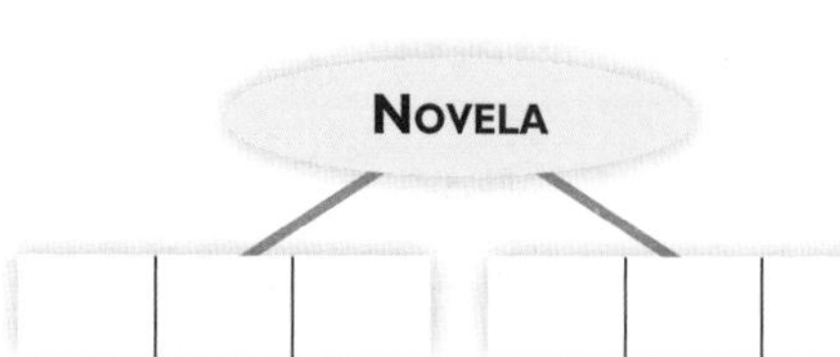

10 Lea estas series y marque el intruso.

1. verso – poema – acto – estrofa.
2. novela – prosa – cuento – drama.
3. biografía – mito – leyenda – cuento.
4. comedia – drama – tragedia – diálogo.
5. traductor – novelista – dramaturgo – poeta.
6. estreno – actuación – interpretación – representación.
7. trama – argumento – crítica – tema.
8. decorado – vestuario – maquillaje – telón.

11 Complete las siguientes tablas.

VERBO	SUSTANTIVO
	narración
describir	
relatar	
	composición
	interpretación
publicar	
imprimir	
editar	

VERBO	SUSTANTIVO
monologar	
	actuación
interpretar	
	escenificación
dialogar	
crear	
	cuento
representar	
rimar	
	recitación

12 Lea el texto y complételo con estas palabras.

[poesía / literatura / asuntos / obra / literario / poemas / arte / poeta / expresión / modernismo / temas / corrientes / ritmo]

RUBÉN DARÍO (1867-1916)

El (1) .... nicaragüense Rubén Darío es la figura más (2) .... del modernismo (3) .... en lengua española. Conectó en fecha muy temprana con las nuevas (4) .... poéticas y con la (5) .... francesa.

La (6) .... de Rubén Darío aglutina perfectamente todas las características del (7) .... En lo formal: el cromatismo, la sonoridad y el (8) .... En los (9) ....: lo exótico, lo mitológico y también su mundo interior arrebatado o desgarrado. Poesía que llama la atención por la versatilidad: frívola e intrascendente, sensual, patriótica, grave y angustiada. Siempre buscó la belleza por medio de la palabra; para él estaba clara la supremacía del (10) .... por encima de todos los intereses humanos.

El primer libro importante fue *Azul* (1888). Significa en su (11) .... el momento de búsqueda, la influencia francesa de Victor Hugo y los parnasianos, el preciosismo.

Prosas profanas (1896) es la culminación del modernismo. Hay que destacar en este libro la sensualidad y el erotismo, y el inicio de los (12) .... sobre motivos españoles.

Cantos de vida y esperanza (1905) es su obra más importante. Aparece una ampliación temática: poemas intimistas, expresión de angustias vitales, la comunicación con los demás, (13) .... políticos. El tono se ha profundizado y, en muchos poemas, se aprecia una mayor sencillez de (14) ....

Otros libros importantes son: *El canto errante* (1907) y *Poema de Otoño y otros poemas* (1910).

(2: 34)

Escuche y compruebe.

13 Lea de nuevo el texto anterior y responda este pequeño test.

1. Busque un sinónimo para *tema* y *libro:* ....
2. ¿Las palabras *poema* y *tema* son masculinas o femeninas?: ....
3. Adjetivo de *literatura* y de *poesía:* ...., ...
4. Características principales de la poesía modernista: ...., ..., ...
5. ¿Con qué otro arte relacionaría el *cromatismo?* ....
6. Los temas representativos que trata la poesía modernista son: ...., ..., ...
7. ¿Qué otro tipo de poemas compuso Rubén Darío? ...., ..., ...
8. ¿Por qué Rubén Darío es un figura importante de la poesía hispanoamericana? ....

(2: 35)

14 Antes de leer, escuche la lectura de estos fragmentos de obras literarias.

Texto 1

«LO FATAL»

Dichoso el árbol que es apenas sensitivo,
y más la piedra dura, porque esta ya no siente,
pues no hay dolor más grande que el dolor de ser vivo,
ni mayor pesadumbre que la vida consciente.

Ser, y no saber nada, y ser sin rumbo cierto,
y el temor de haber sido y un futuro terror...
Y el espanto seguro de estar mañana muerto,
y sufrir por la vida y por la sombra y por

lo que no conocemos y apenas sospechamos,
y la carne que tienta con sus frescos racimos
y la tumba que aguarda con sus fúnebres ramos,
¡y no saber adónde vamos,
ni de dónde venimos...!

Texto 2

ERA LA PRIMERA VEZ que viajaba sola, pero no estaba asustada; por el contrario, me parecía una aventura agradable y excitante aquella profunda libertad en la noche. La sangre, después del viaje largo y cansado, me empezaba a circular en las piernas entumecidas y con una sonrisa de asombro miraba la gran Estación de Francia y los grupos que estaban esperando el expreso y los que llegábamos con tres horas de retraso.

El olor especial, el gran rumor de la gente, las luces siempre tristes, tenían para mí un gran encanto, ya que envolvía todas mis impresiones en la maravilla de haber llegado por fin a una gran ciudad, adorada en mis sueños por desconocida.

Texto 3

DON JUAN
¿Y aquel entierro que pasa?

ESTATUA
Es el tuyo.

DON JUAN
¡Muerto soy!

ESTATUA
El capitán te mató
a la puerta de tu casa.

DON JUAN
Tarde la luz de la fe
penetra en mi corazón,
pues crimen es mi razón,
a su luz tan solo ve.

■ Ahora, lea y responda a este cuestionario.

a) Fragmento novelístico: texto ....
b) Fragmento teatral: texto ....
c) Fragmento poético: texto ....
d) Texto(s) en prosa: ....
e) Texto(s) en verso: ....
f) Texto(s) dialogado (s): ....
g) Número de estrofas del texto poético: ....
h) Autor del texto 1: ....
i) Novela mencionada en esta unidad y a la que pertenece el texto 2: ....
j) Personaje principal del texto 3: ....

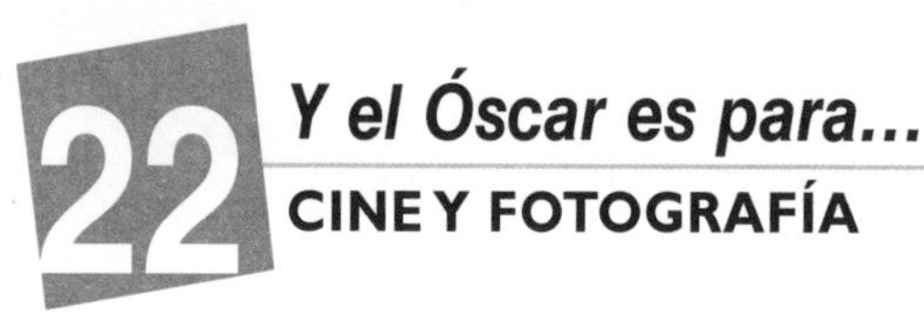

22 Y el Óscar es para...

CINE Y FOTOGRAFÍA

¡FÍJESE!

REALIZACIÓN DE UNA PELÍCULA

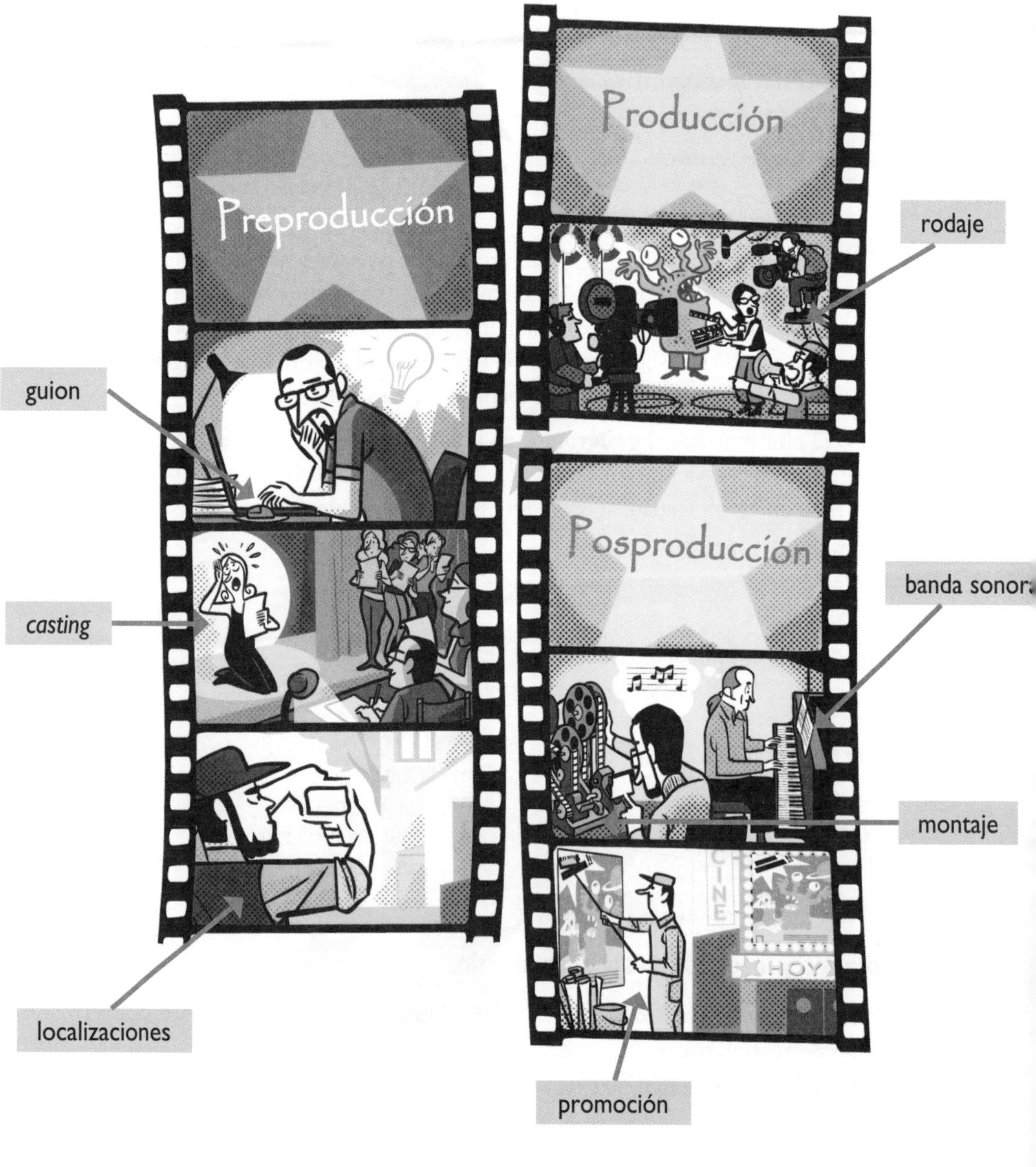

Preproducción
guion
casting
localizaciones
Producción
rodaje
Posproducción
banda sonora
montaje
promoción
CINE
HOY

■ **¿Cómo se llamará el profesional que escribe un guion de cine?**

EJERCICIOS

PALABRAS EN CONTEXTO

(2: 36)

1 Escuche y lea estas explicaciones sobre el proceso de realización de una película. Preste atención a las palabras señaladas en negrita.

1. PREPRODUCCIÓN	2. PRODUCCIÓN	3. POSPRODUCCIÓN
Durante la preproducción se realizan todos los preparativos necesarios antes de comenzar el rodaje en sí de la película. El primer paso es la elaboración de un **guion,** en el que, además del propio **guionista,** puede participar también el **productor** ejecutivo. Es en esta etapa cuando se realiza el ***casting*** o selección de los actores principales y secundarios de la película. Paralelamente, se seleccionan también las **localizaciones** donde **se rodarán** los exteriores, los **decorados,** el **vestuario.** Se contrata el personal técnico que trabajará en la película, como **maquilladores,** peluqueros, técnicos de sonido, de iluminación, músicos, etcétera. Realmente está ya en marcha un numeroso equipo que podremos apreciar en los **créditos** que salen al final de la película.	La producción es la fase en que tiene lugar el rodaje de la película. El rodaje ha de atenerse (aunque no siempre se cumpla) a las fechas establecidas previamente, a fin de aprovechar al máximo el tiempo y el dinero invertidos. Durante este proceso se hace realidad todo lo que estaba sobre el papel en la fase anterior. A diferencia de lo que mucha gente piensa, las **escenas** y las **secuencias** no se ruedan en el mismo orden que tendrán en el metraje final, sino que se organizan en función de diversos factores: disponibilidad de los actores para actuar, el tiempo de alquiler de los estudios de rodaje, el tipo de localizaciones que aparecen, el tiempo atmosférico que acompaña a cada escena, etcétera.	Una vez **grabado** todo el material, se inicia la llamada fase de posproducción, que tiene lugar en en el estudio de montaje. Allí se seleccionan, manipulan y ordenan las escenas y las secuencias más adecuadas de entre todo el metraje disponible, hasta conseguir el **montaje** final que llegue a las pantallas. También es el momento de introducir la **banda sonora** y los **efectos especiales** en las escenas que así lo requieran. Una vez finalizado y unido todo el material, ya se tiene entre manos la película en su versión final, por lo que se inician las actividades enfocadas a su **promoción.** Así, se dará a conocer la obra a través de los **festivales** de cine, a la par que se realiza una promoción publicitaria que la dé a conocer al gran público. Tras ello, tan solo queda distribuir las copias del filme a las **salas de cine** para su **estreno.**

Lea el texto y marque verdadero (V) o falso (F).

	V	F
1. El guionista es el único que crea y controla el guion.	☐	☐
2. El diseño de vestuario y de decorado es una fase del rodaje.	☐	☐
3. El equipo de personas que interviene en una película es muy reducido.	☐	☐
4. Durante el montaje de la película se incorpora la banda sonora.	☐	☐
5. La distribución es el último momento de la realización de un filme.	☐	☐

2 Resuelva este crucigrama con palabras del texto del ejercicio 1.

1. Proceso de grabación de una acción televisiva o cinematográfica.
2. Texto en que se expone, con todo detalle, el contenido de un filme o de un programa de radio o televisión.
3. Persona con responsabilidad financiera y comercial que organiza la realización de una obra cinematográfica y aporta el capital necesario.
4. Cinta de celuloide que contiene una serie de imágenes fotográficas que se proyectan en la pantalla del cine.
5. Escenarios reales donde rodar la acción exterior de una película.
6. Cada parte de la película que constituye una unidad en sí misma, caracterizada por la presencia de los mismos personajes.
7. Serie de planos o escenas que en una película se refieren a una misma parte del argumento.
8. Ordenación del material ya filmado para constituir la versión definitiva de una película.
9. Telón sobre el que se proyectan las imágenes del filme.

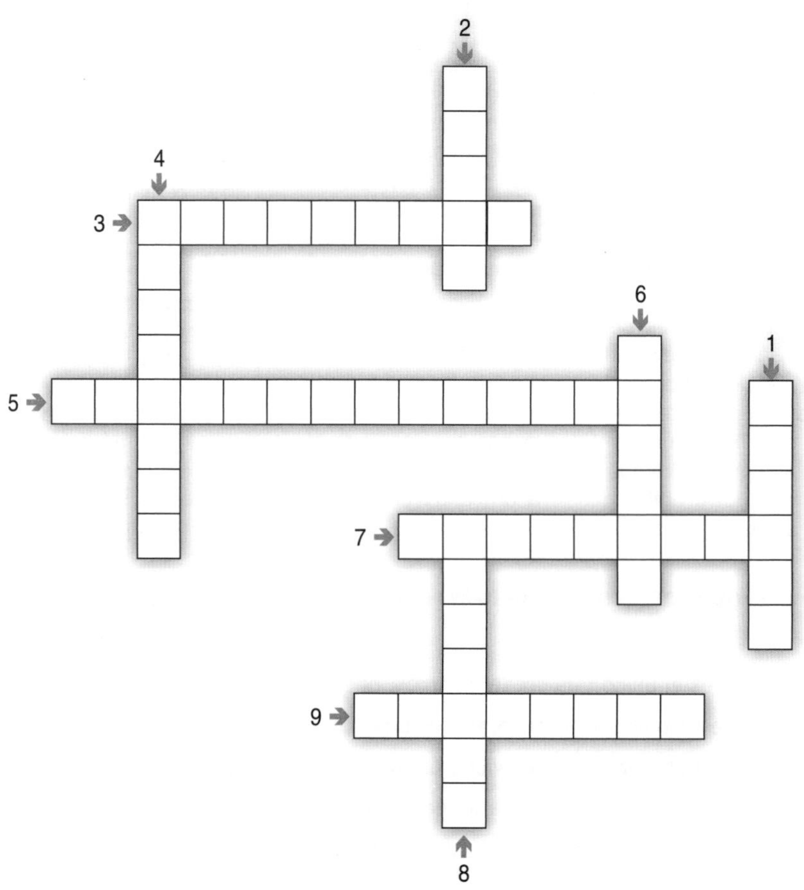

3 Ordenar las distintas etapas del proceso de realización de una película.

distribución	☐	localizaciones	☐
casting	☐	montaje	☐
efectos especiales	☐	vestuario	☐
guion	☐	estreno	☐
promoción	☐	rodaje	☐

4 Complete las oraciones con las palabras de las claquetas.

promoción — estreno — guion — dirección — rodaje — festival — montaje — cámara — largometraje — escenas — actor — *casting*

1. La calidad de una película depende de la conjunción de un excelente .... y una magnífica ....
2. Hay filmes que en su .... sorprenden a los espectadores y a quienes los realizaron, porque nunca se imaginaron el enorme éxito que tendrían.
3. El .... principal enfermó días antes del inicio del .... y fue necesario realizar otro .... para buscar a otro que lo sustituyera.
4. La película se reestrenó años más tarde con un nuevo .... que añadía .... inéditas.
5. La película fracasó por el poco dinero que se invirtió en su ...., apenas se dio a conocer al gran público.
6. El .... de cine de San Sebastián es el más antiguo y prestigioso de los celebrados en España.
7. El profesional que se encarga de grabar las imágenes de una película es el ....
8. *Lo que el viento se llevó* sí que es un verdadero ...., pues dura ¡cuatro horas!

■ **Escuche y compruebe.**

(2: 37)

5 Complete estas analogías. Piense en el campo temático del cine.

1. .... es a guionista como .... es a músico.
2. .... es a película como ensayo es a ....
3. Guion es a .... como .... es a productor.
4. .... es a actor como dirigir es a ....
5. .... es a crítico como maquillaje es a ....
6. .... es a cine como .... es a teatro.
7. Sesión es a .... como .... es a teatro.

6 ¿Qué término se refiere a cada situación?

	SITUACIONES
1.	Consulto esta sección del periódico para enterarme de las películas que ponen en los cines.
2.	Como no tengo mucho dinero para el tiempo libre, siempre voy ese día al cine.
3.	Ahí es donde me dirijo para sacar la entrada del cine.
4.	Quiero hacerme una idea de si vale la pena ver o no la película que tenía pensada.
5.	Abundan en los filmes de ciencia ficción.
6.	Me vendrá bien para practicar mi buen nivel de inglés.
7.	En el cine y en la tele casi todas las películas se pasan así.
8.	Prefiero ver las películas así, porque me gusta mucho conocer la voz de los actores.

a) **crítica de cine**

b) **versión original**

c) **efectos especiales**

d) **dobladas**

e) **cartelera**

f) **taquilla**

g) **subtituladas**

h) **día del espectador**

7 Relacione ambas columnas de sinónimos.

1. personaje principal
2. hacer un papel
3. película de amor
4. grabar
5. poner una película
6. cortometraje
7. versión original
8. interpretación
9. cuenta la historia de
10. película de risa

a) trata de
b) comedia
c) romántica
d) protagonista
e) rodar
f) interpretar
g) actuación
h) echar una peli
i) corto
j) V. O.

8 Escuche estos diálogos de película y escriba el género cinematográfico con que se corresponden. Al final le ofrecemos un listado.

Diálogo 1

INSPECTOR CALLAGHAN: La banda de gánsters de Al Capone le ha declarado la guerra a la policía de Nueva York.

JEFE DE POLICÍA: Tenemos que tenderles una trampa. Póngase en contacto con Elliot Ness y sus hombres. ....

Diálogo 2

DOMINGO: ¡No me abandones, Florita!

FLORITA: Imposible, mi amor, estoy perdidamente enamorada del jardinero. ....

Diálogo 3

MUJER: ¡¡¡¡¡¡Aaaahhhhh............!!!!!!

VAMPIRO: Soy Nosferatuuuuuuuu.... el Señor de las Tinieblas. ....

Diálogo 4

CHICO: Un coche y un chófer cuestan demasiado. He vendido mi coche.

GROUCHO: ¡Qué tontería! En su lugar, yo hubiera vendido el chófer y me hubiera quedado con el coche.

CHICO: No puede ser. Necesito el chófer para que me lleve al trabajo por la mañana.

GROUCHO: Pero ¿cómo va a llevarlo si no tiene coche?

CHICO: No necesita llevarme. No tengo trabajo. ....

Diálogo 5

ASTRONAUTA MUJER: Atención, Huston, tenemos un problema. Vamos a colisionar en un segundo con un ¡¡¡meteoritooooooooo!!! ....

Diálogo 6

CORONEL ENEMIGO: ¿Qué hay en ese maldito diario? Tenemos el mapa, esa libreta es inútil y, sin embargo, fueron nada menos que hasta Berlín por ella. ¿Por qué? ¿Qué nos oculta? ¿Qué le dice ese diario que no nos diga a nosotros?

INDIANA JONES: Me dice que los cretinos como usted, que andan a paso de ganso, deberían leer libros en vez de quemarlos. La búsqueda del Grial no es arqueología. Es la lucha contra el mal. Si cae en manos de los nazis, los ejércitos de la oscuridad marcharán sobre la faz de la Tierra. ....

Diálogo 7

COMANDANTE: ¡Soldados, todos a sus puestos! ¡Ha llegado el día D! ....

a. **Película de aventuras**

b. **Película de guerra / bélica**

c. **Película de ciencia ficción**

d. **Película policiaca**

e. **Película romántica**

f. **Película de terror**

g. **Película de risa / comedia**

■ **Ahora, vuelva a escuchar y compruebe.**

(2: 38)

FOTOGRAFÍA DIGITAL

9 **Complete este texto sobre las ventajas e inconvenientes de la fotografía digital con las palabras que se dan a continuación.**

fotos · original · negativos · digital · visor · almacenarlas · previsualizar · copia · duplicado · tarjetas extraíbles · fotografía · retoque · reproducción · cámara · enmarcar

VENTAJAS	DESVENTAJAS
A través de su (1) ...., permiten (2) .... y (3) .... las imágenes antes de (4)	La calidad aportada por la (10) .... digital es suficiente, pero es una (11) .... delicada y requiere un cuidado extremo.
La (5) .... de una imagen almacenada en un soporte digital puede ser repetida tantas veces como se desee, produciéndose siempre un (6) .... de la misma calidad que la imagen (7)	Existe un límite de almacenamiento de (12) .... en la propia cámara, por lo que se requiere adquirir (13) .... adicionales para guardarlas.
Sobre la imagen (8) .... se puede realizar una enorme cantidad de procesos de (9) .... para corregir la imagen según nos convenga.	La reproducción de imágenes en el método tradicional implica ir al laboratorio fotográfico con los (14) .... para elaborar nuevas (15) ...., lo que implica un coste extra.

(2: 39)

■ **Escuche y compruebe.**

10 Indique si estas afirmaciones sobre el texto anterior son verdaderas (V) o falsas (F).

	V	F
1. El visor óptico de las cámaras digitales no permite previsualizar las imágenes.	☐	☐
2. Las cámaras digitales no tienen límite de almacenamiento de fotos.	☐	☐
3. Revelar un negativo conlleva un gasto extra.	☐	☐
4. La calidad de la fotografía digital es superior a la de la tradicional.	☐	☐
5. La fotografía digital permite realizar retoques en las fotos.	☐	☐

11 Empareje cada palabra con su definición.

TÉRMINOS	
1.	visor
2.	resolución
3.	duplicado
4.	original
5.	retoque
6.	zum
7.	almacenar
8.	extraíble
9.	negativo

NOMBRES	
a)	Imagen fotográfica que muestra invertidos los claros y los oscuros.
b)	Teleobjetivo.
c)	Guardar.
d)	Modelo del que se hacen otros iguales.
e)	Sistema óptico.
f)	Copia.
g)	Separable.
h)	Nitidez.
i)	Corrección.

12 Complete el texto con la palabra adecuada. Haga los cambios de concordancia necesarios en las palabras.

[duplicado / imprimir / almacenar / original / revelar / negativos / fotografía / retocar / extraíble]

1. Para .... las fotos digitales ya no es necesario llevarlas a un laboratorio fotográfico, basta con ....
2. Necesito los .... para hacer las copias de las .... analógicas.
3. Esta fotografía es un .... del ....
4. Hay que .... estas fotografías, todo el mundo sale con los ojos rojos.
5. Necesitas comprar una tarjeta .... que te permita .... más fotografías.

13 Relacione cada acción con la imagen correspondiente.

1

2

Enfocar

Enmarcar

Hacer una ampliación

Apretar un botón / disparar

3

4

Test de autoevaluación

1. Los seres vivos conocen el mundo exterior mediante las diferentes formas de ...
   a. concepción b. percepción c. recepción
2. Una persona que no puede oír es una persona ...
   a. sorda b. ciega c. muda
3. Una persona quisquillosa es aquella que ...
   a. está pendiente de los demás b. es de carácter alegre c. se ofende con facilidad
4. La frase «Juan no tiene 'dos dedos de frente'» significa que ...
   a. no le gusta llegar tarde b. se puede contar con él c. no es muy listo
5. Una familia numerosa es la que tiene ...
   a. tres hijos o más b. dos hijos c. un hijo
6. Mis hijos son .... porque son gemelos.
   a. diferentes b. clavados c. aburridos
7. La persona que dirige una universidad se llama ...
   a. rector b. catedrático c. tutor
8. He suspendido y le he pedido al profesor ...
   a. una revisión de examen b. un examen parcial c. un sobresaliente
9. Una .... es un modo de organizar la información en columnas y filas.
   a. técnica b. sinopsis c. tabla
10. Una personal contratada temporalmente es un ...
    a. desempleado b. becario c. interino
11. Si te gusta tener un horario flexible, es mejor ser ...
    a. autónomo b. empleado c. jubilado
12. Las frutas son alimentos ricos en ...
    a. calorías b. vitaminas c. grasas
13. Un sacacorchos se utiliza para abrir una ...
    a. botella de vino b. lata de cerveza c. bote de legumbres
14. Un buen libro puede alimentar el ...
    a. espíritu b. estómago c. corazón
15. No tenía bastante dinero para comprarme el coche y mis padres me ...
    a. pagaron el carné b. echaron un cable c. dieron de alta
16. Una chapuza es ...
    a. un trabajo mal hecho b. una caja de herramientas c. una fuerte lluvia
17. Contrataron a un .... para dibujar los planos de su futura casa.
    a. albañil b. aparejador c. fontanero

18. Para las contracturas musculares lo mejor es un ...

a. ducha fría b. masaje terapéutico c. mascarilla

19. El acné produce muchos ...

a. granitos en el cutis b. arrugas en el rostro c. deshidratación del pelo

20. El corte era profundo; así que le .... para cerrar la herida.

a. pusieron una escayola b. hicieron una radiografía c. dieron unos puntos

21. Paloma tiene .... y por eso se tiene que inyectar insulina.

a. diabetes b. hipertensión c. visión borrosa

22. Raquel ha ido al .... Ahora, en primavera, no para de estornudar.

a. cirujano b. anestesista c. alergólogo

23. Para que tengas constancia de mi regalo te lo envío ...

a. con acuse de recibo b. a cobro revertido c. por paquete postal

24. «La noticia de la boda de Mila hizo 'correr ríos de tinta'» significa que ...

a. se escribió mucho sobre ello b. todo el mundo lo sabía c. se desbordó el río

25. La prensa sensacionalista que incluye titulares de catástrofes, crímenes y accidentes se llama ...

a. prensa rosa b. prensa amarilla c. prensa deportiva

26. Radioyente es a radio como ...... es a televisión.

a. locutor b. telespectador c. presentador

27. «Cuando vino la policía la casa estaba 'patas arriba'» significa que ...

a. había un gran desorden b. había animales en la casa c. estaban haciendo gimnasia

28. Una persona que presencia un hecho es ...

a. una víctima b. un sospechoso c. un testigo

29. El .... fue de «no culpable», así que no tuvo que ir a la cárcel.

a. delito b. veredicto c. proceso

30. ¡Voy a poner una .... porque me han cobrado de más!

a. factura b. reclamación c. garantía

31. Yo prefiero pagar .... porque así sé cuándo me gasto el dinero y no me llevo sorpresas desagradables.

a. al contado b. a plazos c. con tarjeta

32. Ramón ha venido en un vuelo directo, es decir, ...

a. vuelo chárter b. sin escalas c. puente aéreo

33. Hemos .... un seguro a todo riesgo para el coche. Así lo tenemos todo cubierto.

a. comprado b. contratado c. arreglado

34. Al contratar el seguro deberá usted .... el recibo para su cobro directo del banco.
a. domiciliar b. solicitar c. obtener

35. La manipulación y el vertido incorrectos de los .... pueden liberar sustancias que resultan peligrosas para los seres vivos.
a. productos biodegradables b. residuos tóxicos c. paneles solares

36. La tasa de .... indica el cambio en la población durante un período concreto
a. impacto medioambiental b. densidad de población c. crecimiento demográfico

37. La partícula más pequeña de una sustancia se denomina ...
a. neurona b. átomo c. ADN

38. .... es una ciencia que estudia la recogida, análisis e interpretación de datos.
a. la estadística b. el cálculo c. el álgebra

39. No se puede jugar con Marisa. ¡Siempre .... con las cartas!
a. Hace trampas b. Sigue las reglas c. Juega una partida

40. Si alguien acierta al juzgar u opinar sobre otro se dice que ...
a. esconde un as en la manga b. no ha jugado limpio c. ha dado en la diana

41. En 2012 se ha celebrado en Londres la XXX edición de ...
a. los Juegos Olímpicos b. el campeonato c. la liga

42. El .... y el .... son movimientos artísticos del siglo XX.
a. romanticismo y realismo b. gótico y barroco c. expresionismo y surrealismo

43. «La ocasión la pintan calva» significa que hay que ...
a. aprovechar la oportunidad b. pintar una calva c. evitar riesgos

44. La .... del pintor sirve para mezclar colores
a. acuarela b. línea c. paleta

45. Los principales géneros literarios son ...
a. tragicomedia, drama y poesía b. narrativa, teatro y poesía c. teatro, comedia y novela

46. Mario Vargas Llosa fue .... con el Premio Nobel de Literatura.
a. aclamado b. galardonado c. premiado

47. Un poema está compuesto de .... y ....
a. estrofas y versos b. actos y diálogos c. mitos y leyendas

48. La película sorprendió por .... Los dinosaurios parecían de verdad.
a. su diseño de vestuario b. su banda sonora c. sus efectos especiales

49. Cuando va al cine, Marta prefiere ver la .... porque así practica idiomas.
a. versión original b. película doblada c. crítica de cine

50. La cámara digital no tiene .... Las fotografías se almacenan en un ...
a. zum – sistema óptico b. visor – duplicado c. negativos – soporte digital

Soluciones

UNIDAD 1

¡Fíjese!

1. vista; 2. tacto; 3. oído; 4. gusto; 5. olfato.

1. a) falso; b) verdadero; c) falso; d) falso; e) verdadero; f) verdadero; g) falso.

2. Percepción / percepciones: b, e.

   Sensación: a, c, d.

3. OÍDO: CD, teléfono móvil, radio. GUSTO: chocolate, caramelos, fruta. OLFATO: perfume, vela aromática, sándalo. VISTA: cuadro, gafas de sol, foto. TACTO: masaje, crema, pañuelo de seda.

4. **Posible respuesta**

   1. ver; 2. oír; 3. hablar; 4. tocara; 5. percepción; 6. tacto; 7. sentir; 8. audición; 9. vista; 10. oído.

5. a) ciega; b) sorda; c) muda.

6. Situación 1: sentido literal. Situación 2: sentido metafórico. Situación 3: sentido metafórico. Situación 4: en sentido literal y en sentido metafórico.

7. a) columna; b) articulaciones; c) huesos; d) músculos; e) estómago, intestinos; f) esqueleto.

8. **Posibles respuestas**

   SALTAR: pies, piernas. ESTIRAR: brazos, piernas, músculos. COMER: dientes, boca. PENSAR: cerebro, cabeza. REÍR: cara, boca, labios. LATIR: corazón, pulso.

9. **Posibles respuestas**

   a) estoy agotado, estoy sudoroso; b)tengo un calor horrible, tengo un hambre espantosa, estoy dolorido, estoy lloroso, tengo un dolor muy fuerte; c) tengo una cicatriz, tengo muchas arrugas; d) me pongo de rodillas / de espalda / agachado.

10. 1. e). 2. a). 3. d). 4. f). 5. g). 6. c). 7. b).

11. 1. escupe. 2. araña. 3. sudorosos. 4. cicatriz. 5. estirar. 6. hambriento.

12. a) falso; b) verdadero; c) falso; d) falso; e) verdadero; f) falso; g) verdadero.

13.

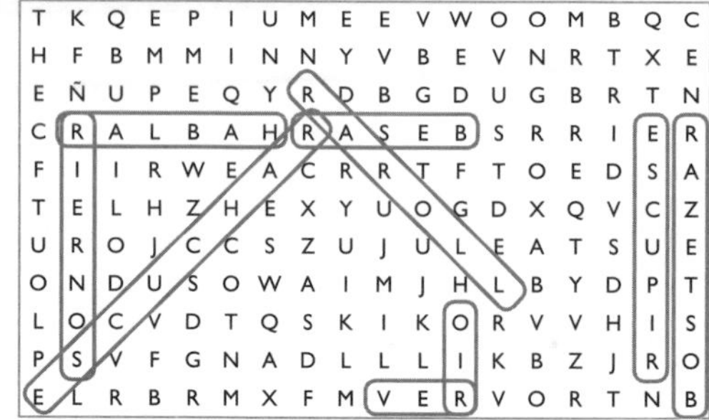

T	K	Q	E	P	I	U	M	E	E	V	W	O	O	M	B	Q	C
H	F	B	M	M	I	N	N	Y	V	B	E	V	N	R	T	X	E
E	Ñ	U	P	E	Q	Y	R	D	B	G	D	U	G	B	R	T	N
C	R	A	L	B	A	H	R	A	S	E	B	S	R	R	I	E	R
F	I	I	R	W	E	A	C	R	R	T	F	T	O	E	D	S	A
T	E	L	H	Z	H	E	X	Y	U	O	G	D	X	Q	V	C	Z
U	R	O	J	C	C	S	Z	U	J	U	L	E	A	T	S	U	E
O	N	D	U	S	O	W	A	I	M	J	H	L	B	Y	D	P	T
L	O	C	V	D	T	Q	S	K	I	K	O	R	V	V	H	I	S
P	S	V	F	G	N	A	D	L	L	L	I	K	B	Z	J	R	O
E	L	R	B	R	M	X	F	M	V	E	R	V	O	R	T	N	B

UNIDAD 2

¡Fíjese!

Seguramente que conoce bien a los vecinos, pues las imágenes reflejan lo que el portero le cuenta a Gloria de ellos. Respuesta libre.

1. a) falso; b) verdadero; c) verdadero; d) falso; e) verdadero; f) verdadero.

2. **Posibles respuestas**

   Escritura pequeña: timidez, cobardía, complejo de inferioridad.

   Letra redonda: tranquilidad, constancia, poca curiosidad.

   Escritura recta: prudencia, confianza.

   Escritura inclinada: ternura, sensibilidad.

   Letra angulosa: brusquedad, imprudencia.

   Escritura pausada: responsabilidad, puntualidad.

   Desigualdad en las letras: pasión.

   Escritura muy grande: arrogancia, egoísmo.

3. Justo: injusto. Sensible: insensible. Tranquilo: intranquilo. Constante: inconstante. Solidario: insolidario. Prudente: imprudente.

■ Si la palabra empieza por **p-** o **b-**, el prefijo se convierte en **im-**.

4. SER: ambicioso, egoísta, justo, tranquilo, sensible, constante. TENER: curiosidad, personalidad, carácter, temperamento, buenos modales, educación. MOSTRAR: comprensión, apoyo, amistad, cariño, una actitud positiva. ESTAR: disgustado, indignado, desanimado, desilusionado, bien educado.

5. POSITIVOS: 2, 4 y 5 / a), b) y f).
NEGATIVOS: 1, 3 y 6 / c), d) y e).

1. Es muy poco inteligente. 2. Tiene buenos modales. 3. Es muy tacaña. 4. Es muy valiente. 5. Es bueno y tranquilo. 6. Tiene muy malos modales.

6. Respuesta libre.

■ a) *Volverse loco* es una acción que se puede manifestar ante las alegrías y las penas.

b) *Sentir pánico* es sentir agobio y temor ante una situación desagradable.

f) *Tristeza* es lo contrario de alegría.

7. ■ a) verdadero; b) verdadero; c) verdadero; d) falso; e) falso.

8. POSITIVOS: alegría, alivio, felicidad, emoción, orgullo, admiración, ilusión, satisfacción, fascinación.

NEGATIVOS: tristeza, enfado, estrés, odio, temor, resignación, angustia, agobio, asco, orgullo.

9. a) llena; b) tenía / sentía; c) se puso; d) dan; e) se sintió; f) siente / tiene.

10. 1. j); 2. f); 3. b); 4. a); 5. c); 6. i); 7. d); 8. h); 9. e); 10. g).

11. a) agobiado; b) contento; c) disgustado; d) desanimado; e) indignado; f) fascinado; g) resignado; h) sorprendido.

12. Estados de ánimo.

■ **Posibles respuestas**

Pobre colina: desánimo. Montaña de cumbres repetidas: orgullo. Acantilado: miedo. Un cielo azul pero lejano: admiración. Manantial entre rocas: alegría. Árbol con las últimas hojas: tristeza. Apenas como laguna insomne, con un embarcadero ya sin embarcaciones: temor. Laguna verde inmóvil y paciente: resignación.

UNIDAD 3

¡Fíjese!

1. La familia aumenta; 2. El padre de mi bisabuelo; 3. Tres hermanos de la misma edad.

1. Respuesta libre.

2. El testamento es un documento que permite transmitir los bienes a las personas que el interesado designe. Mónica y Juan quieren hacerlo ahora que son jóvenes para prevenir cualquier situación de impedimento en un futuro.

3. Respuesta libre.

4. a) verdadero; b) falso; c) falso; d) verdadero; e) falso; f) verdadero; g) verdadero.

5. A: cónyuge. B: tataranieto. C: suegro.
D: cuñado. E: bisnieto. F: nuera.

■ a) suegro; b) bisnieto / tataranieto; c) nuera; d) cuñadas; e) cónyuge.

6.

GRADOS	PARENTESCO
1.º	*Padre,* madre, hijo /-a, yerno, nuera, suegro/ -a
2.º	*Abuelo* /-a, nieto /-a, hermano /-a, cuñado /-a
3.º	*Bisabuelo* /-a, bisnieto /-a, sobrino /-a, tío /-a
4.º	*Primo* hermano, prima hermana, tatarabuelo /-a, tataranieto /-a

7. La familia Villena es una familia que vive en Segovia. La familia Villena está compuesta por los padres y nueve hijos. Esto no sería noticia si no fuera porque los Villena tienen

una pareja de **gemelos,** otra de **mellizos,** más tarde llegaron tres de una vez: los **trillizos,** más dos **hijos adoptivos.**

Tan singular familia nos recibe en su casa de Segovia donde los entrevistamos.

REPORTERA: ¿Cómo vive una **familia numerosa** de 11 miembros como la vuestra en estos tiempos? ¿Sois ricos? ¿Sois una familia adinerada?

MARÍA: No, no, qué va. Nosotros no venimos de una familia rica sino de una familia humilde.

RAÚL: Yo diría que somos de una **familia trabajadora,** que lucha diariamente por **salir adelante.**

REPORTERA: Una cosa curiosa. Después de tener siete hijos propios, ¿cómo se os ocurrió **aumentar la familia** con dos hijos adoptivos más?

MARÍA: Bueno, pues resultó que al principio no venían los niños y quisimos adoptar..., pero como eran dos hermanos, los adoptamos a los dos. Siro y Daniel han **crecido** en esta familia, son dos hijos más.

REPORTERA: ¿Y luego...? Vinieron los demás.

RAÚL: Pues sí. Primero llegaron Juan y María, luego Pedro y Mario, que son como dos gotas de agua, y, por fin, Ruth, Graciela y Carlos.

REPORTERA: Que además, son clavados, idénticos... ¿Se pelean entre ellos

MARÍA: Claro, con tantos críos, al final se arma un lío tremendo, hay veces que con tanto jaleo, la familia **riñe** mucho. Jajaja.

RAÚL: A veces, cuando vienen visitas, como ahora, se ponen un poco revoltosos. Pero, en general, cuando estamos **en familia** se portan bien.

REPORTERA: Bueno, pues les deseo mucha suerte. Ha sido un placer conocerlos.

MARÍA Y RAÚL: Muchas gracias. Igualmente.

- Que son iguales físicamente entre ellos.

8. FAMILIA: estar en familia, ser como de la familia, familia adoptiva, famlia humilde, familia numerosa. PARIENTE: cercano / lejano. HIJO /-A: adoptivo (a) / adoptado (a).

- SER: de la familia, ser como de la familia. HACER: testamento.

9.

H	P	A	R	I	E	N	T	E	L	E	J	A	N	O
I	Q	W	E	R	T	Y	U	I	O	P	P	A	S	A
J	D	F	G	H	N	J	K	L	Ñ	Z	X	C	V	L
A	B	N	O	L	E	U	B	A	S	I	B	M	Q	E
A	W	E	R	T	Y	U	E	R	U	U	Q	I	P	U
D	V	X	E	E	T	Y	E	R	N	O	E	N	U	B
O	B	D	F	G	C	T	E	Q	A	W	M	G	E	A
P	E	E	G	U	Y	N	O	C	R	T	Y	U	R	R
T	A	S	Ñ	S	X	C	M	T	R	Q	P	O	I	A
I	Z	A	X	C	V	B	I	N	M	S	Q	E	R	T
V	D	E	L	L	K	J	R	J	H	G	F	D	S	A
A	X	S	D	F	G	H	P	Q	Z	X	C	V	B	T

UNIDAD 4

¡Fíjese!

Posible respuesta

Sí, por parte de Pili, pues con Carmen habla de su hámster, Aurelia, como si pudiera conseguir los mismos o mayores logros en el futuro que su hija, Martita, dando a entender lo exagerado de las afirmaciones de Carmen.

2. a) mixta – presencial – distancia; b) materias – obligatorias – asignaturas – optativas; c) presentar – defender.

3. 1. doctorado; 2. doctorarte; 3. virtual; 4. expediente; 5. abandonar; 6. leer; 7. tesis; 8. suspender; 9. doctor; 10. becas; 11. conceder.

4. 1. c); 2. f); 3. a); 4. d); 5. b); 6. e).

5. EDUCACIÓN: secundaria, universitaria, superior, de adultos, pública, religiosa, privada, laica. ENSEÑANZA: virtual, a distancia, presencial. PROFESORADO: jefe de estudios, maestro, tutor, catedrático, rector.

6. 1. olvidarse; 2. conocimientos – prueba; 3. nombrar – lista – presencia; 4. deducir; 5. datos - tema.

7. Dice *¡Vaya faena!* porque si Fernando no aprueba, no podrá pasar de curso.

   Fernando es optimista, pues cree que, al final aprobará la asignatura, ya que el profesor le hará la nota media de los dos exámenes y de la presentación.

8. a) final – pendiente; b) revisión – nota; c) en blanco; d) media – parcial – presentación.

9. 1. conflictivo; 2. estudioso; 3. subrayar; 4. reflexionar; 5. esquema; 6. tabla; 7. memorizar; 8. síntesis; 9. deducción; 10. intuición; 11. nota; 12. notable; 13. sobresaliente; 14. autoevaluación.

10. 1. conflictivo; 2. estudioso; 3. subrayar; 4. reflexionar; 5. esquema; 6. memorizar; 7. intuición; 8. deducción; 9. nota; 10. notable; 11. autoevaluación.

11. 1. esquemas; 2. llaves; 3. números; 4. tabla.

12. a. *memorización;* b. reflexión; c. deducción; d. educación; e. petición; f. formación; g. preparación; h. evaluación; i. recepción; j. aplicación.

13. **no le llegaba la camisa al cuerpo:** estar nervioso, inquieto; **las va a pasar canutas:** encontrarse en una situación difícil; **se le va el santo al cielo:** olvidar lo que uno quería decir o hacer; **va a ser coser y cantar:** ser fácil; **pedir peras al olmo:** pretender algo imposible; **darse un buen tute:** realizar un gran esfuerzo; **se sabía todo al dedillo:** muy bien; **está en Babia:** estar distraído; **tiene la sartén por el mango:** estar en una situación de poder.

■ Respuesta libre.

14. 1. santo; 2. mango; 3. canutas; 4. camisa; 5. coser; 6. Babia; 7. dedillo; 8. tute; 9. olmo.

15. a. estudioso – aplicado; b. pedagógico – didáctico; c. argumentar – debatir; d. esquema – cuadro; e. prueba – test; f. instrucción – enseñanza.

16. Respuesta libre.

UNIDAD 5

1. Respuesta libre.

■ a) 7. b) 4. c) 1. d) 9. e) 6. f) 2. g) 8. h) 3. i) 5.

■ Persona que recibe una pensión.

2. ■ **Posible respuesta**

   Hombre: Hace dos años que no trabajo y ya no tengo derecho a **cobrar el paro.** Y eso que he llegado a tener 20 empleados **a mi servicio.**

   Mujer: Yo he participado en muchas **entrevistas de trabajo,** pero no consigo empleo. Mi **cualificación profesional** no es muy **demandada** porque no tengo grandes conocimientos de informática.

   Chica: Yo nunca he estado en nómina en ninguna empresa. Si supero la **fase de selección,** este sería mi primer **trabajo pagado** como trabajadora **en nómina** para una empresa. Siempre he trabajado **por mi cuenta.**

3. 1. día festivo; 2. despedir; 3. contrato a tiempo parcial; 4. trabajar por cuenta ajena; 5. contratación; 6. desempleado.

4. 1. Ocupar un cargo. 2. Trabajar a disgusto. 3. Firmar un contrato. 4. Estar desempleado. 5. Cobrar la nómina. 6. Trabajo intelectual. 7. Desempeñar un cargo. 8. Trabajador independiente. 9. Recompensa económica. 10. Adelanto. 11. Convenio laboral. 12. Contrato por obra.

5. 1. anuncio / requisitos / cualidades.
   2. habilidades.
   3. currículum vítae / recomendación / referencias.
   4. entrevista / salario / beneficios.
   5. supera / prueba.
6. a) 5; b) 1; c) 3; d) 4; e) 2.
7.

SUSTANTIVO	VERBO	ADJETIVO
Contrato	Contratar	Contratado
Empleo	Emplear	*Empleado*
Despido	Despedir	Despedido
Cotización	Cotizar	*Cotizado*
Jubilación	*Jubilarse*	Jubilado
Remuneración	Remunerar	*Remunerado*
Retribución	*Retribuir*	Retribuido

8. 1. Multinacional solicita personas que tengan disponibilidad para viajar.
   2. Empresa busca becarios que quieran trabajar media jornada.
   3. Grandes almacenes seleccionan vendedores que les guste el trato directo con el público.
   4. Se selecciona personal con conocimientos de idiomas.
9. 1. No quiero ser **mileurista** toda la vida. Necesito un sueldo digno.
   2. Quiero ser **becario,** pero no tener un sueldo precario.
   3. Más **contratación** y menos **despidos** libres.
   4. Tengo 50 años, no quiero una **jubilación** anticipada.
   5. **Baja** por paternidad significa igualdad.
   6. Prestación por desempleo para los trabajadores **autónomos.**
   7. Por un **convenio** colectivo justo.
   8. Más inversión para prevenir los **accidentes laborales.**
10.

A

Empresa de ámbito nacional **selecciona** para su delegación en Madrid:

AUXILIAR ADMINISTRATIVO/(A)

Perfil **idóneo**:

- **Formación** en administración y contabilidad.
- **Conocimientos** demostrables de ofimática e Internet.
- **Experiencia** en gestión administrativa, gestión documental y atención al público de al menos dos años.
- **Valorable** experiencia en puesto similar.

Se ofrece:

- **Incorporación** inmediata.
- **Remuneración** en función de experiencia y desarrollo profesional.
- **Contrato** eventual con conversión a indefinido.

B

Empresa del sector farmacéutico, precisa incorporar dos COMERCIALES que se encarguen de la captación de farmacias, así como de la fidelización y seguimiento de las mismas.

Requisitos:

- Experiencia **demostrable** en la venta en farmacias de productos de cosmética y nutrición.
- Disponibilidad de incorporación **inmediata**.
- Persona dinámica con elevada capacidad de negociación.
- Nivel alto de inglés.
- Coche propio.

Se ofrece:

- Horario **flexible.**
- **Dietas.**
- Móvil de la **empresa** y **ordenador** portátil.
- **Comisiones**: 4% sobre la venta.
- Contrato **indefinido.**
- **Salario** a **convenir** en función de la experiencia.
- Dos pagas **extras** (en diciembre y julio).

C

Trabajo en **Prácticas** en empresa de Recursos Humanos (RR. HH.)

Si trabajar con personas te atrae, y si anticipar y satisfacer sus necesidades te parece un reto apasionante, Gente es la compañía en la que debes hacer tus prácticas y desarrollar tu carrera **profesional**.

Sobre el **puesto:**

Si eres estudiante de Psicología, Derecho o Relaciones Laborales, en último curso de carrera o pendiente de asignaturas para titularte, esta es una excelente **oportunidad** para participar en proyectos de **selección** y **contratación**.

Te ofrecemos unas **prácticas** exigentes, donde desarrollarás tu ambición trabajando junto a los mejores, y asumiendo **responsabilidades** desde el primer día.

Esta formación incluye:

- El aprendizaje en tareas de recepcionado de C.V. y atención al cliente.
- Selección curricular, atención telefónica y filtrado de candidaturas.
- Funciones de contratación: altas y bajas en la **Seguridad Social**, registro de contratos y demás **funciones** propias de RR. HH.

UNIDAD 6

2. 1. j); 2. d); 3. i); 4. f); 5. b); 6. g); 7. e); 8. h); 9. c); 10. a).

3. 1. abundancia de alimentos; 2. escasearon; 3. se repartieron; 4. falta de alimentos; 5. necesidad de alimentos.

4. 1. d); 2. e); 3. h); 4. f); 5. g); 6. a); 7. c); 8. b).

5. 1. apetito; 2. devorar; 3. calorías; 4. congelados; 5. conservantes; 6. digestión; 7. orgánicos; 8. nutritivos.

6. 1. La pierna. 2. La albahaca. 3. Los mejillones. 4. Los frutos secos. 5. La pechuga de pavo / pollo.

7. 1. cocer al vapor; 2. exprimir; 3. empanar; 4. asar; 5. aliñar.

8. ■ a) falso; b) verdadero; c) verdadero; d) falso; e) verdadero.

   a) Para empanar un alimento hay que untarlo con pan rallado.

   d) Rebozar un alimento es untarlo con huevo y harina.

9. ■ 1. d); 2. f); 3. h); 4. c), 5. e); 6. b); 7. a); 8. g).

10. **Posibles respuestas**

    1. d); 2. e); 3. f); 4. c); 5. a); 6. h), 7. b); 8. g).

11. **Posibles respuestas**

    EXPRIMIR: una naranja; hasta la última gota. CORTAR: en pequeños trozos, en dados, el pan. TROCEAR: el pan, la fruta. SERVIR: la mesa, los platos. COCER: al baño María, a fuego lento.

12. **Posible respuesta**

    Beber para calmar la gran sed que se tiene.

13. a) verdadero; b) falso; c) falso; d) falso; e) verdadero; f) falso.

14. **Posible respuesta**

    Restaurante de barrio o popular, comer de menú, pedir agua del grifo, tomar fruta del tiempo.

15. **Posibles respuestas**

1. Se dice cuando se quieren llamar a las cosas por su nombre, sin rodeos. 2. Se dice cuando alguien se ve envuelto en un asunto embarazoso que no ha creado él. 3. Es más sano cenar comidas ligeras que alimentos indigestos. 4. Cuando alguien tiene pocos recursos, se le abre la imaginación para conseguir las cosas que no puede alcanzar con dinero. 5. Cuando no se está bien alimentado, no solemos ver las cosas con claridad. 6. Tanto una cosa como otra se empieza y no se sabe cuándo acaba; y esto es aplicable a otros órdenes de la vida.

16. Sin comerlo ni beberlo. b) De grandes cenas están las sepulturas llenas. c) Al pan, pan, y al vino, vino.

UNIDAD 7

1. *Chapuza* tiene un significado negativo: «cosa mal hecha».

Norma está nerviosa porque la reforma de su casa le está dando muchos problemas.

2. 1. Presupuesto; 2. Constructor; 3. Señal; 4. Albañil; 5. Ladrillo; 6. Tabique; 7. Enchufe; 8. Cable eléctrico; 9. Luz; 10. Reforma; 11. Chapuza; 12. Cañería; 13. Darse de alta; 14. Fontanería.

3. 1. gas; 2. interruptor; 3. enchufe; 4. cañerías; 5. cables; 6. alta; 7. tarima; 8. cisterna.

4. 1. fontanero; 2. aparejador; 3. carpintero; 4. albañil; 5. electricista; 6. constructor; 7. aparejador; 8. carpintero; 9. fontanero; 10. electricista.

5. 1. alternativa; 2. popular; 3. de viviendas; 4. arrendatario; 5. habitando; 6. arrendamiento; 7. adquirir; 8. posesión; 9. renta; 10. importe; 11. dueño; 12. inmueble; 13. beneficios; 14. propietario; 15. protecciones; 16. gestiones; 17. desalojo; 18. casero; 19. deudores.

Al contado	*a tocateja*	en efectivo
Alquilar	arrendar	rentar
Arrendador	*casero*	propietario
Cobertura	garantía	protección
Dar de alta	contratar	firmar
Dar de baja	cancelar	rescindir
Desalojo	desahucio	expulsión
Factura	cargo	recibo
Hipoteca	crédito	préstamo
Inquilino	alquilador	arrendatario
Moroso	deudor	mal pagador
Mudarse	cambiarse	trasladarse
Plazos	cuotas	mensualidades
Presupuesto	coste	estimación
Renovar	reformar	restaurar
Señal	adelanto	anticipo

7. 1. F/ 2. F/ 3.V

8. **Álvaro**: Mi opinión es clara: alquilar, y os daré los motivos. Alquilando no nos endeudamos, por lo que no quedamos atados a ningún **banco**. Tenemos flexibilidad: si tenemos que irnos a trabajar a otra parte o si las cosas van mal y hay que volver a casa de los padres, se deja de **pagar** el **alquiler** y listos. Y te evitas tener que pagar los **gastos** de las **reparaciones** de la casa, los gastos de **comunidad**, los **impuestos** del Estado...

Guadalupe: Alquilar es tirar el **dinero**. Por un esfuerzo extra se puede pasar de ser **arrendatario** a tener una vivienda en **propiedad**. Y eso es bueno, ya que después de X años de **hipoteca** tienes una **vivienda** que puedes vender y, en cambio, si **alquilas**, nunca tendrás una vivienda **propia**.

Elena: **Comprando** también se tira mucho dinero. El dinero de los **intereses** no es nada despreciable. Cuando se compra una vivienda mediante una **hipoteca**, hay que considerar que una parte del dinero se va a **invertir** en la propiedad y otra parte, que puede ser comparable a la parte invertida, se va a **tirar**, se la va a quedar el **banco** en concepto de **intereses**.

Mar: Hay muchas cosas que considerar, no solo económicas: estando de **alquiler** se puede vivir en una zona en la que no te podrías permitir **adquirir** una vivienda. **Arrendar** implica que muy probablemente haya que cambiar de **residencia** más frecuentemente; vivir de alquiler no suele permitir realizar **obras** y renovaciones que dejen la vivienda a tu gusto...

9.

	ANTÓNIMOS
dar de alta	dar de baja
pagar al contado	pagar a plazos
alquilar	comprar
arrendatario	arrendador
renovar	conservar
chapuza	buen trabajo
casero	inquilino

10. 1. exprimidor; 2. freidora; 3. batidora; 4. batidora; 5. robot de cocina; 6. picadora.

11. 1. Echar un cable; 2. Cruzársele los cables; 3. Tener enchufe.

12.

Horizontales: 2→ CARPINTERÍA; 3→ FONTANERÍA; ←7 CONSTRUCTOR; 8→ CHAPUZA; 9→ ELECTRICIDAD; 11→ HIPOTECA; 12→ EXPRIMIDOR; 13→ LADRILLOS; 14→ RECIBO; 15→ CONTADO; 16→ CONTRATAR.

Verticales: 1↓ FREIDORA; 4↓ APAREJADOR; 5↓ PRESUPUESTOS; 6↓ FINANCIACIÓN; 7↓ CEMENTO; 10↓ COMUNIDAD.

UNIDAD 8

¡Fíjese!

1. ■ a) V; b) F; c) F; d) V; e) V.
2. a) 5; b) 2; c) 8; d) 9; e) 6; f) 4; g) 1; h) 3; i) 7.
3. DARSE: desodorante, maquillaje, colorete, sombra de ojos, rímel, espuma de afeitar.

   ECHARSE: loción; colonia, perfume, desodorante.

   PONERSE: espuma de afeitar, colonia, loción, perfume, maquillaje, rímel, colorete, barra de labios.
4. 1. gorro de baño; 2. sales de baño; 3. cabina de ducha; 4. suavizante; 5. darse un baño de espuma; 6. recogerse el pelo; 7. hacerse un corte de pelo; 8. crema nutritiva; 9. lima.
5. 1. mantenerse limpio; 2. lavarse con frecuencia; 3. higiene personal; 4. cepillarse las uñas; 5. lavarse los dientes; 6. usar hilo dental.
6.

OBJETO	ACCIÓN	PARTE DEL CUERPO
cortaúñas	cortar	las uñas
tijeras	**recortar**	la barba
cepillo	cepillarse	el pelo
peine	desenredarse	**el pelo**
lima	**limar**	**las uñas**
cepillo de dientes	**lavar**	**los dientes**
hilo dental	**limpiar**	entre los dientes
crema hidratante	**cuidar**	**la piel**
sales de baño	bañarse	**el cuerpo**

7. 1. mantenerse joven; 2. ponerse guapa; 3. se ducha; 4. se da; 5. se limpia; 6. se cepilla; 7. desenredarlo; 8. se lima; 9. se las recorta; 10. se conserva (*tan*) bien.
8. TEXTO A: melena – maquillarte – base – sombra – rímel – colorete – píntate – postizas.

TEXTO B: tratamiento – manchas – granitos – mixtas – piel – hidratante.

TEXTO C: **1**. champú – pelo – brillante. **2**. melena – seco – suavizante – desenredarlo. **3**. secarlo. **4**. Desenrédalo – peine. **5**. Cepíllate – secador.

9. a) el secador muy caliente; b) un peine ancho; c) de laca o de fijador; d) crema suavizante – las puntas; e) el exceso de agua – envolverlo con una toalla; f) champú.

10. 1. f); 2. h); 3. j); 4. b); 5. g); 6. c); 7. i); 8. a); 9. e); 10. d).

11. 1. del rostro; 2. granitos en el cutis; 3. con zonas secas y grasas; 4. tener un nuevo aspecto físico; 5. belleza; 6. del cuerpo; 7. mantenimiento de la salud; 8. barra de labios.

12. 1. b). 2. d). 3. a). 4. c).

13.

Q	E	R	T	Y	U	I	O	P	A	S	D	G	D	F	G	H	J	K
L	Ñ	Z	X	C	V	B	N	M	Q	E	R	O	T	Y	U	I	O	P
A	S	D	F	G	H	J	K	L	Ñ	Z	X	M	C	V	B	N	M	Q
W	E	R	T	Y	U	I	O	P	A	S	D	I	F	G	H	J	K	L
Ñ	Z	X	C	V	B	N	M	Q	E	R	T	N	Y	U	I	O	P	A
S	D	F	G	A	N	T	I	C	A	S	P	A	H	J	K	L	Ñ	Z
X	C	V	B	N	U	M	Q	W	E	R	T	Y	U	I	O	P	A	S
N	Ó	I	C	A	T	A	R	D	I	H	S	A	D	F	G	H	J	K
L	Ñ	Z	Q	R	R	T	Y	U	I	O	P	L	A	S	D	F	G	H
J	K	S	L	Ñ	I	Z	X	C	V	B	N	L	M	Q	W	E	E	R
T	Y	U	U	I	T	A	S	D	F	G	H	I	J	K	L	Ñ	J	Z
X	C	V	B	A	I	N	M	Q	E	R	A	R	U	C	I	N	A	M
T	Y	U	I	O	V	P	Q	Z	X	C	V	A	B	N	M	Q	L	E
R	T	Y	U	I	A	I	O	P	A	S	D	C	F	G	H	J	L	K
L	Ñ	Z	X	C	V	B	Z	N	M	Q	E	S	R	T	Y	U	I	I
A	S	D	F	G	H	J	K	A	L	Ñ	A	A	Z	X	C	V	U	B
N	Q	E	R	T	Y	U	I	O	N	P	A	M	S	D	F	G	Q	H
J	K	L	Ñ	Z	X	C	V	B	N	T	M	Q	E	R	T	Y	A	U
A	S	D	F	G	H	K	L	Ñ	Z	X	E	C	V	B	N	Q	M	C

UNIDAD 9

¡Fíjese!

Le quitan importancia, pues los pacientes exageran sus dolencias y los médicos saben que se trata de algo por lo que no preocuparse.

Tener una salud de hierro: Estar muy bien de salud, tener una salud fuerte.

1. ■ a) V; b) V; c) F; d) F.

2.

CAUSAS	SÍNTOMAS	EFECTOS
comer alimentos ricos en grasas	**colesterol alto**	*problemas cardiacos*
tener bronquitis	**fiebre alta**	*delirar*
estar embarazada	**tener náuseas**	*sentir debilidad*
sentarse en una mala postura	**tener una contractura**	*dolor muscular*
choque frontal con el coche	**estar en coma**	*quedarse en estado vegetativo*
estar enamorado	**perder el apetito**	*la ropa queda grande*

3. 1. el pulso; 2. crónica; 3. contagiosas; 4. diabetes; 5. ataque de ansiedad; 6. escáner; 7. chequeo.

4. 1. d); 2. c); 3. g); 4. a); 5. f); 6. c).

5. ■ Primaria: 1, 3, 7, 10, 11 y 12.

   Hospitalaria: 2, 4 y 6.

   Urgencia: 5, 8 y 9.

6. a) 2; b) 3; c) 1.

7. **genéricos:** a), d), h), i); **homeopáticos:** c), e), g); **caducados**: b), f).

8. 1. traumatólogo; 2. alergólogo; 3. ginecólogo; 4. otorrinoralingólogo; 5. pediatra; 6. anestesista; 7. dentista; 8. cirujano; 9. cardiólogo; 10. radiólogo.

9. **terapéuticos:** c); **perjudiciales:** a) y e); **beneficiosos:** b) y d).

10. 1. infección vírica; 2. dolores musculares; 3. malestar general; 4. rinitis; 5. se transmite; 6. contagiarse; 7. se propaga; 8. recibir tratamiento; 9. neumonía; 10. vacunarse.

11. **sentido literal:** b), d) y e); **sentido figurado:** a), c) y f).

12. 1. botiquín; 2. venda; 3. esparadrapo; 4. tirita; 5. pastilla; 6. jarabe; 7. pomada.

UNIDAD 10

¡Fíjese!

Rosa está interesada porque dirige una revista del corazón y quiere publicar la exclusiva de su boda. La prensa rosa es una publicación dedicada a difundir noticias relacionadas con la vida sentimental de personas famosas.

1. ■ 1. F; 2. F.; 3. V; 4. F; 5. V; 6. V.
2. 1. b); 2. c); 3. a); 4. a); 5. a); 6. c).
3. 1. Al realizar una llamada internacional es necesario conocer el código del país al que se quiere llamar; 2. La videoconferencia nos permitió tener una reunión de trabajo con nuestros compañeros de China; 3. Las llamadas telefónicas de emergencia son gratuitas; 4. He ido a Correos a echar una carta de solicitud de trabajo; 5. Un cartero comercial se dedica a meter propaganda en los buzones de las casas; 6. El Gobierno, ante los rumores de la dimisión del presidente, ha emitido un comunicado oficial desmintiendo el hecho.
4. COMUNICACIÓN ESCRITA: con acuse de recibo - cheque postal - empresa de mensajería. COMUNICACIÓN TELEFÓNICA: tarifa plana - a cobro revertido - llamada interurbana. COMUNICACIÓN AUDIOVISUAL: lista de distribución - servidor de acceso - equipo informático.
5. a) acuse de recibo; b) tarifa plana; c) a cobro revertido; d) equipo informático; e) llamada interurbana; f) servidor de acceso; g) cheque postal; h) lista de distribución; i) empresa de mensajería.
6. llamada internacional / **local**; llamada urbana / **interurbana**; teléfono móvil / **fijo**; dar de baja / **de alta**; carta privada / **oficial**; escribir una carta a máquina / **a mano**; correo electrónico / **postal**; correo certificado / **ordinario**; eliminar / **entrar** un virus
7. a) declarar – comunicar – comentar; b) escribir – certificar – enviar – entregar – acuse de recibo; c) contratar – instalar – dar de alta – factura; d) conectar – entrar – pinchar – acceder.
8. a) 4; b) 5; c) 1; d) 6; e) 3; f) 2.
9. a) 2; b) 6; c) 1; d) 9; e) 8; f) 5; g) 11; h) 3; i) 10; j) 7; k) 4.
10. ■ VERBOS: informar – decir – circular; NOMBRES: olvido – tropos – traducción – noticias; ADJETIVOS: mensajera – bilingüe.

    ■ a) 2; b) 1 / 3; c) 2 / 3; d) 2; e) 1 / 3 / 4.

UNIDAD 11

1. ■ **Posibles respuestas**

   a. Periodista que puede hacer el trabajo de diferentes tipos de periodistas.

   b. Libertad de investigar, recibir informaciones y difundirlas sin limitación de fronteras y a través de cualquier medio de expresión.

   c. Artículo de periódico sin firma que recoge la opinión de la dirección de la publicación sobre un tema.
2. a) 4; b) 3; c) 5; d) 2; e) 1.
3. a. entrevista; b. superventas; c. corresponsal; d. objetivo variable; e. anuncio publicitario.
4. a. de la tarde / semanal; b. rosa / del corazón / deportiva / amarilla / económica; c. un artículo / una crónica / una carta al director / un *best seller;* d. de expresión; e. a una revista.
5. 1. Cartas al director; 2. portada; 3. crónica deportiva; 4. noticia de actualidad.
6. 1. espectadores; 2. programa; 3. televisión analógica; 4. teleadictos; 5. televisión digital; 6. televisión por cable; 7. televisión vía saté-

lite; 8. programación; 9. informativos; 10. parte meteorológico; 11. espacios publicitarios; 12. zapear; 13. apta para todos los públicos; 14. radio.

7. ESCUCHAR: un programa radiofónico. SEGUIR: una serie de televisión. GRABAR: un programa televisivo. EMITIR: un programa de radio.

8. 1. escuchar; 2. habían grabado; 3. emitir; 4. hiciese; 5. seguía.

9. a. entrevista; b. cámara; c. *best seller;* d. audición; e. prensa escrita.

10. a) Los medios de comunicación sirven para informar, educar y entretener.

b) La prensa amarilla es el nombre que se da al tipo de prensa sensacionalista.

c) La censura es el uso del poder para controlar la libertad de expresión.

d) La prensa gratuita consiste en la distribución de periódicos al público sin costo.

e) Un editorial es un género periodístico-expositivo afín a la posición ideológica de ese periódico.

f) Prensa rosa son las publicaciones especializadas en asuntos del corazón de personas famosas.

11. ■

RADIO	TELEVISIÓN
audiovisual	*sonoro*
telespectador	radioyente
evidencia	sugestión
presentador	locutor
monitor	transistor
imagen	voz
manipulación	realidad

UNIDAD 12

¡Fíjese!

Posibles respuestas

Que está toda completamente desordenada. Se han llevado obras de arte y cuadros, pues hay huellas en la pared.

1. ■ 1. F; 2. V; 3. F; 4. V; 5. F.

2. a) testigo; b) víctima; c) sospechoso; d) huella; e) prueba; f) tribunal; g) delito; h) delincuente; i) pistas.

3.

TENER	SER
una coartada	(un) sospechoso
una prueba	(una) víctima
una pista	(un) delincuente
vigilancia	inocente
protección	

4. a) tenía una coartada; b) tenía una prueba; c) soy delincuente; d) había tenido vigilancia; e) tendrá protección; f) era sospechoso; g) es inocente.

5. 1. el cuerpo del delito; 2. ¡al ladrón!; 3. ladrón de guante blanco; 4. el peso de la ley; 5. el robo del siglo; 6. todo el mundo es inocente hasta que se demuestre lo contrario.

6. a) el robo del siglo; b) el peso de la ley; c) todo el mundo es inocente hasta que se demuestre lo contrario; d) ¡al ladrón!; e) el cuerpo del delito; f) ladrón de guante blanco.

7. 1. cometió; 2. puso; 3. seguir; 4. identificarían; 5. hacían; 6. detuvieron; 7. habían condenado; 8. ganaría; 9. tenía; 10. habían encontrado; 11. perdió.

8. ■ **Libro de texto:** Texto n.° 3. **Periódico:** Texto n.° 1. **Sentencia de un juez:** Texto n.° 2.

9. a) legislativo – ejecutivo – judicial; b) crear – aprobar – reformar; c) justicia – bien común – seguridad; d) público – privado – penal – civil.

10. 1. delito; 2. testigo; 3. inocente; 4. tribunal; 5. jurado; 6. magistrado; 7. juicio; 8. sentencia; 9. presunción; 10. absolver; 11. imputar; 12. costas.

11. 1. juicio; 2. tribunal; 3. defensor; 4. fiscal; 5. testigos; 6. jurado; 7. juez; 8. sentencia.

12. **Chiste n.º 1:** (1) Juez: En el juicio contra José Martín por el robo del coche a Jorge Pérez, por falta de pruebas, el acusado es declarado inocente

    (2) Delincuente: Perdone, Señoría, ¿significa esto que me puedo quedar con el coche?

    Chiste n.º 2: (3). La fiscal: –Ha sido declarado inocente gracias a mi defensa. Pero, en confianza, dígame: ¿fue usted quien robó el balón?

    (4) Delincuente: –Yo lo había robado, pero después de oír su alegato, ya no estoy muy seguro...

13. a) Antes de comenzar; b) Después de; c) Para eso, justo a ese propósito; d) Condición necesaria; e) De hecho; f) Por declaración (expresamente); g) En el acto; h) Manera de hacer; i) Por su propia voluntad.

14. a) *conditio sine qua non*; b) *motu proprio*; c) *ipso facto*; d) *a priori*; e) *ad hoc*; f) *ex professo*.

15.

PROTECCIÓN Y SEGURIDAD				
PERSONAS IMPLICADAS	ACCIONES DE LA POLICÍA	ACCIONES DE LA VÍCTIMA	ACCIONES DEL DELINCUENTE	LUGARES
incuente *ón* inal sino ***ima*** ***igo*** ***ensores de y*** *gado* *do* l ***cía*** *isario* nte ector	*seguir a un sospechoso* *interrogar a un sospechoso* detener a un sospechoso encontrar una pista ***Ayudan a la Policía*** *pista* *huella* prueba retrato robot	*identificar a un sospechoso* poner una denuncia	*cometer un crimen* *cometer un robo* cometer un delito **Consecuencias del delito** *juicio* sentencia	*Tribunal Constitucional* Tribunal Supremo ***Procesos*** *vigilancia* *protección* seguridad juicio

UNIDAD 13

¡Fíjese!

Posibles respuestas

1. Por que siempre se hacen mal las entregas de los pedidos.
2. No, pide el libro de reclamaciones para presentar una queja por haberle vendido una prenda defectuosa.
3. Al contrario, a veces lo muy barato sale caro, pues no tiene suficiente calidad y se vende a un precio tan rebajado por ser un artículo defectuoso.

1. ■ 1. falso; 2. falso; 3. falso; 4. verdadero; 5. falso.

2. COMPRAS y VENTAS

   DÓNDE: *tienda* – comercio – *establecimiento* – cadena – grandes almacenes – *centro comercial*

   QUÉ: artículo – *producto* – mercancía – *rebajas* – gangas

   QUIÉNES: *cliente* – clientela – consumidor – *vendedor* – comercial – encargado

   ACTIVIDADES

   VENDEDORES: *hacer una devolución / un cambio* – hacer un presupuesto – *hacer una factura / un recibo* – hacer un descuento – poner etiquetas – *quitar la alarma de las prendas*

   CLIENTES: *pedir un presupuesto / factura / recibo* – ver escaparates – *echar un vistazo* – hacerse una idea – *dejar una señal* – *tener / solicitar tarjeta de cliente* – *poner una reclamación* – pedir el libro de reclamaciones – *pagar a plazos / al contado* – comprar por catálogo / Internet

   ESTABLECIMIENTO: *tener rebajas* – subir / bajar los precios – *tener garantías* – tener precios especiales – horario comercial – *horario continuo* – perder / ganar clientes

3. a) 5; b) 8; c) 2; d) 7; e) 4; f) 6; g) 1; h) 3.

■ Respuesta libre.

4. 1. he ido de rebajas; 2. hay precios especiales; 3. hacemos un descuento; 4. he comprado por catálogo; 5. tiene horario continuo; 6. hacerme una idea; 7. viendo escaparates; 8. ofrece unas condiciones de pago; 9. sale gratis; 10. la vuelta.

5.

									1↓										
									C										
									O										
									N										
									J					4↓					
		8↓							U					C					
		P					2→	I	N	T	E	R	I	O	R				
		A							T					M					
5→	E	S	T	A	M	P	A	D	O					P					
		A									7→	C	A	L	Z	A	D	O	R
		D												E					
		A												M					
		D												E					
		E									3→	L	I	N	O				
		M												T					
		O					6→	A	L	B	O	R	N	O	Z				
		D												S					
		A																	

6. ROPA DE CAMA: sábanas, albornoz, bata, mantas, camisón, pijama.

   ROPA DE MONTAÑA: botas, chubasquero, polar, gorro, guantes, sudadera.

   ROPA DE CALLE: vestidos, chaquetas, conjuntos, abrigos, jersey, camisa.

   COMPLEMENTOS: cinturón, corbata, bolso, pañuelo, sombrero, zapatos, guantes.

7. 1. de cuadros; 2. ajustado; 3. de punto; 4. arrugada; 5. doblada; 6. al tinte; 7. en seco; 8. estampado; 9. descosido; 10. temporada; 11. de moda; 12. cerrados; 13. estrenar.

8. 1. c); 2. e); 3. a); 4. d); 5. b).

9. 1. el hilo; 2. la cremallera; 3. la aguja; 4. el hilo; 5. la cremallera; 6. la aguja.

10. 1. ganar; 2. planos; 3. liso; 4. grandes almacenes / centro comercial; 5. abiertos; 6. dar de sí / ensancharse; 7. ajustado / apretado; 8. amplio / flojo; 9. cuadros; 10. temporada.

11. 1. Cada cual sabe dónde le aprieta el zapato. 2. Cambiar de chaqueta. 3. Estar manga por hombro. 4. No llegarle uno a alguien a la suela del zapato. 5. Meterse en camisa de once varas. 6. Nadar y guardar la ropa. 7. No llegarle la camisa al cuerpo. 8. Sacarse algo de la manga. 9. Sacar los trapitos al sol. 10. Ser más corto que las mangas de un chaleco. 11. Zapatero a tus zapatos.

12. Cada cual sabe dónde le aprieta el zapato: 10. c).

    Cambiar de chaqueta: 2. g).

    Estar manga por hombro: 5. f).

    No llegarle uno a alguien a la suela del zapato: 7. i).

    Meterse en camisa de once varas: 8. b).

    Nadar y guardar la ropa: 9. j).

    No llegarle la camisa al cuerpo: 1. d).

    Sacarse algo de la manga: 11. h).

    Sacar los trapitos al sol: 4. k).

    Ser más corto que las mangas de un chaleco: 6. a).

    Zapatero a tus zapatos: 3. e).

UNIDAD 14

¡Fíjese!

No lo han cancelado, sino retrasado y su amiga Martina espera que, al final, no lo cancelen. Un *área de descanso* es una zona en autovías y autopistas donde los conductores y viajeros pueden parar a descansar, comer algo, estirar las piernas, que significa desentumecer los músculos, ponerse de pie, estirar el cuerpo, relajarse.

1. ■ 1. falso; 2. verdadero; 3. falso; 4. verdadero.

2. 1. autopista de peaje; 2. rotonda; 3. curva; 4. tráfico intenso; 5. cruce; 6. intercambiador; 7. tranvía; 8. área de descanso; 9. puesto de socorro; 10. autobús.

- En la autovía no se paga peaje; en la autopista sí.

3. 1. infraestructura; 2. tren; 3. estaciones; 4. coche cama; 5. carretera; 6. autovías; 7. autopistas; 8. circular; 9. público; 10. tranvía; 11. avión; 12. bajo coste; 13. chárter; 14. barco; 15. marítimo; 16. crucero; 17. *ferry;* 18. transbordador; 19. ferroviario; 20. terrestre.

4. a) puente aéreo; b) interurbanos; c) líneas regulares – chárter; d) autovías – autopistas de peaje; e) directos – escalas; f) nacionales – comarcales – principales – secundarias; g) cercanías – media distancia – larga distancia – AVE (alta velocidad); h) tranvías; i) crucero – trasbordador; j) andén; k) tripulación; l) revisor – vagón; m) barco de vela – barco pesquero.

5. 1. principal; 2. interurbano; 3. pasajeros; 4. escalas; 5. regular; 6. autovía; 7. cancelar; 8. marítimo / aéreo.

6. **Acciones que realiza el conductor:** arrancar el motor, adelantar por la izquierda, tocar el claxon, controlar la velocidad.

   Normas de circulación: respetar las señales de tráfico, carné por puntos, llevar casco / cinturón / chaleco homologado, ceder el paso, sacar(se) el carné de conducir, renovar el permiso de circulación, pagar una multa.

   Reparación y mantenimiento: rueda de repuesto, taller de reparación, cambiar el aceite, arreglar un pinchazo.

   Percances en la conducción perder el control, pinchar(se) una rueda, quedarse sin frenos, producirse un accidente, salirse de la carretera, llamar a la grúa, ayuda en carretera.

   Seguro del coche: cobrar una indemnización, contratar un seguro a todo riesgo, seguro a terceros (obligatorio).

7. a) casco – cinturón – señales de tráfico; b) velocidad – el control – de la carretera; c) seguro a todo riesgo; d) de conducir – de circulación; e) pincha – se queda – ayuda en carretera – grúa – taller de reparación.

8. a) 9; b) 10; c) 1; d) 3; e) 2; f) 6; g) 4; h) 8; i) 7; j) 5.

9. 1. prohibido adelantar; 2. precaución; 3. velocidad aconsejada; 4. ceda el paso; 5. cambio de sentido; 6. dirección prohibida; 7. prohibido aparcar; 8. velocidad limitada; 9. paso de peatones; 10. dirección única.

10. **Diálogo 1:** se ha pinchado una rueda – el control – accidentes – conducción – salirme de la carretera – líquido de frenos.

    Diálogo 2: revisión periódica – reparación – cambiar el aceite – en garantía – a todo riesgo.

- *Punto negro* en la carretera significa que la zona así denominada constituye un punto de accidentes frecuentes; zona de alto riesgo con un elevado registro de accidentes.

11. 1. Red Nacional de Ferrocarriles Españoles; 2. Aeropuertos Españoles y Navegación Aérea; 3. Inspección Técnica de Vehículos; 4. Alta velocidad; 5. Ferrocarril Español de Vía Estrecha; 6. socorro; 7. Real Automóvil Club de España; 8. Tren articulado ligero Goicoechea-Oriol.

12. a) tripulación; b) frontera; c) indemnización; d) señal; e) puerto; f) pinchar; g) control de carretaras; h) carné; i) grúa; j) matrícula.

13. 1. f); 2. i); 3. d); 4. a); 5. b); 6. e); 7. h); 8. g); 9. k); 10. c); 11. j).

14. Campaña de tráfico para la operación salida de vacaciones: 1; 2; 3; 4.

    Normas de circulación: 5; 6; 7; 11.

    Consejos de mantenimiento y seguridad del vehículo: 8; 9; 10.

UNIDAD 15

¡Fíjese!

Se trata de la *bolsa*, la institución financiera donde se compran y venden acciones.

1. ■ **CUENTA CORRIENTE**

aportar mensualmente pequeñas cantidades
aportaciones periódicas

SERVICIOS FINANCIEROS

fondo de inversiones
renta variable
obtener mayor rentabilidad
comisiones
fondo de inversión en renta fija

BOLSA

inversión a corto plazo / *largo plazo*
Invertir
correr riesgos

2. Se refiere a los *intereses* bancarios, es decir, el dinero que produce el capital o el dinero que hay que pagar por un préstamo.

■ a) un dinero; b) un cheque; c) una deuda; d) un delito fiscal; e) un accionista; f) en un talonario de cheques; g) un riesgo alto.

3. 1. e); 2. d); 3. g); 4. a); 5. b); 6. f); 7. c).

4. 1. ahorrar; 2. garantías; 3. cheques; 4. moneda; 5. corriente; 6. crédito; 7. enviar; 8. transferencia; 9. fuerte; 10. efectivo; 11. préstamo; 12. plazos; 13. contado.

5. **Tener:** dinero, ahorros, un préstamo, un producto, moneda extranjera, una cuenta corriente, inversiones, acciones, un descuento, un fondo de inversión, un tipo de interés.

Pedir: dinero, un préstamo, un recibo, una factura, un producto, moneda extranjera, un descuento.

Solicitar: dinero, un préstamo, un recibo, una factura, un producto, moneda extranjera, una cuenta corriente, un descuento, un fondo de inversión, acciones, un tipo de interés bajo.

Prestar: dinero, moneda extranjera.

Otorgar: dinero, un préstamo, un descuento, un fondo de inversión, un tipo de interés bajo / alto.

Pagar: dinero, un préstamo, un recibo, una factura, un producto, con moneda extranjera, un fondo de inversión, un tipo de interés bajo / alto.

Obtener: dinero, un préstamo, un recibo, una factura, moneda extranjera, un descuento, un tipo de interés bajo / alto.

Conseguir: dinero, un préstamo, un recibo, una factura, moneda extranjera, un descuento, un tipo de interés bajo / alto.

Ingresar: dinero, moneda extranjera, en la cuenta corriente.

Retirar: dinero, un producto, moneda extranjera.

Transferir: dinero, un pago, moneda extranjera, acciones, un fondo de inversión.

Hacer: dinero, un ingreso, un pago, un recibo, una factura, una inversión, un descuento, una transferencia.

6. financiera / exportación / crédito / Mercado Común del Sur / importación / internacional / inversiones / mercancías / distribuidores / comerciantes / demanda.

7. 1. verdadero; 2. falso; 3. falso; 4. verdadero; 5. verdadero.

8. 1. subir; 2. venta; 3. exportación; 4. cobrar; 5. disminuir; 6. demanda; 7. pedido; 8. interior; 9. nacional; 10. recibo; 11. a plazos; 12. variable; 13. entrada; 14. pequeñas.

9. a) 3.; b) 4.; c) 2.; d) 1.

10. ■ a) Al sector secundario o industrial.

b) Energéticos dentro del campo de la electricidad.

c) También se dedica al sector del gas natural y de las energías renovables.

d) No, es privada.

e) Porque tiene sucursales en varios países del mundo.

f) Sí, pues se financia en parte con el capital de sus accionistas y cotiza en bolsa.

11. d); b); e); a); f); c).

12. 1. empresas plurinacionales; 2. sector energético; 3. empresa; 4. distribución; 5. intermediaria; 6. participaciones; 7. tienen valor; 8. Comité de Gestión; 9. socios; 10. expansión; 11. adquisiciones.

13. 1. pequeña empresa; 2. cooperativa de trabajo; 3. puestos de trabajo; 4. a tiempo parcial; 5. gestionar la plantilla; 6. conciliación entre la vida familiar y laboral; 7. estén de baja; 8. jefe de personal; 9. empresa en crisis.

14. a) en crisis – puestos de trabajo; b) de personal – plantilla; c) cooperativa; d) de la vida familiar y laboral.

15. a) Teleprix es una pyme (pequeña empresa), mientras que Endesa y Fenosa son grandes empresas.

b) En expansión o crecimiento están Endesa y Fenosa, mientras que Teleprix se halla en crisis o recesión.

c) Teleprix, pues se dedica a ofrecer servicios.

d) Ninguna de las tres, pues todas son empresas privadas.

e) Endesa y Fenosa operan a nivel mundial y en el mercado nacional opera Teleprix.

f) Teleprix, pues es una cooperativa: la empresa se dirige y gestiona por votación de toda la plantilla y las decisiones se toman de común acuerdo.

16. a) 1; b) 6; c) 2; d) 8; e) 7; f) 5; g) 3; h) 4.

UNIDAD 16

2 a) falso; b) verdadero; c) verdadero; d) falso; e) falso; f) verdadero; g) falso; h) verdadero.

3. a) Crecimiento demográfico; b) Contaminación atmosférica; c) Efectos devastadores sobre el clima / calentamiento global.

4. *El Protocolo de Kioto sobre el cambio climático*

El 11 de diciembre de 1997, los países **industrializados** se comprometieron, en la ciudad de Kioto, a ejecutar un conjunto de medidas para **reducir** las **emisiones** de gases **contaminantes**. El objetivo principal era frenar el **cambio climático,** cuya base es el **efecto invernadero**. Los científicos prevén que desde ahora hasta el 2100 la **temperatura** media de la superficie del **planeta** habrá aumentado, a pesar de que los **inviernos** son más fríos y violentos. Esto se conoce como **calentamiento global** y repercutirá gravemente en el **ecosistema**.

El Protocolo de Montreal sobre la capa de ozono

El Protocolo de Montreal es un acuerdo internacional firmado por 195 países que entró en vigor en 1989 con el fin de prevenir la destrucción de la **capa de ozono.** La capa de ozono es una capa de **gas** que rodea a la Tierra y absorbe los **rayos ultravioletas** protegiendo al hombre de los efectos negativos / nocivos de los **rayos solares**. Su destrucción se origina, entre otras causas, por las **deforestaciones** y las constantes emisiones de **gases tóxicos**, como los emitidos por las centrales **eléctricas** que utilizan **carbón** y **petróleo**, así como por el empleo de agentes **contaminantes** utilizados en la industria de los **aerosoles** y de la refrigeración, que actúan como gases de **efecto invernadero** sobre el planeta, permitiendo la entrada pero no la salida de la **radiación** solar, y aumentando así la temperatura de la Tierra.

La disminución de la **capa de ozono** ha provocado el aumento de enfermedades como el cáncer de piel, las cataratas oculares, la debilidad del sistema inmunitario en humanos y en otras **especies.** Además, las radiaciones **ultravioletas** afectan la capacidad de las plantas de absorber la **luz** del sol, con lo que se reduce el contenido nutritivo y el crecimiento de las plantas. Sin embargo, el esfuerzo realizado por los países firmantes del Protocolo no ha sido en vano. Los expertos coinciden en que la capa de ozono ha empezado a regenerarse al estabilizarse los contaminantes presentes en la **atmósfera** y estiman que si todos los países cumplen con los objetivos propuestos en el tratado, la capa de ozono podría haberse recuperado para el año 2050. Por tanto, el protocolo de Montreal ha sido totalmente efectivo y ha evitado un desastre **medioambiental** global.

5.

SUSTANTIVO	ADJETIVO	VERBO
calentamiento	*caliente*	calentar
reducción	reducido	reducir
vertido	vertido	*verter*
deforestación	*deforestado*	desforestar
conservación	conservado	*conservar*
sobreexplotación	sobreexplotado	*sobreexplotar*
reciclaje	*reciclado*	*reciclar*
contaminación	contaminado	contaminar
desertización	desertizado	*desertizar*
empobrecimiento	empobrecido	empobrecer

6. a) 4. b). 3. c). 1. d). 5. e). 2.

7. a) 14. b) 4. c) 11. d) 1. e) 9. f) 5. g) 15. h) 2. i) 7. j) 10. k) 3. l) 8. m) 13. n) 12. o) 6.

8. *Vauban, un pueblo totalmente sostenible*

Vauban es uno de los experimentos **verdes** más exitosos de Europa. Vauban es un pequeño pueblo de Alemania –cercano a la ciudad de Friburgo– de 42 hectáreas y cinco mil habitantes, que se creó en el año 2001 y se terminó en el 2006. Actualmente, es centro de atención internacional en el **entorno** ecológico por ser un ejemplo de preocupación por minimizar el **efecto** ambiental en el planeta y la eficacia en el uso de **las fuentes.**

Todas las viviendas se han construido conforme a criterios de bajo **gasto de energía,** y de aprovechamiento de las energías **inagotables,** tanto para la electricidad como para la calefacción mediante la energía **fotovoltaica.** Las casas de Vauban son tan **sostenibles,** que generan un excedente que venden a la empresa de electricidad.

Se ha construido una planta de generación de energía muy eficaz, que utiliza astillas de madera y **energía solar** como **petróleo,** ayudando a generar la energía necesaria para el funcionamiento de las viviendas.

El uso de coches en sus calles está prohibido. Allí el transporte es principalmente a pie o en bicicleta. Vauban está conectado con la ciudad de Friburgo por un tranvía alrededor de cuyo recorrido se alinean todas las casas. En la periferia del pueblo hay dos grandes **aparcamientos** para quienes quieren tener coches o para alguna visita de amigos no tan **ecológicos.**

Y todo en Vauban se **reutiliza.** El agua de las duchas y retretes es filtrada y utilizada para regar los jardines. Todos los **deshechos** son reducidos a un **fertilizante** orgánico.

Vauban, sin duda, es el ejemplo que seguir por futuros barrios o pueblos que quieran abandonar la **polución,** y volverse sostenibles y renovables.

9. A. tóxicos / agricultura. Cartel 4

B. ecológicos / artificiales / impacto. Cartel 3

C. preventiva / medicamentos. Cartel 6

D. ecológica / flora / fauna / contaminación / aerosoles / carbono / efecto invernadero / residuos / energético / renovables. Cartel 2

E. animales / ecológicos / pesticidas / transgénicos. Cartel 5

F. desertización / acuíferos / hábitats / contaminación / recicla / abonos / recursos. Cartel 1

UNIDAD 17

1. **Albert Einstein**

Fue un **físico** de origen alemán que **formuló** la **Teoría** General de la Relatividad. Una de las consecuencias de sus **investigaciones** fue el estudio científico del origen y evolución del universo por la rama de la **física** denominada cosmología.

Pitágoras de Samos

Fue un matemático griego, famoso por el Teorema de Pitágoras. Afirmaba que «todo es matemática», y su objeto de estudio fueron los **números**. El **Teorema** de Pitágoras establece que en un **triángulo** rectángulo, el cuadrado de la longitud de la hipotenusa (el **lado** de mayor longitud del triángulo rectángulo) es igual, a la suma de los cuadrados de las longitudes de los dos catetos (los dos lados menores del triángulo rectángulo: los que conforman el **ángulo** recto). Esta teoría se representa en la siguiente **fórmula** matemática $c^2 = b^2 + a^2$.

Marie Curie

Fue la primera **química** en recibir dos premios **Nobel** y la primera mujer en ser profesora en la Universidad de París. Su área de estudio fue la radiactividad. En 1910 **demostró** que se podía obtener un gramo de radio puro. Con una actitud desinteresada, no patentó el proceso de aislamiento del radio, dejándolo abierto a la **investigación** de toda la comunidad **científica**.

Santiago Ramón y Cajal

Fue un **investigador** español que **demostró** que las **neuronas** eran entidades que se comunicaban unas con otras y establecían una especie de red mediante conexiones especializadas. Esta **teoría** es conocida como "la doctrina de la neurona" y es uno de los elementos centrales de la **neurociencia** moderna. Ramón y Cajal utilizó técnicas muy avanzadas para observar con el **microscopio** las **células** del **sistema nervioso**.

2. **Dureza:** es la resistencia que tienen algunos materiales a no dejarse penetrar por otros. **Elasticidad:** es la capacidad que tienen algunos materiales para recuperar su forma anterior una vez que ha desaparecido la fuerza que los deforma. **Fragilidad:** es la facilidad que tienen algunos materiales a la rotura cuando una fuerza impacta sobre ellos.

3.

DUROS	ELÁSTICOS	FRÁGILES
diamante	goma	cerámica
plata	chicle	vidrio
hierro	cable	barro
aluminio	guantes de látex	
oro		

4.

									1↓					2↓
				4↓					T					N
		3→	Á	T	O	M	O		E					E
				E					L		5↓			U
				R		7↓			E		M			R
			6→	M	I	C	R	O	S	C	O	P	I	O
				Ó		É			C		L			N
				M		L			O		É			A
		8↓		E		U			P		C			
		L		T		L	9→	**V**	**I**	**R**	**U**	**S**		
10→	T	E	O	R	Í	A			O		L			
		Y		O							A			

5. **Estadística:** Es una ciencia con base matemática referente a la recolección, análisis e interpretación de datos, que busca explicar condiciones regulares en fenómenos de tipo aleatorio. **Cálculo:** Cómputo, cuenta o investigación que se hace de algo por medio de operaciones matemáticas. **Álgebra:** Rama de las matemáticas que no utiliza números sino letras. Los números son representados por símbolos (usualmente *a, b, c, x, y, z*).
6. Problema 1: 3 (álgebra). Problema 2: 2 (cálculo). Problema 3: 1 (estadística).
7. 1. sistematiza. 2. enunciado. 3. computar. 4. ha ratificado.
8. Respuesta libre.
9. a) verdadero; b) falso; c) verdadero; d) falso; e) falso; f) verdadero.

UNIDAD 18

1. 1. a); 2. a); 3. c); 4. a); 5. b); 6. a); 7. c); 8. a); 9. b); 10. a).
2. **Posible respuesta**

   Azar, suerte, cartas, baraja, repartir, apostar, ganar, perder…
3. Respuesta libre.
4. a) verdadero; b) verdadero; c) falso; d) verdadero; e) verdadero; f) falso; g) falso; h) verdadero.
5. **Posibles respuestas**

   HACER: una apuesta / trampas / una quiniela / un crucigrama / un sudoku. ECHAR: una quiniela / una partida / una carta. JUGAR: una partida / a las cartas / a la lotería / a las quinielas. RESOLVER: un crucigrama / un pasatiempo / un sudoku.
6. a) sorteo; b) puzle; c) destino; d) vez; e) naipe; f) desordenar.
7. Respuesta libre.

   a) falso; b) verdadero; c) falso; d) falso; e) verdadero; f) verdadero; g) falso; h) falso.
8. a) 3. b) 1. c) 2.
9. 1. parchís. 2. bola. 3. ganador. 4. canica. 5. ficha. 6. lotería. 7. perdedor. 8. dado. 9. cartas. 10. jugador. 11. tablero. 12. bombo. 13. suerte. 14. casilla. 15. premio. 16. tobogán. 17. columpio. 18. puzle.

■

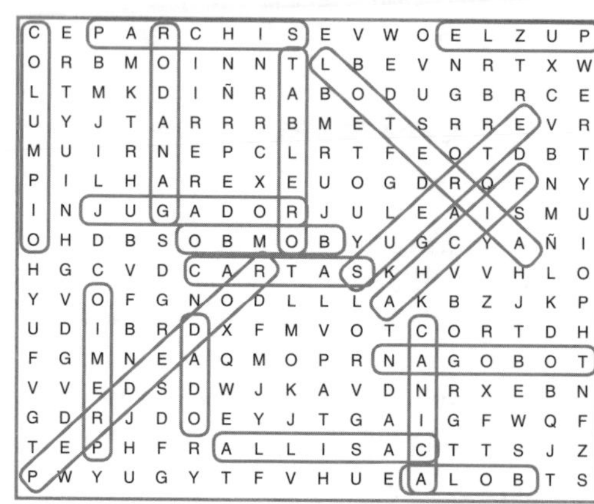

C	E	P	A	R	C	H	I	S	E	V	W	O	E	L	Z	U	P
O	R	B	M	O	I	N	N	T	L	B	E	V	N	R	T	X	W
L	T	M	K	D	I	Ñ	R	A	B	O	D	U	G	B	R	C	E
U	Y	J	T	A	R	R	R	B	M	E	T	S	R	R	E	V	R
M	U	I	R	N	E	P	C	L	R	T	F	E	O	T	D	B	T
P	I	L	H	A	R	E	X	E	U	O	G	D	R	O	F	N	Y
I	N	J	U	G	A	D	O	R	J	U	L	E	A	I	S	M	U
O	H	D	B	S	O	B	M	O	B	Y	U	G	C	Y	A	Ñ	I
H	G	C	V	D	C	A	R	T	A	S	K	H	V	V	H	L	O
Y	V	O	F	G	N	O	D	L	L	L	A	K	B	Z	J	K	P
U	D	I	B	R	D	X	F	M	V	O	T	C	O	R	T	D	H
F	G	M	N	E	A	Q	M	O	P	R	N	A	G	O	B	O	T
V	V	E	D	S	D	W	J	K	A	V	D	N	R	X	E	B	N
G	D	R	J	D	O	E	Y	J	T	G	A	I	G	F	W	Q	F
T	E	P	H	F	R	A	L	L	I	S	A	C	T	T	S	J	Z
P	W	Y	U	G	Y	T	F	V	H	U	E	A	L	O	B	T	S

UNIDAD 19

1. 1. a); 2. b); 3. c); 4. b); 5. a); 6. a); 7 b); 8. b); 9. c); 10. a); 11. a); 12. c).
2. *Cristiano Ronaldo: una carrera de triunfos*

   Esta joven revelación portuguesa del fútbol mostró una gran habilidad con el **balón** desde muy pequeño cuando **entrenaba** en las modestas **instalaciones deportivas** del club de su barrio. A los diez años, su excelente nivel de **juego** no pasó desapercibido para el entrenador del Sporting Lisboa, uno de los equipos más importantes de Portugal. En este club fue donde empezó el verdadero desafío y donde creció como **futbolista** y persona. Con tan solo 17 años de edad **debutó** en un **partido** de la Superliga Portuguesa, causando tal impresión entre los **aficionados** y la prensa que pasó a formar parte del grupo de habituales de la plantilla que se proclamó campeona en la **temporada** 2001-2002. Este campeonato sería el primer éxito de una intensa carrera de **triunfos**.

Otro **partido** muy importante para él fue el amistoso que jugó su **equipo** contra el Manchester United en el año 2003. En este **encuentro** Cristiano Ronaldo sorprendió por su calidad de juego tanto a los propios jugadores **rivales** como a su **entrenador**, Alex Ferguson, que consiguió convencer al Manchester United para que lo **fichara** ese mismo verano tras pagar más de dieciocho millones de euros.

Después de largas negociaciones, a mediados de 2009 fue traspasado al Real Madrid por 94 millones de euros, convirtiéndose en el **traspaso** más caro en la historia del fútbol. Entre los campeonatos conquistados en los diferentes países que había jugado, los **trofeos** internacionales y las distinciones a nivel personal, Cristiano Ronaldo llegaba con un total de 24 **títulos** y veía cumplido su sueño de jugar en el Real Madrid. La ceremonia de presentación se celebró en el **estadio** Santiago Bernabéu ante más de ochenta mil **aficionados.** Actualmente, es considerado uno de los mejores **futbolistas** del mundo y uno de los deportistas más mediáticos. A pesar de haber sufrido varias **lesiones** en el tobillo, Ronaldo afirma que aún le queda una larga carrera deportiva y que de momento no piensa en **retirarse,** sino en seguir anotando **goles.**

3. 1. certamen. 2. gran superficie. 3. fracaso. 4. enfermedad. 5. vencer. 6. enemigo. 7. cantidad.

4. 1. c; 2. b; 3. d; 4. a.

5. 1. d: atleta; 2. c: instalaciones; 3. a: polideportivos; 4. e: competición; 5. b: Juegos.

6. **Posibles respuestas**

   1. h) / g); 2. a); 3. c); 4. b); 5. b) / d) / e); 6. e) / d) / f); 7. f); 8. g).

7. QUEDAR: eliminado; campeón; clasificado. HACERSE: socio; fan; de un club. SER: eliminado; socio; campeón; fan... de un club. GANAR: una medalla; la liga; la copa del mundo. BATIR: un récord.

8. 1. Juegos Olímpicos; 2. victoria / seguidores; 3. final / lesión; 4. atletas / batir; 5. instalaciones deportivas / deportistas.

9. 1. empate. 2. liga. 3. instalaciones. 4. oro / plata / bronce. 5. lesión / calentar. 6. fallas / eliminan. 7. equipo. 8. Conseguir.

10. **Posible respuesta**

    Un multideportista de Vizcaya celebró su 50 aniversario en 2005 corriendo todos los maratones de España. El año pasado, José Pedro **corrió** los 24 **maratones** que se celebran en España más el de Marrakech, para probarse antes de iniciar su intenso calendario deportivo. Y en todos, exceptuando el maratón de Valencia, en el que se encontraba **lesionado**, hizo menos de tres horas. A ritmo tranquilo, según él, que tiene su mejor **marca** en maratón con 2h 28 min.

    PREGUNTA: –¿Tenía en mente batir alguna marca?

    RESPUESTA: –No, a mi edad las marcas ya no se pueden **mejorar**. Tienes que crearte otras **metas** para motivarte. Desde el principio tenía claro que quería **correr** los 25 maratones, pero sabía que iba a ser muy difícil que durante un año entero me respetasen las **lesiones,** pues el entrenamiento es duro y los músculos sufren mucho.

    P. –¿Cuál fue el momento más difícil?

    R. –Sin duda, el maratón de Valencia. En la carrera anterior me había lesionado y no había podido **entrenar** en 20 días. Según se acercaba la fecha pensé que no lo iba a **lograr**. Al final, fui muy tocado y fue un calvario, pensé que no iba a poder terminar. Fue el único maratón en el que hice más de tres horas.

P. –¿Qué ha sido más duro: física o mentalmente?

R. –Mentalmente. Yo soy un desastre: no tengo **entrenador**, por tanto, no sigo un plan de entrenamiento Y este proyecto requería mucha concentración, lo que no me resultaba sencillo. Un gran **esfuerzo** mental.

P. –¿Repetirías?

R. –Sí, ha sido una **experiencia** muy positiva.

P. –¿Qué otros deportes practicas?

R. –Yo empecé a correr tarde, a los 32 años. Antes, era **ciclista**. Ahora, sigo haciendo largas rutas y expediciones en bici durante los veranos... En realidad, me gusta **practicar** casi todos los deportes.

11 1. gimnasia; 2. tiro con arco; 3. baloncesto; 4. ciclismo; 5. judo; 6. salto de vallas; 7. natación; 8. carrera; 9. esquí; 10. voleibol; 11. lanzamiento de peso; 12. salto de altura; 13. balonmano; 14. esgrima; 15. fútbol; 16. piragüismo.

UNIDAD 20

¡Fíjese!

Posibles respuestas

realismo: realidad; **expresionismo:** expresión; **impresionismo:** impresión; **cubismo:** cubo; **surrealismo:** surrealidad.

1. *Las meninas.* 2. *Saturno devorando a sus hijos.* 3. *La persistencia de la memoria.* 4. *Niñas en el mar.* 5. *El Guernica.*

1. ■ 1. F; 2. V; 3. V; 4. V; 5. F.

2. 1. contemporáneo; 2. estética; 3. creadores; 4. vanguardia; 5. crítico; 6. heterogéneo; 7. armonía; 8. muestra; 9. estilo; 10. temática; 11. tendencia; 12. obras; 13. colorido; 14. plásticas.

3. 1. La arquitectura, la escultura y la pintura son las artes plásticas.
 2. El expresionismo fue un movimiento heterogéneo.
 3. La primera manifestación expresionista se produjo en la pintura.
 4. El expresionismo surge como reacción al impresionismo.
 5. El expresionismo deforma la realidad.
 6. Los cuadros expresionistas tienen un fuerte contenido simbólico.
 7. La angustia existencial es el motor de la estética expresionista.

4. a) escultórico; b) pictórico; c) arquitectónico; d) fotográfico; e) musical; f) teatral; g) literario; h) cubista; i) vanguardista; j) simbolista; k) realista; l) surrealista.

■ esculpir / pintar / fotografiar / teatralizar / impresionar / simbolizar

5. ESCULTURA: *cincel* – mármol – volumen – barro – tallar – bronce – esculpir – estatua – moldear.

PINTURA: trazo – línea – perspectiva – claroscuro – pincelada – paleta – pincel – lienzo – colorido – al óleo – a la acuarela.

6. 1. claroscuro; 2. cincel; 3. moldear; 4. bodegón; 5. perspectiva; 6. esculpir; 7. tallar; 8. paleta; 9. óleo; 10. acuarela.

7. 1. mármol; 2. volumen; 3. fotografía; 4. museo; 5. existencialismo; 6. cuadro; 7. estilo.

8.

	MOVIMIENTO	DEFINICIÓN
impresión	impresionismo	6
expresión	expresionismo	2
cubo	cubismo	8
real	realismo	4
romántico	romanticismo	1
surreal	surrealismo	5
moderno	modernismo	3
futuro	futurismo	7

9. *El grito*, Munch (1893):

10. Obra emblemática del **expresionismo**.

1. Figura y **trazo** violento.

8. **Formas** distorsionadas.

5. Uso de colores **fuertes** y **puros** con la intención de alimentar sus obras de una desmedida fuerza psicológica y **expresiva**.

2. Uso de las **líneas** buscando transmitir el ritmo de los **sentimientos**.

9. Rostros **desfigurados** y tristes.

Paisaje montañoso detrás del hospital de Saint Paul, Van Gogh (1889):

3. Tratamiento **impresionista** de la visión de la naturaleza.

4. Planos y ángulos de influencia **fotográfica**.

6. Gran importancia de la **luz** que cae sobre los objetos

7. Representación de paisajes y **naturalezas** muertas.

11. Afinan el **volumen** mediante **matices** lumínicos.

10. 1. pictórico – arquitectura; 2. impresionismo – expresión; 3. lienzo – escultura; 4. novelista – pintura; 5. cuadro – libro; 6. Picasso – surrealismo; 7. arte; 8. XX – realismo.

11. 1. Museo; 2. pinacotecas; 3. maestros; 4. genios; 5. clásica; 6. galería; 7. colecciones; 8. creadores; 9. exposición; 10. pinturas; 11. esculturas; 12. coleccionista; 13. estilos; 14. cuadros; 15. Velázquez; 16. Goya; 17. escuelas; 18. obras; 19. artistas; 20. Picasso; 21. salas.

12. 1. imitación – original; 2. representativa; 3. *prosaico*; 4. inspiración; 5. desarrollar; 6. modernos – abstractos; 7. armonía.

13. 1. c); 2. g); 3. b); 4. a); 5. f); 6. d); 7. e).

14. 1. la ocasión la pìntan calva; 2. un pintor de brocha gorda; 3. es el vivo retrato; 4. no la quiero ver ni en pintura; 5. no pintáis nada.

UNIDAD 21

¡Fíjese!

Seductor de mujeres. Donjuanes.

1. 1. c; 2. c; 3. a; 4. c; 5. b; 6. a.

2. 1. géneros literarios; 2. arte escénica; 3. dramaturgo; 4. prosa – diálogo; 5. monólogo; 6. tragedia – comedia; 7. actos – escenas; 8. estreno; 9. papeles – protagonista – secundario; 10. en escena.

3.

A	Q	W	E	R	T	Y	U	I	O	P	À	O	D	A	S	D	F	G	H
E	S	C	E	N	A	R	I	O	H	J	K	L	E	Ñ	M	N	V	B	C
Z	X	C	V	B	N	S	M	Q	W	E	R	T	C	R	Y	K	E	L	Z
Q	D	T	R	I	K	R	I	S	F	E	T	T	O	U	E	C	S	N	M
X	S	W	V	B	N	O	L	E	T	S	D	F	R	G	J	H	T	K	Z
R	C	S	F	K	M	D	T	Q	N	O	I	C	A	N	I	M	U	L	I
U	E	I	R	E	U	A	H	W	A	T	S	D	D	F	G	H	A	J	K
A	E	V	Q	G	O	T	T	E	S	D	O	J	O	S	Q	W	R	M	N
Z	S	S	D	P	M	C	R	R	Q	W	E	R	T	Y	U	I	I	O	P
W	X	V	I	B	N	E	E	T	M	N	B	V	C	X	Z	Ñ	O	L	K
E	Z	Q	P	Q	Y	P	Q	Y	U	I	O	P	A	S	S	D	F	G	H
P	M	I	N	R	T	S	W	U	G	F	D	S	A	Q	W	E	R	T	Y
A	X	C	V	F	B	E	S	I	H	J	K	L	A	Z	X	C	V	B	N

4. 1. g); 2. b); 3. d); 4. h); 5. i); 6. e); 7. c); 8. f); 9. j); 10. a).

5. 1. galardonada; 2. premio; 3. titulada; 4. lectores; 5. contemporánea; 6. prosa; 7. estilo; 8. describe; 9. época; 10. trama; 11. corriente; 12. reimpreso; 13. ediciones.

6. 1. c; 2. b; 3. c; 4. c; 5. b.

7. 1. editar – imprimir; 2. conceder – otorgar; 3. distinción – galardón; 4. evento – hecho; 5. corriente – escuela; 6. argumento – tema; 7. creación – trabajo; 8. dramático – penoso; 9. estilo – lenguaje; 10. poema – poesía; 11. conclusión – desenlace.

8. 1. e); 2. g); 3. b); 4. i); 5. a); 6. d); 7. h); 8. j); 9. f); 10. c).

9. TEATRO: *1*; 4; 6; 7; 9; 10.

NOVELA: 2; 3; 5; 8; 11; 12.

10. 1. acto; 2. drama; 3. biografía; 4. diálogo; 5. traductor; 6. estreno; 7. crítica; 8. telón.

11.

VERBO	SUSTANTIVO
narrar	*narración*
describir	descripción
relatar	relato
componer	*composición*
interpretar	*interpretación*
publicar	publicación
imprimir	impresión
editar	edición
monologar	monólogo
actuar	*actuación*
interpretar	interpretación
escenificar	*escenificación*
dialogar	diálogo
crear	creación
contar	*cuento*
representar	representación
rimar	rima
recitar	*recitación*

12. 1. poeta; 2. representativa; 3. literario; 4. corrientes; 5. literatura; 6. poesía; 7. modernismo; 8. ritmo; 9. temas; 10. arte; 11. obra; 12. poemas; 13. asuntos; 14. expresión.

13. 1. asunto – obra; 2. masculinas; 3. literario – poético; 4. cromatisimo – sonoridad – ritmo; 5. con la pintura; 6. lo exótico – la mitología – el mundo interior; 7. de temas españoles – intimistas – políticos; 8. porque es el máximo representate del modernismo en la literatura en lengua española.

14. ■ a) 2; b) 3; c) 1; d) 2; e) 1 – 3; f) 3; g) tres; h) Rubén Darío (*Cantos de vida y esperanza*); i) *Nada* (de Carmen Laforet); j) Don Juan (Tenorio).

UNIDAD 22

¡Fíjese!

Guionista.

1. ■ 1. F; 2. F; 3. F; 4. V; 5. V.

2.

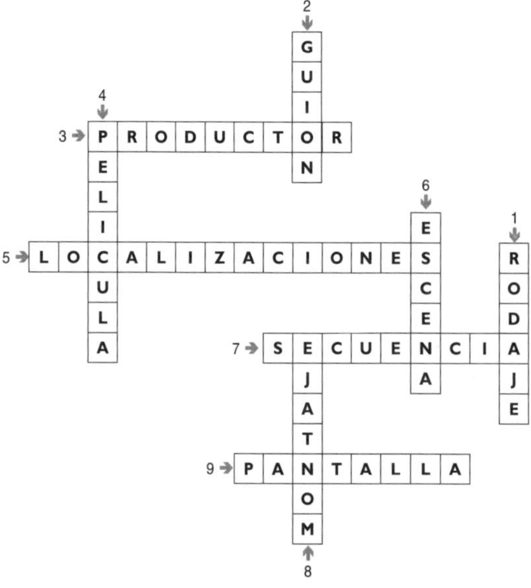

3. 1. guion; 2. *casting;* 3. localizaciones; 4. vestuario; 5. rodaje; 6. montaje; 7. efectos especiales; 8. promoción; 9. distribución; 10. estreno.

4. 1. guion – dirección; 2. estreno; 3. actor – rodaje – *casting*; 4. montaje – escenas; 5. promoción; 6. Festival; 7. cámara; 8. largometraje.

5. 1. guion – banda sonora; 2. rodaje – teatro; 3. guionista – producción; 4. interpretar / actuar – director; 5. crítica de cine – maquillador; 6. secuencia – acto; 7. cine – función.

6. 1. e); 2. h); 3. f); 4. a); 5. c); 6. b); 7. d); 8. g).

7. 1. d); 2. f); 3. c); 4. e); 5. h); 6. i); 7. j); 8. g); 9. a); 10) b.

8. 1. d); 2. e); 3. f); 4. g); 5. c); 6. a); 7. b).

9. 1. visor; 2. enmarcar; 3. previsualizar; 4. almacenarlas; 5. reproducción; 6. duplicado; 7. original; 8. digital; 9. retoque; 10. fotografía; 11. cámara; 12. fotos; 13. tarjetas extraíbles; 14. negativos; 15. copias.

10. 1. F; 2. F; 3. V; 4. F; 5. V.

11. 1. e); 2. h); 3. f); 4. d); 5. i); 6. b); 7. c); 8. g); 9. a).

12. 1. revelar – imprimirlas; 2. negativos – fotografías; 3. duplicado – original; 4. retocar; 5. extraíble – almacenar.

13. 1. Enmarcar. 2. Enfocar. 3. Hacer una ampliación. 4. Apretar un botón / disparar.

SOLUCIONES TEST DE AUTOEVALUACIÓN

1. b	11. a	21. a	31. a	41. a
2. a	12. b	22. c	32. b	42. c
3. c	13. a	23. a	33. b	43. a
4. c	14. a	24. a	34. a	44. c
5. a	15. b	25. b	35. b	45. b
6. b	16. a	26. b	36. c	46. b
7. a	17. b	27. a	37. b	47. a
8. a	18. b	28. c	38. a	48. c
9. c	19. a	29. b	39. a	49. a
10. c	20. c	30. b	40. c	50. c

Glosario alfabético

En este glosario se recogen los términos estudiados en las unidades, seguidos de líneas de puntos, con el fin de que el alumno escriba la traducción a su idioma correspondiente.

A fuego lento ....
Abogado criminalista ....
Abono orgánico ....
Abstracto, a............................
Abundancia (de) ....
Acciones de bolsa........................
Accionista ....
Acertar ....
Acierto ....
Acorde (con)............................
Actitud ....
Actor, actriz............................
Acuarela ....
Acuífero...............................
Acusar.................................
Acuse de recibo ....
Aditivo.................................
Admiración ....
Adoptado, a............................
Adorar.................................
Aficionado, a ....
Agente.................................
Agobiado, a ....
Agobiarse ....
Agotar.................................
Agrio, a ....
Ahorros................................
Al contado ....
Al vapor ....
Alarma.................................
Albahaca ....
Albañil ....
Alegato ....
Álgebra ....
Alimentos frescos........................
Alimentos orgánicos.....................
Aliviado, a ....
Almacenar..............................
Almeja.................................
Almendra...............................
Amable ....
Amargo, a ....
Ambicioso, a ....
Ancho, a................................
Andén ....
Anécdota...............................
Ángulo.................................
Angustia................................
Angustiarse ....
Animado, a.............................
Ansiedad ....
Antiinflamatorio ....
Anual..................................
Anunciar ....
Año lectivo ....
Apagar la sed............................

Aparato digestivo ....
Aparejador, a...........................
Apasionado, a ....
Apenado, a..............................
Aperitivo...............................
Apetecible..............................
Aplaudir................................
Aplicar (una pomada)....................
Aportar.................................
Apostar.................................
Apretar (el zapato).....................
Apretar un botón........................
Apto, a (para todos los públicos)..........
Área....................................
Área de descanso........................
Armarse un lío..........................
Armonía.................................
Aroma relajante.........................
Arquitectura............................
Arrendador, a...........................
Arrendatario, a.........................
Artes escénicas.........................
Artes plásticas.........................
Articulación............................
Artículo de opinión.....................
Artista.................................
Asignatura optativa.....................
Asignatura pendiente....................
Asistencia sanitaria....................
Astrónomo, a............................
Asustar.................................
Ataque de ansiedad......................
Atención especializada..................
Atención primaria.......................
Atento, a...............................
Atmósfera...............................
Átomo...................................
Audioconferencia........................
Autobús.................................
Autopista...............................
Autor, a................................
Autoservicio............................
Avellana................................
Avergonzado, a..........................
Azar....................................
Bachillerato............................
Bajar / subir los precios................
Bajar / subir la bolsa..................
Bajo en calorías........................
Balneario...............................
Banda sonora............................
Baraja..................................
Barajar.................................
Barco de vela...........................
Barro...................................
Batidora................................
Bilingüe................................
Billete de lotería.......................
Biosfera................................
Bisabuelo, a............................
Bisnieto, a.............................
Bodegón.................................
Bollería industrial.....................
Bombo...................................
Bronce..................................
Bronquitis..............................
Bufé libre..............................
Cable...................................
Caducado, a.............................
Calcio..................................
Calcular................................
Cálculo.................................
Calentamiento global....................
Calmante................................
Cámara..................................
Cambio de imagen........................

Cambio de sentido ....
Campeón, a ....
Campeonato ....
Cancelar ....
Canica ....
Cansancio ....
Cansarse ....
Cañería ....
Capa de ozono ....
Cariño ....
Carne a la brasa ....
Carpintero, a ....
Carrera ....
Carta de reclamación ....
Carta de recomendación ....
Cartas al director ....
Cartelera ....
Casilla ....
Catarro ....
Catedrático, a ....
Cateto ....
Cazuela ....
Ceda el paso ....
Célula ....
Cemento ....
Censura ....
Central de seguridad ....
Centro de belleza ....
Centro de salud ....
Certamen ....
Cerveza de barril ....
Chequeo ....
Cicatriz ....
Ciclismo ....
Ciego, a ....
Científico, a ....
Cincel ....
Circuito laboral ....
Cisterna ....
Citar ....
Claroscuro ....
Clasificado, a ....
Clasificarse ....
Cliente ....
Cobarde ....
Colegio religioso / laico ....
Colesterol alto ....
Colorido, a ....
Columna ....
Columpiarse ....
Columpio ....
Comba ....
Combustible ....
Comedia ....
Comentar ....
Comer a la carta / de menú ....
Comerciante ....
Cometer un delito ....
Comisario, a ....
Compañía telefónica ....
Competición ....
Competidor, a ....
Complejo de superioridad ....
Comportarse bien / mal ....
Compra compulsiva ....
Comprar por catálogo ....
Compuestos químicos ....
Comunicación oficial ....
Comunicarse oralmente / por escrito ....
....
Conciliación ....
Condenar ....
Conexión ....
Confirmar ....
Constructor, a ....
Constructora ....

Construir ....
Consumidor, a..........................
Consumismo............................
Contacto...............................
Contaminación ....
Contaminante..........................
Contaminar............................
Contemporáneo, a ....
Contractura ....
Contraindicaciones.....................
Contraindicado, a ....
Contrato indefinido ....
Cónyuge ....
Cooperativa ....
Copia..................................
Cordial ....
Corporal...............................
Correo certificado ....
Correr riesgos ....
Correr ríos de tinta ....
Corresponsal...........................
Cortar en trozos ....
Cortometraje ....
Costilla ....
Cotilla ....
Cotizar ....
Creador................................
Crecer.................................
Crecimiento demográfico................
Crédito ....
Crema hidratante.......................
Crema nutritiva........................
Crítica ....
Crítico, a de arte......................
Crónica deportiva.......................
Crucero................................
Cuarto poder ....
Cubilete...............................

Cubismo ....
Cuenco ....
Cuenta corriente ....
Cuerpo de policía......................
Culpable ....
Cuñado, a ....
Curar la herida........................
Curioso, a ....
Curso de perfeccionamiento ....
Curso elemental........................
Curso intensivo........................
Curva ....
Cutis ....
Dados ....
Dar asco ....
Dar cariño.............................
Dar de alta la luz / el gas ....
Dar de baja la línea de teléfono...........
....
Dar en la diana ....
Dar igual ....
Dar línea ....
Dar mal servicio.......................
Dar pánico ....
Dar puntos (en una herida) ....
Dar un banquete........................
Dar una señal ....
Darse un buen tute ....
Darse una ducha........................
Datos personales ....
De boca en boca........................
De fama internacional...................
Debilidad..............................
Debutar................................
Decaído, a ....
Declaración oficial ....
Decorado ....
Decorado, a............................

Defender una tesis ....
Deforestación ....
Degradar ....
Delincuente ....
Delito ....
Densidad ....
Densidad de población ....
Denunciar ....
Deportista ....
Depositar en cuenta ....
Deprimido, a ....
Depuradora ....
Derecho civil / penal ....
Desahucio ....
Desalojo ....
Descoserse ....
Descubrimiento ....
Desengaño ....
Desertización ....
Deshielo ....
Desinfectante ....
Desmayo ....
Desperdicio ....
Detener ....
Detestar ....
Deudor ....
Devolución ....
Día del espectador ....
Diabetes ....
Diagnóstico ....
Diagonal ....
Diálogo ....
Dirección prohibida ....
Dirección única ....
Disfrutar ....
Disgustado, a ....
Disparar ....
Distribución ....
Distribuir ....
Diversión ....
Doblaje ....
Doctor, a ....
Dolor ....
Dorada ....
Dorar (la cebolla) ....
Dos por (el precio de) uno ....
Drama ....
Dramaturgo, a ....
Dueño, a ....
Dulce ....
Duplicado ....
Dureza ....
Echar un vistazo ....
Ecografía ....
Ecosistema ....
Editor, a ....
Editorial ....
Educado, a ....
Efecto invernadero ....
Efectos especiales ....
Efectos secundarios ....
Elasticidad ....
Electricidad ....
Electricista ....
Eliminar ....
Emisiones tóxicas ....
Emitir ....
Emocionarse ....
Empanado, a ....
Empate ....
Empleo fijo ....
Empresa de mensajería ....
En coma ....
En urgencias ....
Enchufe ....
Encoger ....

Encontrar pruebas
Encontrarse mal / bien
Energía eólica / solar
Energías alternativas
Energías renovables
Enfadado, a
Enfermedad contagiosa
Enfermedad crónica / terminal
Enfermedad hereditaria
Enfermedad leve / grave
Enfermedad mental
Enfocar
Enmarcar
Ensaladera
Enseñanza primaria / secundaria
Enseñanza pública / privada
Enterarse por casualidad
Enterarse por la prensa
Entregar un paquete
Entrenador, a
Entrenamiento
Entrenarse
Enviado, a especial
Equilibrio climático
Equipo informático
Escáner
Escaparate
Escasez
Escayola
Escena
Escenario
Esconderse
Esconder un as en la manga
Escondite
Escupir
Esculpir
Escultura
Esparadrapo
Esqueleto
Esquí
Establecer comunicación
Establecimiento
Estadio
Estadística
Estallido
Estar a dieta / a régimen
Estar de baja
Estar en Babia
Estar en forma
Estar en prácticas
Estar manga por hombro
Estar patas arriba
Estatua
Estornudar
Estómago
Estrategia
Estreno
Estresarse
Estrofa
Etiqueta
Examen final / parcial
Exfoliar
Exhibir
Explosión
Expresionismo
Expresionista
Exprimido, a
Exquisito, a
Factura
Falta de luminosidad
Familia adoptiva
Familia numerosa
Faringe
Faringitis

Fascinar..............................
Fauna..............................
Festival..............................
Fichar..............................
Fichas..............................
Fiebre alta..............................
Financiación..............................
Fiscal..............................
Físico, a..............................
Flojo, a..............................
Flora..............................
Fondo de inversión..............................
Fontanero, a..............................
Fórmula..............................
Formular una pregunta..............................
Fotografía digital..............................
Fracturarse (un hueso)..............................
Fragilidad..............................
Fragmento..............................
Frambuesa..............................
Freidora..............................
Frontera..............................
Frutos del bosque..............................
Frutos secos..............................
Fuente..............................
Ganador, a..............................
Ganancia..............................
Ganga..............................
Gasa..............................
Gemelo, a..............................
Género literario..............................
Generoso, a..............................
Grabar..............................
Grado de parentesco..............................
Grúa..............................
Guion..............................
Guionista..............................
Gusto..............................
Hábitat..............................
Hacer fijo..............................
Hacer oídos sordos..............................
Hacer testamento..............................
Hacer trampas..............................
Hacer una apuesta..............................
Hacer una transferencia..............................
Hacerse eco de algo..............................
Hacerse la manicura..............................
Hacerse un esguince..............................
Hacerse una idea (de algo)..............................
Hamburguesería..............................
Harina integral..............................
Helio..............................
Heredar..............................
Heredero, a..............................
Herida..............................
Herido, a..............................
Herir la sensibilidad..............................
Heterogéneo..............................
Hidratación..............................
Hidrógeno..............................
Hidromasaje..............................
Hierro..............................
Hígado..............................
Hijos adoptivos..............................
Hipertensión..............................
Hipoteca..............................
Hipotenusa..............................
Hipótesis..............................
Homeopático, a..............................
Horizontal..............................
Huella..............................
Hurgar en la herida..............................
Identificar huellas..............................
Impacto medioambiental..............................
Impresionismo..............................
Impresionista..............................

Imprimir ....
Incidencia................................
Indemnización..........................
Indigesto, a.............................
Indignado, a ....
Industrial ....
Infarto ....
Inflamado, a ....
Informativos ....
Ingresos..................................
Inmueble ....
Inocente ....
Inquilino, a..............................
Insípido, a...............................
Inspector.................................
Instalación eléctrica ....
Instalaciones deportivas.................
Instalar antivirus ....
Intercambiador ....
Interés fijo / variable....................
Interrogar ....
Interruptor ....
Interurbano..............................
Intestino ....
Intuición ....
Inversión a largo plazo..................
Invertir ....
Inyección.................................
Írsele (a alguien) el santo al cielo...........
....
Judo......................................
Juego de azar.............................
Juego de ingenio ....
Juego de mesa............................
Juego de naipes..........................
Jugada ....
Jugar limpio..............................
Jugar una partida.........................
Jugoso, a.................................
Juicio oral ....
Juzgado ....
La ocasión la pintan calva................
Ladrillo ....
Ladrón, a ....
Ladrón de guante blanco ....
Lamentarse ....
Langosta ....
Lanzamiento de peso ....
Largometraje.............................
Lengua....................................
Lenguado.................................
Lesión ....
Lesionarse................................
Libertad de expresión ....
Libertad de prensa ....
Libro de reclamaciones..................
Licenciado, a ....
Lienzo ....
Liga ....
Ligero, a.................................
Línea ....
Líneas de autobuses ....
Lista de distribución....................
Literario, a...............................
Literatura ....
Llamada interurbana.....................
Llamadas a cobro revertido ....
Llenarse de orgullo......................
Llevar a juicio ....
Llevar X años cotizados / en paro..........
....
Llevarse como hermanos.................
Lluvia ácida ....
Localización..............................
Lógica ....
Lotería...................................

Lubina ....
Luchas intestinas ....
Magro, a ....
Malestar ....
Mancha ....
Mantener el contacto ....
Mantenimiento ....
Maquillador, a ....
Marco ....
Marea negra ....
Mareo ....
Mármol ....
Masaje relajante ....
Masticar ....
Materia obligatoria ....
Matiz ....
Medalla ....
Medicamento genérico ....
Medida de seguridad ....
Medioambiente ....
Mejillón ....
Melena suelta ....
Mellizo, a ....
Mercado financiero ....
Mercado inmobiliario ....
Mercancía ....
Meterse en camisa de once varas ....
....
Metro ligero ....
Mezclar las cartas ....
Mileurista ....
Moldear ....
Molécula ....
Molestia ....
Monólogo ....
Montaje ....
Mora ....
Moroso, a ....
Movimiento artístico ....
Mudarse ....
Muestra ....
Muslo (de pavo) ....
Nadar y guardar la ropa ....
Natación ....
Naturaleza ....
Náusea ....
Necesidad (de) ....
Negativo, a ....
Neumonía ....
Nitidez ....
No llegarle a la suela del zapato ....
....
No llegarle la camisa al cuerpo ....
....
No pintar nada ....
No querer ver a nadie ni en pintura ......
....
No tener un pelo de tonto, a ....
Nómina ....
Normas de circulación ....
Nota media ....
Noticia bomba ....
Noticia de actualidad ....
Noticia fiable ....
Nuera ....
Nuez ....
Número decimal ....
Número entero ....
Número impar ....
Número par ....
Nutrientes ....
Obra de teatro ....
Obtener créditos ....
Obtener una beca ....
Odio ....
Oferta ....

Oído ....
Olfato ....
Olla a presión ....
Opinar.................................
Optimismo ....
Orégano ....
Órgano ....
Órganos sensoriales.....................
Origen................................
Original ....
Padecer una enfermedad ....
Paga extra ....
Pagar a plazos / al contado................
Pago de las costas......................
Paladar................................
Palco ....
Paleta.................................
Pan integral ....
Pan rallado ....
Panel solar.............................
Papel ....
Papilas gustativas.......................
Paquete postal.........................
Parálisis ....
Parchís................................
Parecerse (a)...........................
Parentesco de primer / segundo grado......
....
Pariente lejano ....
Parte meteorológico.....................
Partícula...............................
Partida................................
Partido................................
Pasar de curso ....
Pasar el rato ....
Pasar una inspección.....................
Pasarlas canutas ....
Pasatiempo ....
Paso de peatones ....
Patio de butacas ....
Peaje ....
Pechuga (de pollo) ....
Pedir peras al olmo......................
Película................................
Percance ....
Percepción.............................
Percibir ....
Percibir el desempleo...................
Perder a alguien ....
Perder el turno.........................
Pérdida ....
Perfil competitivo ....
Perfil profesional.......................
Personaje principal ....
Personaje secundario ....
Perspectiva ....
Picadora...............................
Pictórico, a.............................
Pie de foto ....
Piel fresca ....
Pillar un catarro ....
Pincel.................................
Pincelada ....
Pinchar una rueda.......................
Pintar al óleo...........................
Pintar la mona..........................
Pintarse las uñas ....
Pintor de brocha gorda ....
Pintura................................
Piragüismo.............................
Pizca (de sal)...........................
Plan de ahorro ....
Planta de reciclaje.......................
Platea.................................
Policía de tráfico.......................
Policía Municipal ....

Polución...............................
Poner las notas.........................
Poner una denuncia......................
Poner una reclamación...................
Ponerse furioso, a......................
Ponerse guapo, a........................
Ponerse histérico, a....................
Ponerse malo, a.........................
Ponerse una mascarilla..................
Ponerse una pomada......................
Póquer.................................
Poro...................................
Portada................................
Posgrado...............................
Posproducción..........................
Precaución.............................
Precisión..............................
Premiar................................
Premio.................................
Prenda.................................
Prensa del corazón / rosa...............
Prensa deportiva........................
Prensa digital..........................
Preproducción..........................
Préstamo...............................
Presupuesto............................
Previsualizar...........................
Primera página..........................
Procesamiento..........................
Proceso de selección....................
Producción.............................
Productor, a............................
Productos de belleza....................
Productos frescos / precocinados..........
....
Productos ricos (en fibra)...............
Programa radiofónico....................
Programación...........................
Prohibido, a............................
Promoción..............................
Propiedades............................
Prosa..................................
Prospecto..............................
Protagonista...........................
Protección ciudadana....................
Proteína...............................
Prudente...............................
Pudrirse...............................
Puente aéreo...........................
Pulsaciones............................
Quedar apretado, a......................
Quedarse huérfano, a....................
Quedarse mudo, a.......................
Queso rallado..........................
Químico, a.............................
Quiniela...............................
Quisquilloso, a.........................
Radiación..............................
Radioactividad..........................
Radiografía.............................
Rascarse...............................
Rayos solares...........................
Realismo...............................
Realización de una película..............
Rebajado, a............................
Rebajar................................
Rebozado, a............................
Recibo.................................
Reciclar...............................
Recogerse el pelo.......................
Recortarse la barba.....................
Rector, a...............................
Recursos...............................
Red de transportes......................
Redacción..............................
Redactor, a.............................

Régimen de alquiler ....
Regulación ....
Relación virtual ....
Rellenar (una solicitud) ....
Renovación de contrato ....
Renovar ....
Renta fija / variable ....
Rentabilidad ....
Reparación ....
Repartidor, a ....
Reparto ....
Reportero, a ....
Representar ....
Reproducción ....
Residuo ....
Resignarse ....
Restañar las heridas ....
Restaurante de tres tenedores ....
Resultado ....
Retirarse ....
Retoque ....
Retrato robot ....
Revelar ....
Revisión de examen ....
Revisión ginecológica ....
Revista ....
Riesgo ....
Riñón ....
Rival ....
Rodaje ....
Rodar ....
Romántico, a ....
Romero ....
Ropa de fiesta ....
Rotonda ....
Rueda de prensa ....
Rumor ....
Saberse algo al dedillo ....
Sabroso, a ....
Sacar los trapos al sol / los trapos sucios ....
Sacar una buena nota ....
Sacarse algo de la manga ....
Salado, a ....
Salirse de la carretera ....
Salmonete ....
Salto de altura ....
Salto de vallas ....
Saludable ....
Sazonar ....
Secuencia ....
Seguir la pista ....
Seguridad ....
Seguro a terceros ....
Seguro obligatorio ....
Sensación ....
Sensibilidad ....
Sensible ....
Sentarse a comer ....
Sentarse a la mesa ....
Sentencia ....
Sentido figurado ....
Sentido literal ....
Sentido metafórico ....
Sentir respeto ....
Sentirse con ánimo ....
Sentirse dolido, a ....
Separación de poderes ....
Sequía ....
Ser como de la familia ....
Ser coser y cantar ....
Ser de dominio público ....
Ser el vivo retrato ....
Ser más corto que las mangas de un chaleco ....

Servicio de atención al cliente ....
Servicio de seguridad ....
Servicios financieros ....
Servidor de acceso ....
Sexto sentido ....
Símbolo químico ....
Sin conservantes ni colorantes ....
Sin hueso ....
Sincero, a ....
Síntoma ....
Sistema nervioso ....
Sobreexplotación ....
Socio, a ....
Solidario, a ....
Sopera ....
Sordo, a ....
Sorprenderse (de) ....
Soso, a ....
Sospechoso, a ....
Sostenible ....
Subtitulado, a ....
Subtítulo ....
Suceso ....
Sudoroso, a ....
Suegro, a ....
Suerte ....
Suplantación de identidad ....
Supositorio ....
Surrealismo ....
Susceptible ....
Suscribirse (a un periódico) ....
Sustentable ....
Sustraer ....
Tabique ....
Tabla ....
Tablero ....
Táctica ....
Tacto ....
Talla ....
Tallar ....
Talonario de cheques ....
Tapear ....
Tapete ....
Taquilla ....
Tarifa plana ....
Tarima ....
Tarjeta extraíble ....
Tatarabuelo, a ....
Tataranieto, a ....
Teleadicto, a ....
Teléfono fijo ....
Telegrama ....
Teleobjetivo ....
Telescopio ....
Televisión digital ....
Televisión por cable ....
Televisión vía satélite ....
Telón ....
Tema de actualidad ....
Temática ....
Temor ....
Temporada teatral ....
Tendencia ....
Tener buen expediente ....
Tener buen gusto ....
Tener buen sueldo ....
Tener confianza ....
Tener una corazonada ....
Tener envidia ....
Tener la sartén por el mango ....
....
Tener tacto ....
Tener una coartada ....
Tener una corazonada ....
Tener una pista ....
Tener una salud de hierro ....

Tensión alta / baja ....
Tensión arterial ....
Tesis doctoral ....
Tesis de maestría ....
Testigo ....
Tiempo parcial ....
Tímido, a ....
Tipo de interés ....
Tirar el dado ....
Tiro con arco ....
Tirón ....
Titular ....
Título ....
Tobogán ....
Tocar la lotería ....
Tomar la tensión ....
Tomografía ....
Tomillo ....
Torcerse el tobillo ....
Torneo ....
Trabajador por cuenta ajena ....
....
Trabajar de becario ....
Trabajo a tiempo parcial ....
....
Tráfico ....
Tragedia ....
Trágico, a ....
Tragicomedia ....
Transacción ....
Transcurrir ....
Transfusión de sangre ....
Transmisión celular ....
Transporte aéreo ....
Transporte ferroviario ....
Transporte marítimo ....
Transporte público ....
Transporte terrestre ....
Tranvía ....
Trasbordador ....
Traspasar un jugador ....
Tratamiento ....
Trazo ....
Tribunal ....
Tribunal Constitucional ....
Trillizo, a ....
Tripulación ....
Tristeza ....
Triunfo ....
Trofeo ....
Tubo ....
Turno ....
Vagón ....
Vanguardia ....
Venda ....
Versión original ....
Verso ....
Vertical ....
Vertidos tóxicos ....
Víctima ....
Videoconferencia ....
Vigilancia ....
Vino blanco seco ....
Visión borrosa ....
Vista ....
Vitamina ....
Volumen ....
Volverse loco, a ....
Vuelo directo / sin escala ....
Yerno ....
Zapatero a tus zapatos ....
Zapatos abiertos ....
Zapear ....
Zum ....

Glosario temático

ALIMENTACIÓN

Mens sana in corpore sano

Alimentación nutritiva

Unidad 6

A fuego lento
Abundancia de
Al vapor
Albahaca
Alimentos frescos
Alimentos orgánicos
Alimentos ricos en calorías
Almendra
Apagar la sed
Aperitivo
Apetecible
Autoservicio
Avellana
Bajo en calorías
Bollería industrial
Bufé libre
Caducado, a
Calcio
Calorías vacías
Carne a la brasa
Cazuela de barro
Cerveza de barril
Comer a la carta
Comer de menú
Cortar en trozos
Cuenco
Dar un banquete
De fama internacional
Dorada
Dorar la cebolla
Empanado, a
Ensaladera
Escasez
Exprimido, a
Exquisito, a
Frambuesa
Frutos del bosque
Frutos secos
Fuente
Hamburguesería
Harina integral
Hierro
Indigesto, a
Insípido, a
Jugoso, a
Langosta
Langostino
Lenguado
Ligero, a
Lubina
Magro de cerdo
Masticar
Mejillón
Necesidad de
Nutrientes
Olla a presión
Orégano
Pan integral
Pan rallado
Pechuga de pollo
Pizca de sal
Pocas / muchas calorías
Ponerse malo, a
Productos frescos
Productos precocinados
Productos ricos en fibra
Proteínas
Pudrirse
Queso rallado
Rebozado, a
Restaurante de tres tenedores
Rico, a
Romero
Sabroso, a
Salmonete
Saludable
Sazonar
Sentarse a comer
Sentarse a la mesa
Sin conservantes ni colorantes
Sin hueso
Sopera
Soso, a
Tapear
Tomillo
Vino blanco seco
Vitaminas

ARTES

Alma de artista

Artes plásticas

Unidad 20

Abstracto, a
Acuarela
Armonía
Arquitectura
Artes plásticas
Artista
Barro
Bodegón
Bronce
Cincel
Claroscuro
Colorido, a
Contemporáneo, a
Creador, a
Crítico, a de arte
Cubismo
Esculpir
Escultura
Estatua
Estética
Estilo
Exhibir
Expresionismo

Expresionista
Heterogéneo, a
Impresionismo
Impresionista
La ocasión la pintan calva
Lienzo
Línea
Mármol
Matiz
Moldear
Movimiento artístico
Muestra
No pintar nada
No querer ver a nadie ni en pintura
Obra
Paleta
Perspectiva
Pictórico, a
Pincel
Pincelada
Pintar al óleo
Pintar la mona
Pintor de brocha gorda
Pintura
Realismo
Ser el vivo retrato de alguien
Surrealismo
Tallar
Temática
Tendencia
Trazo
Vanguardia
Volumen

¡Arriba el telón!
Literatura y teatro
Unidad 21

Acto
Actor, actriz
Arte escénica
Autor, a
Comedia
Crítico, a
Decorado
Diálogo
Drama
Dramaturgo, a
Escena
Escenario
Estreno
Estrofa
Final
Fragmento
Género literario
Literario, a
Literatura
Monólogo
Obra de teatro
Palco
Papel
Patio de butacas
Personaje principal
Personaje secundario
Platea
Prosa
Protagonista
Representar
Romántico, a
Suceso
Telón
Temporada teatral
Título
Tragedia
Trágico, a
Tragicomedia
Transcurrir
Verso

Y el Óscar es para...
Cine y fotografía
Unidad 22

Almacenar
Banda sonora
Cámara
Cartelera
Casting
Copia
Cortometraje
Decorado
Día del espectador
Disparar
Distribución
Doblaje
Duplicado
Efectos especiales
Enfocar
Enmarcar
Escena
Estreno
Festival
Fotografía digital
Grabar
Guion
Guionista
Hacer una ampliación
Imprimir
Largometraje
Localización
Maquillador, a
Montaje
Negativo
Nitidez
Original
Película
Posproducción
Preproducción
Previsualizar
Producción

Productor, a
Promoción
Realización de una película
Reproducción
Retoque
Revelar
Rodaje
Rodar
Secuencia
Subtitulado, a
Taquilla
Tarjeta extraíble
Teleobjetivo
Versión original
Zum

CIENCIA Y TECNOLOGÍA

El camino más corto es la línea recta

Ciencia y Tecnología

Unidad 17

Álgebra
Ángulo
Área
Astrónomo, a
Átomo
Calcular
Cálculo
Cateto
Célula
Científico, a
Compuestos químicos
Confirmar
Densidad
Descubrimiento
Diagonal
Dureza
Elasticidad
Elemento
Estadística
Estallido
Explosión
Físico, a
Fórmula
Fragilidad
Helio
Hidrógeno
Hipotenusa
Hipótesis
Horizontal
Línea
Materia
Molécula
Número decimal
Número impar
Número par
Origen
Partícula
Precisión
Propiedades
Químico, a
Símbolo químico
Sistema nervioso
Telescopio
Transmisión celular
Vertical

COMPRAS Y TIENDAS

¡Busque, compare y compre!

De compras

Unidad 13

Alarma
Ancho, a
Apretar el zapato
Artículo
Bajar los precios
Cambiar
Cambiar de chaqueta
Cliente
Comerciante
Compra compulsiva
Comprar por catálogo
Consumidor, a
Consumismo
Descoserse
Devolución
Distribución
Distribuir
Dos por (el precio de) uno
Echar un vistazo
Encoger
Escaparate
Establecimiento
Estar manga por hombro
Etiqueta
Factura
Financiación
Flojo, a
Ganga
Hacerse una idea acerca de algo
Libro de reclamaciones
Mercancía
Meterse en camisa de once varas
Nadar y guardar la ropa
No llegarle a la suela del zapato
No llegarle la camisa al cuerpo
Oferta
Pagar a plazos
Pagar al contado
Poner una reclamación
Prenda
Productos
Quedar apretado, a
Rebajado, a
Rebajar

Recibo
Reparto
Ropa de fiesta
Sacar los trapos al sol
Sacar los trapos sucios
Sacarse algo de la manga
Salir un artículo gratis
Ser más corto que las mangas de un chaleco
Talla
Zapatero a tus zapatos
Zapatos abiertos

ECONOMÍA

El mercado financiero

Economía y finanzas

Unidad 15

Acciones
Accionista
Ahorros
Anual
Aportar
Bajar / subir la bolsa
Conciliación
Cooperativa
Correr riesgos
Cotizar
Cuenta corriente
Depositar en cuenta
Estar de baja
Fondo de inversión
Ganancia
Hacer una transferencia
Hipoteca
Ingresos
Interés fijo
Interés variable
Intereses
Inversión a largo plazo
Invertir
Mercado financiero
Nómina
Pérdida
Plan de ahorro
Préstamo
Renta fija
Renta variable
Rentabilidad
Riesgo
Servicios financieros
Talonario de cheques
Tiempo parcial
Tipo de interés
Transacción

EDUCACIÓN

El saber no ocupa lugar

Educación

Unidad 4

Año lectivo
Asignatura optativa
Asignatura pendiente
Bachillerato
Bilingüe
Catedrático, a
Colegio religioso / laico
Crédito
Curso de perfeccionamiento
Curso elemental
Cursos intensivos
Darse un buen tute
Defender una tesis
Doctor, a
Enseñanza primaria / secundaria
Enseñanza pública / privada
Estar en Babia
Examen final / parcial
Írsele el santo al cielo
Licenciado, a
Materia obligatoria
No llegarle la camisa al cuerpo
Nota media
Obtener créditos
Obtener una beca
Pasar de curso
Pasarlas canutas
Pedir peras al olmo
Poner las notas
Rector, a
Revisión de examen
Saberse todo al dedillo
Sacar un sobresaliente
Ser coser y cantar
Tener buen expediente
Tener la sartén por el mango
Tesis de maestría
Tesis doctoral

INDIVIDUO Y RELACIONES PERSONALES

El sexto sentido

Sensaciones y Percepciones

Unidad 1

Agrio, a
Amargo, a
Aparato digestivo
Articulaciones
Buen gusto
Ciego, a
Cinco sentidos
Columna
Contacto

Corporal
Costilla
Dolor
Dulce
Encontrarse mal
Esqueleto
Estómago
Faringe
Gusto
Hacer oídos sordos
Hígado
Inflamado, a
Intestino
Lengua
Lesión
Luchas intestinas
Oído
Olfato
Órgano
Órganos sensoriales
Paladar
Papilas gustativas
Percepción
Percepción visual
Percibir
Quedarse mudo, a
Radiografía
Riñón
Salado, a
Sensaciones
Sensibilidad
Sensible
Sentido figurado
Sentido literal
Sentido metafórico
Sexto sentido
Sordo, a
Tacto
Tener tacto
Tener una corazonada
Vista

Las apariencias engañan

Valores y comportamientos personales

Unidad 2

Actitud
Admiración
Adorar
Agobiado, a
Agobiarse
Aliviado, a
Amable
Ambicioso, a
Angustiarse
Angustia
Animado, a
Apasionado, a
Apenado, a
Asustar
Atento, a
Avergonzado, a
Cansarse
Cariño
Cobarde
Complejo de superioridad
Comportarse bien / mal
Contento como unas castañuelas
Cordial
Cotilla
Curioso, a
Dar asco
Dar cariño
Dar igual
Dar pánico
Desengaño
Detestar
Disfrutar
Disgustado, a
Educado, a
Emocionarse
Enfadado, a
Estresarse
Fascinar
Generoso, a
Hacer ilusión
Indignado, a
Lamentarse
Llenarse de orgullo
Odio
Optimismo
Ponerse furioso, a
Ponerse histérico, a
Prudente
Quisquilloso, a
Resignarse (a)
Sentir respeto
Sentirse con ánimo
Sentirse dolido, a
Sincero, a
Solidario, a
Sorprenderse (de)
Susceptible
Temor
Tener confianza
Tener envidia
Tener un pelo de tonto, a
Tímido, a
Tristeza
Volverse loco, a

Y demás parientes

Relaciones familiares

Unidad 3

Adoptado, a
Armarse un lío
Bisabuelo, a
Bisnieto, a
Cónyuge
Crecer
Cuñado, a
Familia adoptiva

Familia numerosa
Gemelo, a
Grado de parentesco
Hacer testamento
Heredar
Heredero, a
Hijo, a adoptivo, a
Llevarse como hermanos
Mellizo, a
Nuera
Parecerse (a)
Parentesco de primer / segundo grado
Pariente lejano
Perder a alguien
Quedarse huérfano, a
Ser como de la familia
Suegro, a
Tatarabuelo, a
Tataranieto, a
Trillizo, a
Yerno

JUSTICIA

Se ha cometido un robo

Ley y orden

Unidad 12

Abogado, a criminalista
Abogado, a defensor, a
Acusar
Agente
Alarma
Alegato
Central de seguridad
Cometer un delito
Comisario, a
Condenar
Cuerpo de policía
Culpable
Delincuente
Delito
Denunciar
Derecho civil
Derecho penal
Detener
Encontrar pruebas
Estar patas arriba
Fiscal
Huella
Identificar huellas
Inocente
Inspector
Interrogar
Juicio oral
Juzgado
Ladrón, a
Ladrón de guante blanco
Ley
Llevar a juicio
Medida de seguridad
Pago de las costas
Policía de tráfico
Policía Municipal
Poner una denuncia
Procesamiento
Protección ciudadana
Retrato robot
Seguir la pista
Seguridad
Sentencia
Separación de poderes
Servicio de seguridad
Sospechoso, a
Suplantación de identidad
Sustraer
Tener una coartada
Tener una pista
Testigo
Tribunal
Tribunal Constitucional
Víctima
Vigilancia

MEDIOAMBIENTE

¿Es posible un planeta habitable?

Problemas medioambientales

Unidad 16

Abono orgánico
Acuíferos
Aditivos
Agotar
Atmósfera
Biosfera
Calentamiento global
Capa de ozono
Combustible
Contaminación
Contaminante
Contaminar
Crecimiento demográfico
Deforestación
Degradar
Densidad de población
Depuradora
Desertización
Deshielo
Desperdicios
Ecosistema
Efecto invernadero
Emisiones tóxicas
Energía eólica
Energía solar
Energías alternativas
Energías renovables
Equilibrio climático
Fauna
Flora
Hábitat
Impacto medioambiental
Industrial

Lluvia ácida
Marea negra
Medioambiente
Naturaleza
Paneles solares
Planta de reciclaje
Polución
Radiación
Radioactividad
Rayos solares
Reciclar
Recursos
Regulación
Residuo
Sequía
Sobreexplotación
Sostenible
Sustentable
Vertidos

COMUNICACIÓN

Tiene un mensaje nuevo

Comunicación personal

Unidad 10

Acuse de recibo
ADSL (adeseele)
Anécdota
Anunciar
Apuntarse a una lista de distribución
Audioconferencia
Carta de reclamación
Chat
Comentar
Compañía telefónica
Comunicación audiovisual
Comunicación de última hora
Comunicación oficial
Comunicación telefónica
Comunicarse oralmente / por escrito
Conexión
Conocer el dato
Correo certificado
Correo electrónico
Correr ríos de tinta
Cuarto poder
Dar de baja la línea de teléfono
Dar línea
Dar mal servicio
De boca en boca
Declaración oficial
Eliminar virus
Empresa de mensajería
Enterarse por casualidad
Enterarse por la prensa
Entregar un paquete
Equipo informático
Establecer comunicación
Factura de teléfono
Formular una pregunta
Hacerse eco de algo
Instalar antivirus
Internet
Lista de distribución
Llamada interurbana
Llamadas internacionales a cobro revertido
Manejar software libre
Mantener el contacto
Noticia bomba
Noticia fiable
Opinar
Paquete postal
Prensa rosa
Relación virtual
Repartidor, a
Rumor
Ser de dominio público
Servicio de atención al cliente
Servidor de acceso
Tarifa plana
Teléfono fijo
Teléfono móvil
Telegrama
Videoconferencia

Bien informados

Medios de comunicación

Unidad 11

Apto, a para todos los públicos
Artículos de opinión
Cartas al director
Censura
Corresponsal
Crítica
Crónica deportiva
Editor, a
Editorial
Emitir
Enviado, a especial
Espacio publicitario
Foto central
Grabar
Informativos
Libertad de expresión
Libertad de prensa
Noticia de actualidad
Parte meteorológico
Pie de foto
Portada
Prensa del corazón / prensa rosa
Prensa deportiva
Prensa digital

Prensa económica
Primera página
Programa radiofónico
Programación
Redacción
Redactor, a
Reportero, a
Revista
Rueda de prensa
Subtítulo
Suscribirse a un periódico
Teleadicto, a
Televisión digital
Televisión por cable
Televisión vía satélite
Tema de actualidad
Titular
Zapear

OCIO

¡Te toca!

Juegos y pasatiempos

Unidad 18

Acertar
Acierto
Apostar
Azar
Baraja
Barajar
Billete de lotería
Bombo
Canica
Casilla
Columpiarse
Columpio
Comba
Competición
Competidor, a
Cubilete
Dados
Dar en la diana
Diversión
Entrenamiento
Esconder un as en la manga
Esconderse
Escondite
Estar en forma
Estrategia
Fichas
Ganador, a
Hacer trampas
Hacer una apuesta
Juego de azar
Juego de ingenio
Juego de mesa
Juego de naipes
Jugada
Jugar limpio
Jugar una partida
Lógica
Lotería
Mezclar las cartas
Parchís
Partida
Pasar el rato
Pasatiempo
Perder el turno
Póquer
Premiar
Premio
Quiniela
Resultado
Suerte
Tablero
Táctica
Tapete
Tirar el dado
Tobogán
Tocar la lotería
Torneo
Turno

Comienza el campeonato de liga

Deportes

Unidad 19

Aficionado, a
Baloncesto
Balonmano
Campeón, a
Campeonato
Carrera
Certamen
Ciclismo
Clasificado, a
Clasificarse
Competición
Debutar
Deportista
Eliminar
Empate
Entrenador, a
Entrenarse
Equipo
Esquí
Estadio
Fichar
Fútbol
Futbolista
Gimnasia
Instalaciones deportivas
Judo
Juegos olímpicos
Lanzamiento de peso
Lesión
Lesionarse
Liga
Medalla
Natación
Partido
Piragüismo

Retirarse
Rival
Salto de altura
Salto de vallas
Socio
Temporada
Tiro con arco
Traspasar un jugador, a
Triunfo
Trofeo
Voléibol

SALUD Y CUIDADOS PERSONALES

Bello por dentro, bello por fuera

Higiene y belleza

Unidad 8

Aplicar una crema
Aroma relajante
Balneario
Cambio de imagen
Centro de belleza
Crema hidratante
Crema nutritiva
Cutis
Darse una ducha
Exfoliar
Falta de luminosidad
Hacerse la manicura
Hidratación
Hidromasaje
Mancha
Masaje relajante
Melena suelta
Piel fresca
Pintarse las uñas
Ponerse guapo, a
Ponerse una mascarilla
Poro
Productos de belleza
Recogerse el pelo
Recortarse la barba
Tratamiento

Diga treinta y tres

Salud y enfermedad

Unidad 9

Ansiedad
Antiinflamatorio
Asistencia sanitaria
Ataque de ansiedad
Atención de urgencias
Atención especializada
Atención primaria
Azúcar alto
Bronquitis
Calmante
Cansancio
Centro de salud
Chequeo
Cicatriz
Colesterol alto
Contractura
Contraindicaciones
Contraindicado, a
Curar la herida
Dar puntos en una herida
Debilidad
Decaído, a
Deprimido, a
Desinfectante
Desmayo
Diabetes
Diagnóstico
Dolor
Ecografía
Efectos secundarios
En coma
En urgencias
Enfermedad contagiosa
Enfermedad crónica / terminal
Enfermedad hereditaria
Enfermedad leve / grave
Enfermedad mental
Escáner
Escayola
Esparadrapo
Estar a dieta / a régimen
Faringitis
Fiebre alta
Fracturarse un hueso
Gasa
Hacerse un esguince
Herida profunda
Herida superficial
Herido, a
Herir la sensibilidad
Hipertensión
Homeopático, a
Hurgar en la herida
Infarto
Inyección
Malestar
Mareo
Medicamento genérico
Molestias
Náuseas
Neumonía
Padecer una enfermedad
Parálisis
Pillar un catarro
Ponerse una pomada
Prospecto
Pulsaciones
Radiografía
Restañar las heridas
Revisión ginecológica
Síntoma
Supositorio

Tener una salud de hierro
Tensión alta
Tensión arterial
Tirón muscular
Tomar la tensión
Tomografía
Torcerse el tobillo
Transfusión de sangre
Tratamiento
Venda
Visión borrosa

TRABAJO

¡Me han contratado a tiempo parcial!

Actividad Laboral

Unidad 5

Acorde con sus capacidades
Buen sueldo
Carta de recomendación
Circuito laboral
Citar para una entrevista de trabajo
Contrato indefinido
Datos personales
Empleo fijo
Empleo remunerado
Estar en prácticas
Hacer fijo
Llevar X años cotizados
Llevar X años en paro
Mileurista
Paga extra
Percibir el desempleo
Perfil competitivo
Perfil profesional
Posgrado
Proceso de selección
Rellenar una solicitud de empleo
Renovación de contrato
Tener empleados a su cargo
Trabajador, a por cuenta ajena
Trabajar de becario
Trabajo a tiempo parcial
Trabajo remunerado

VIAJES, ALOJAMIENTO Y TRANSPORTES

De ida y vuelta

Viajes y transportes

Unidad 14

Andén
Área de descanso
Autopista
Barco de vela
Cambio de sentido
Cancelar
Ceda el paso
Crucero
Curva
Dirección prohibida
Dirección única
Estar retrasado (el vuelo)
Frontera
Grúa
Incidencia
Indemnización
Intercambiador
Interurbano
Líneas de autobuses
Mantenimiento
Metro ligero
Normas de circulación
Paso de peatones
Peaje
Percance
Pinchar una rueda
Precaución
Prohibido
Puente aéreo
Red de transportes
Reparación
Rotonda
Salirse de la carretera
Seguro a terceros
Seguro obligatorio
Tráfico
Transporte aéreo
Transporte ferroviario
Transporte marítimo
Transporte público
Tranvía
Trasbordador
Tripulación
Vagón
Vuelo chárter
Vuelo directo / sin escala

VIVIENDA

¡Manos a la obra!

La vivienda

Unidad 7

Al contado
Albañil
Aparejador, a
Arrendador, a
Arrendatario, a
Cable
Cañería
Carpintero, a
Cemento
Cisterna
Constructor, a
Constructora
Construir
Dar de alta la luz / el gas

Dar una señal
Desahucio
Desalojo
Deudor, a
Dueño, a
Electricidad
Electricista
Enchufe
Fontanero, a

Hipoteca
Inmueble
Inquilino, a
Instalación eléctrica
Interruptor
Ladrillo
Marco
Mercado inmobiliario
Moroso, a

Mudarse
Pasar una inspección
Presupuesto
Régimen de alquiler
Renovar
Tabique
Tabla
Tarima
Tubo